Jules Barbey d'Aurevilly

Lord Byron

CARRÉ D'ART

Salvador Dali

Jean-Edern Hallier

© 2008 ANAGRAMME éditions

Dépôt légal 2ᵉ trimestre 2008
ISBN 978-2-35035-189-6

Imprimé en France
par Impression Design
F-92100 Boulogne - 33 (1) 46 20 57 57

Edité par ANAGRAMME éditions
48, rue des Ponts
F-78290 Croissy-sur-Seine
33 (1) 39 76 99 43
info@anagramme-editions.fr

www. anagramme-editions.fr

Mise en pages de Yamina Sadki

Barbey d'Aurevilly

Dali

Byron

Jean-Pierre Thiollet

CARRÉ D'ART

Avec des contributions
de Anne-Elisabeth Blateau
et François Roboth

Hallier

Sommaire

❖❖❖❖❖❖❖❖

❖❖❖❖❖❖❖❖

*« Que nul n'entre ici
s'il n'est géomètre. »* *

« Le temps met tout en lumière. » **

Figures

« La veille d'un être humain

– ne fût-ce qu'une sentinelle – ,

quand tous les autres êtres sont plongés

dans cet assoupissement qui est l'assoupissement

de l'animalité fatiguée, a toujours quelque chose

d'imposant. Mais l'ignorance de ce qui fait veiller

derrière une fenêtre aux rideaux baissés,

où la lumière indique la vie et la pensée,

ajoute la poésie du rêve à la poésie de la réalité. »

Les Diaboliques, Le rideau cramoisi.
Barbey

B comme Barbey d'Aurevilly ou Byron, D comme Dali, H comme Hallier...Quatre noms, trois nationalités ou plutôt territoires d'origine, deux siècles sinon trois, un projet commun ou une seule et même passion, à vocation internationale, par essence et par définition : l'Art.

Quatre, trois, deux, un ! D'emblée, à ce petit jeu des chiffres et des lettres, l'ouvrage est lancé. Mais Barbey, Byron, Dali et Hallier ne sont pas que des noms. Et encore moins des noms quelque peu communs. Non seulement ils ont été des êtres humains, avec leur personnalité si marquante qu'aujourd'hui encore ils s'imposent tous comme des figures mémorables. Mais ils se rattachent également à une œuvre qui compte ou avec laquelle il faudra tôt ou tard, que cela plaise ou non, compter.

Grâce à la commémoration du bicentenaire de sa naissance, Jules Barbey d'Aurevilly occupe enfin la place qui lui revient parmi les plus grands écrivains du XIXe siècle, tous pays confondus. Lord Byron a, lui, depuis longtemps, le statut d'un des poètes éternels de l'Humanité, même si certains de ses vers mériteraient d'être mieux connus et appréciés des anglicistes français. Bien qu'il soit à juste titre considéré comme l'un des principaux créateurs du XXe siècle, Salvador Dali, est de son côté, généralement perçu en 2 D, parfois en 3 D, mais très rarement en quatre ou plus. Or, Dali n'est pas exclusivement dessinateur et peintre : il s'est aussi exprimé comme sculpteur, architecte, designer... et auteur. Ses écrits en font foi. Enfin, à sa mort, en 1997, Jean-Edern Hallier a laissé *L'Evangile du fou*, plusieurs autres livres de première force contenant des pages superbes, sans doute parmi les plus admirables de la littérature française de la seconde moitié du siècle dernier, et des centaines de dessins, aquarelles ou gouaches qui témoignent d'un réel talent créatif. Une dizaine d'années après sa disparition, le nom s'impose d'ores et déjà comme un repère emblématique dans l'histoire de la vie littéraire.

Si Barbey, Byron, Dali et Hallier constituent le Carré d'Art de cet ouvrage, ils ne le doivent donc pas au hasard, mais à la nécessité de mettre en lumière l'existence d'une fraternité occulte entre eux et d'étonnantes correspondances entre leurs origines, leurs parcours et les œuvres. C'est ainsi que, par-delà les notions d'époque et d'espace, ces messieurs ne font qu'un... deux, trois, quatre !

Racine carrée

Qu'il soit d'ordre mathématique, politique, économique, social ou artistique, tout problème a une origine ... Mais il n'est jamais sûr que cette origine soit, en tant que telle, importante. Dès lors qu'il est question de Barbey d'Aurevilly, Byron, Dali ou Hallier, elle le devient nécessairement. Comme point de départ d'un itinéraire et d'une identité. Mais aussi comme clé d'accès à leur démarche créatrice.

L'origine peut être matricielle, surtout quand il s'agit, comme c'est leur cas, d'aristocrates de souche, sinon de l'esprit.

Pour comprendre, au moins en partie, Barbey, Byron, Dali, Hallier, il faut donc remonter loin, très loin, à leur enfance normande, écossaise, catalane, bretonne. La « racine carrée ».

Barbey d'Aurevilly :
Normandie en tête

Toute province a son chantre, c'est bien connu. Petit ou grand. Si les Landes ont leur Mauriac, le Val de Loire et la Sologne ont leur Genevoix. Tandis que la Provence, elle, a son Giono ou son Bosco, la Charente son Chardonne, et le Cotentin, avec Barbey d'Aurevilly, son principal héraut. Barbey, le « Walter Scott normand », selon l'expression fameuse d'Ernest Seillière, reste bien aujourd'hui l'écrivain le plus emblématique de l'antique Normandie, cette verte et pluvieuse presqu'île de la Manche, qu'il se plaisait à comparer à un beau visage inondé de larmes... L'auteur des *Diaboliques* a toujours eu avec elle des liens extrêmement étroits et privilégiés. « Ce pays s'empare de moi avec une force ! confie-t-il à son amie Louise Read, dans une lettre datée du 3 novembre 1887. Je m'y noie de rêveries et de souvenirs. » Trente ans auparavant, dans son *Memorandum* de 1856, n'écrivait-il pas déjà : « Romans, impressions, écrits, souvenirs, travaux, tout doit être normand pour moi et se rattacher à la Normandie. »

Dans ces conditions, si Saint-Sauveur est sa ville natale et Caen, l'« Athènes normande », selon l'expression à la mode au sein de la jeunesse huppée des années 1820-1830, Valognes apparaît comme la cité inspiratrice par excellence, le foyer aristocratique et religieux où, comme l'a souligné Aristide Marie dans son émouvante biographie, « jusqu'aux dernières années de sa vie, le rappellera le mal du souvenir ». Elle sera, du propre aveu de Barbey, « le pays de la pensée » (1), la Ville sépulcre de ses premières folies, le « sarcophage de ses premiers souvenirs » (2). Grandes places presque désertes, rues funèbres aux vieilles maisons grises, aux antiques demeures nobiliaires, la cité

« naguère la plus férocement aristocratique de France » (3) est aussi le berceau de ses précoces émois amoureux. C'est là que l'écrivain a vécu pendant plusieurs années au sortir du collège en 1824 et qu'il connut les derniers survivants de la chouannerie.

« De sa chère Normandie, s'il reste le fils exilé, il veut du moins, explique fort justement Aristide Marie, se rattacher à son sol en évoquant ses paysages, ses mœurs, les fastes de son passé. » A son sol certes, mais pas seulement. Barbey sait trop combien géographiquement, historiquement, la Normandie est maritime à fond. Ce n'est pas pour rien si les Dieppois, les Fécampois, les caboteurs de Barfleur ou de Sciotot passent depuis toujours pour être, avec les Bretons, les Anglais et les Chinois, les meilleurs marins du monde. Ce n'est pas pour rien si ces enragés de la mer, Normands les plus anciens ou Northmen de la plus haute époque, sont régulièrement comparés ou apparentés aux illustres Phéniciens.

« Qui ne nous dit, s'est interrogé tout haut l'écrivain Jean de La Varende, expert ès maquettes de bateaux, que les Phéniciens

---

(1) *Dans un envoi autographe à Charles Canivet (né en 1839 à Valognes et mort en 1911) de son livre* Les Œuvres et les Hommes *paru en 1886, Barbey évoque Valognes comme « le pays de la pensée ».*

(2) *« J'arrive de ma fière Normandie et de mon bien-aimé Valognes. Sarcophage pour moi des premiers souvenirs » (lettre datée du 11 novembre 1875).*

(3) *Au sujet de Valognes et de sa noblesse (de 1689 à 1789), il existe une intéressante thèse de Geneviève Ceccaldi, soutenue à l'Ecole des Chartes, en 1968*

n'avaient pas établi des charpentiers à demeure, en Baltique, pour y trouver une réparation, un radoubage faciles, sûrs, de leurs nefs, dans leurs voyages annuels ? » (4).

Barbey, lui, ne s'est même pas posé la question : il n'a jamais douté que les Normands avaient de qui tenir, avec leurs hérédités. Il aimait trop à se dire descendant des Vikings, par son indépendance farouche et sa royale originalité. Son enfance, il l'a vécue l'été à Carteret où sa famille s'installait dans une maison que « certaine tradition situe au long du « havre » (5), dans la direction de Barneville. « Cet immeuble, au ras des flots, qu'on désigne encore sous le nom de «château», n'a rien de seigneurial. C'est une grande maison régulière des XVIIᵉ ou XVIIIᵉ siècles, un peu surélevée au-dessus des vagues.

(4) Article de Jean de La Varende (1887-1959) intitulé « Valeur normande à la mer », in la revue L'Eventail (numéro de juin-juillet 1989). « J'ai parlé des Phéniciens, insiste l'auteur du Centaure de Dieu, et plus j'approfondis ces questions, plus s'établit la conviction d'une parenté, si ce n'est d'une éducation complète. Il faut songer à la route de l'ambre et à sa recherche, la recherche de la résine fossile, tellement à la mode dans les temps anciens (...) Les drakkars et la barque longue phénicienne sont étrangement semblables, insiste l'écrivain normand. Nous y remarquons cette forme losangée, dont le point de départ est le fagot de bois, sans lourdeur, qu'on pousse devant soi, et, agrandi, sur lequel on monte. Là aussi, cette forme amphisbène des deux extrémités semblables, et aussi les deux hampes pareilles, l'animal faisant souvent figure de proue. Si nous appliquons au bateau phénicien des buts de guerre au lieu de buts mercantiles, nous le raffinons, nous l'allongeons, et nous avons le drakkar en diminuant sa hauteur puisque le navire nordique, sans marchandises, ne transportait que des guerriers. Ainsi pouvons-nous attribuer aux Vikings l'avantage d'une instruction qui expliquerait en partie leur triomphe. Eux aussi, ils se trouvaient héritiers de la civilisation antique. En contre-épreuve, considérons les barques avec lesquelles Guillaume partira en Angleterre et que nous donne la tapisserie de Bayeux, nous y voyons des drakkars qui se sont creusés, alourdis, pour prendre et porter des charges, chevaux et provisions : et vous voici en présence des bateaux phéniciens figurés dans la tombe de Drah Aboul'Neggah. Plus même : quand Robert Guiscard emmène ses navires vers les conquêtes méditerranéennes, ne pouvons-nous croire qu'il accomplissait un rêve ancestral, longtemps mûri dans les imaginations et les mémoires des Northmens, éduqués par les Phéniciens ? »

(5) Aristide Marie, Le Connétable des Lettres Barbey d'Aurevilly

Là, le jeune Barbey aurait pris avec la mer son premier contact, «sa» mer qu'il pourrait, de son propre aveu, «orthographier *sa mère*, car elle l'a reçu, lavé et bercé tout–petit» (6). Comme le remarque Aristide Marie, « il y reviendra plus tard et fera de cette demeure le « Nid d'Alcyon » d'*Une vieille maîtresse.* » Certes, c'est à Paris et nulle part ailleurs que Barbey a exercé son activité de journaliste et d'auteur. De la capitale, « très aimée et très corrompue » (7), il a même su également profiter à plein, durant deux ou trois semestres seulement, des charmes libertins et des agréments mondains. Entre 1839 et 1840, il a papillonné dans les salons, marivaudé dans les boudoirs plus ou moins aristocratiques, mené la belle vie, la « *dolce vita* » avant l'heure... Mais Barbey, foncièrement, n'a pas l'âme d'un « viveur ». A croquer les louis d'or comme des pralines, à faire sauter des bouchons à répétition, dégrafer et délacer des corsets jusqu'à s'en lasser, il a vite perçu les limites de l'hédonisme parisien. Grâce à l'élaboration de ses romans — en particulier de la deuxième partie d'*Une vieille maîtresse* —, il a pu reprendre contact avec « sa mer », avec la falaise de Carteret et son « Nid d'Alcyon ». « A ce réveil de ses impressions d'enfance, il sent, constate Aristide Marie, combien il y demeure profondément enraciné. A la sève puissante de ce terroir, aux toniques effluves de cette atmosphère, il doit sa forte nature, son tempérament de lutteur, son magnifique orgueil et cette poésie grandiose qui magnifie tout son œuvre ».

---

(6)   *Aristide Marie, Le Connétable des Lettres Barbey d'Aurevilly.*
   Lorsque, le 13 décembre 1864, Barbey revoit Barneville et Carteret, il note dans son Memorandum *: « Ai revu la mer — ma mer, que je pourrais orthographier ma mère (souligné dans le texte), car elle m'a reçu, lavé et bercé tout– petit. »*
(7)   *A son ami et confident Trébutien, dans une lettre écrite à Bourg-Argental et datée du 17 septembre 1846, Barbey évoque « notre très aimée et très corrompue Paris ».*

« *Les crimes de l'extrême civilisation*

sont certainement plus atroces

que ceux de l'extrême barbarie. »

Les Diaboliques
Barbey

Impossible naturellement qu'un tel « normandisme » n'exerce pas une influence déterminante, non seulement dans le traitement des sujets abordés par l'écrivain, mais encore dans leur sélection... De la Normandie, ou plus exactement de l'épopée normande, Barbey a donc eu la ferme intention de faire un roman. Un ouvrage d'envergure qu'il prévoyait d'intituler « L'an mil ». Ce projet, il l'évoque dans un manuscrit d'*Omnia* commencé en 1855 et acquis en 2004 seulement par les Archives départementales de la Manche (8). Après avoir annoncé qu'il lit « *L'Histoire des ducs de Normandie* par Labutte — un nain de ce temps, un gamin de bibliothèque qui s'est mêlé de toucher à une histoire épopée et qui ne se doute pas de la grandeur de la barbarie et de la crédulité du siècle », il met en garde contre « des petitesses de raison qui relèvent vraiment (de) la folie ! ». « Les terreurs de l'An Mil, prévient-il encore, cette épouvante sublime, la philosophie pouilleuse et analitique du XIXe siècle n'y comprend rien. » « Il faut des poètes, assure-t-il, pour écrire l'histoire du Moyen Age (...). Des raisonnables et des pleurards sur l'humanité n'en sont pas capables. Les crocodiles aussi sont des pleurards. En histoire, nous connaissons ces larmes de crocodiles que l'on verse sur les malheurs du passé avec des sensibilités à la Robespierre. Nous savons pourquoi on est si tendre ! On trouve effroyable l'idée de la fin du monde. »

Pas question donc pour Barbey de recourir aux ouvrages d'historiens « raisonnables et pleurards » : mieux vaut infiniment leur préférer Robert Wace et son *Roman de Rou*... Tant il lui paraît impossible de pouvoir prétendre écrire l'histoire de la Normandie sans être poète.

(8)   Provenant d'une collection privée valognaise, ce document a été acquis dans une vente publique à Cherbourg le 23 septembre 2003. Il est constitué de deux manuscrits, qui recoupent deux autres cahiers de notes prises par Barbey, également intitulés Omnia et édités en 1970 par Andrée Hirsch et Jacques Petit, dans les Annales de littérature de l'Université de Besançon (l'un est actuellement détenu par le Musée Barbey à Saint-Sauveur, et l'autre appartient toujours à une collection privée).

La consonance anglaise du nom de Wace ne doit surtout pas induire en erreur : notre Connétable des Lettres ne se trompe pas le moins du monde dans son choix. Né dans l'île de Jersey, Wace présente la double particularité d'avoir reçu sa formation et vécu de nombreuses années en France — en particulier à Caen—, et d'avoir écrit la majeure partie de son œuvre en français. Dont son ultime texte, son *Roman de Brut*, traditionnellement appelé *Roman de Rou* (9), achevé en 1155.

Comme le souligne la chartiste Françoise Vielliard (10), Wace est bien le « premier élément normand de la diffusion d'une histoire de la Normandie». « Avec lui, du seul fait qu'il emploie la langue vulgaire pour rédiger son histoire des Normands et qu'il la destine à un public non lettré, «l'histoire sort de l'ombre des cloîtres» (11) où elle s'écrivait principalement auparavant.»

Par cette référence, Barbey d'Aurevilly témoigne combien est profondément enracinée sa conscience historique, qui s'appuie sur un passé glorieux où Rollon et ses guerriers occupent la première place... Selon toute probabilité, s'il sait que la Normandie est le berceau de l'historiographie dynastique, il n'ignore pas non plus ce qui est aujourd'hui avancé avec de plus en plus d'insistance par les meilleurs spécialistes en ce début du XXIᵉ siècle (12) et ce que tend à prouver une production en langue vulgaire extrêmement précoce dans les domaines aussi bien scientifiques et liturgiques que littéraires : la littérature française est née... en

(9)   *Le mot « roman » ayant le sens médiéval de « récit en langue romane », en l'occurrence française, et « Rou » ou « Rol » étant la forme sujet médiévale dont « Rollon » est la forme objet.*

(10) *Dans un article savant et érudit, intitulé* L'histoire des ducs de Normandie : du manuscrit médiéval à l'édition contemporaine — L'exemple du Roman de Rou *de Wace et publié en 2006 par la Fédération des sociétés historiques de Normandie (cf. Bibliographie/Autres livres).*

(11) *Selon la belle formule de Bernard Guenée, auteur de* Histoire et culture historique dans l'Occident médiéval.

(12) *Alberto Varvaro, « Le corti anglo normanne e francesi » dans* Lo spazio letterario del medioevo, 2, Il medioevo volgare, *dir. Piero Boitani, Mario Mancini, A. Varvaro, vol. I,* La produzione del texto, *t. II, Roma, 2001.*

Angleterre. De même que l'histoire rédigée en langue vulgaire — ce « témoignage éclatant de la diffusion d'un savoir » (13) — est née dans le royaume anglo-normand du XIIe siècle.

« Les auteurs de textes «historiques» écrits en vers et en langue française y ont joué, confirme Françoise Vielliard (14), dans le processus de vulgarisation de la culture et d'appropriation du savoir du passé qui est une des caractéristiques de la Renaissance du XIIe siècle, un rôle important.» Déterminante et spécifique à la fois par son étonnante précocité, la forte tradition érudite de la Normandie l'est aussi par sa continuité, particulièrement remarquable entre la fin du XVIIIe siècle et le début du XIXe siècle (15). Barbey en fournit une éclatante démonstration. Tout en révélant combien l'Angleterre — et certains de ses écrivains — ont exercé une influence majeure sur lui, tant sur sa personnalité et ses opinions que sur son œuvre. Comme le confirme John Greene, dans la thèse qu'il lui a consacrée (16), des noms comme Byron, Brummell et Scott, à eux seuls, suffiraient à justifier une telle remarque.

---

(13) *Françoise Vielliard, art. cit.*

(14) *Art. cit.* « *Il suffit, précise Françoise Vielliard dans son étude, d'évoquer, outre Wace qui est normand, deux personnages : Geffrei Gaimar, dont l'Estoire des Engleis est la toute première histoire rédigée en langue française, écrivait entre 1136 et 1137, soit une vingtaine d'années avant Wace ; et le premier des historiens d'actualité en langue vulgaire, bien avant les célèbres « reporters » de la quatrième croisade que sont Geoffroi de Villehardouin ou Robert de Clari, est un Anglais contemporain de Wace, Jordan Fantosme, qui a raconté en 1173-1174, c'est-à-dire peu de temps après les événements dont il avait été le témoin, la révolte d'Henri le Jeune contre son père Henri II Plantagenêt.* »

(15 *Cf. les travaux de Jean-Pierre Chaline et de François Guillet.*

(16) *Barbey d'Aurevilly et l'Angleterre (thèse, cf. Bibliographie), présentation par John Greene* in Revue des lettres modernes, *sous la direction de Jacques Petit, n°3, 1968.*

Sur Barbey, cette influence anglaise peut se traduire en deux mots clés — dandysme et byronisme — qui ont fait l'objet de nombreuses analyses, souvent pertinentes et banales à la fois. Mais elle s'exprime également par une certaine ambiguïté, parfaitement relevée par John Greene, de l'attitude de l'écrivain envers la société anglaise. « En tant que Normand, observe l'analyste, Barbey se sent fier du lien ethnique qui l'unit aux Anglais (ou, pour se placer dans une perspective plus juste, les Anglais n'étaient pour lui que des Normands abâtardis, ce qui est encore quelque chose de grand), mais, en tant que Français, il hait ces ennemis traditionnels de son pays. » Durant de nombreuses années, drapé dans un catholicisme intransigeant, il lève cette ambiguïté en faveur de l'anglophobie : « Il attaque violemment la société, la politique et la religion anglaises ainsi que leur développement historique », rappelle à juste titre Greene, avant de préciser que « la guerre de 1870 et le respect connu des Anglais pour les traditions, entre autres choses, l'amènent pendant sa vieillesse à se réconcilier avec l'Angleterre », puis de souligner que « la littérature anglaise a sans doute contribué à la réconciliation ».

De fait, Barbey ne peut pas ignorer la dette que la civilisation a contractée envers un territoire où Richard de Bury (1287-1345), évêque de Durham et Grand Chancelier, est l'auteur du premier traité sur l'amour des livres (17), et où, dans un passé plus lointain, Bède le Vénérable (vers 673-735), considéré comme l'homme le plus savant de son siècle, tous continents confondus, a fait des églises et des monastères de l'Heptarchie Wessex, Sussex, Essex, pays des Saxons, le principal foyer de la science et des études littéraires en Occident, la pépinière des docteurs chrétiens...

(17) *Philobibion* (cf Bibliographie)

Au point que « lorsque Charlemagne voulut apprendre à lire à ses Francs, quand il voulut rénover les études littéraires de la Gaule déjà mise à mal, ruinée et piétinée par les invasions germaines, c'est encore à un disciple de Bède le Vénérable, à un moine saxon, qu'il fit appel. Alcuin franchit la Manche. Evénement considérable. » (18).

Barbey sait également que la vieille bannière normande, pourpre aux trois léopards d'or, est restée celle de la monarchie anglaise. « Dieu et mon droit », devise normande qui s'est inscrite sur les blasons outre-Manche à l'époque où la cour anglaise s'exprimait en français et les Plantagenet étaient ducs de Normandie et princes angevins... Impossible pour lui de ne pas avoir conscience que les conflits des Capétiens comme des Valois contre ces Plantagenet n'ont été que des querelles féodales et dynastiques transformées en guerre de nations au fil des siècles par les historiens. Impossible encore d'ignorer que les nobles normands ont été les vrais vaincus et seules victimes de la guerre de Cent Ans, que la langue française a disparu de Grande-Bretagne avec la fin de leur prépondérance et que « la féodalité normande, un moment maîtresse de Londres et de Paris, fut bien près de réaliser l'unité européenne. » (19)

(18) (19) Argonne, Angleterre

Pour autant, l'auteur de *Du dandysme et de George Brummell* est particulièrement bien placé pour mesurer l'ampleur d'une anglomanie qui s'est manifestée de manière éclatante un peu avant 1830 et s'était amorcée dès la première moitié du XVIIIe siècle (20). Certes, il faudra attendre la parution de l'*Histoire de la littérature anglaise* de Taine, en 1863, pour que plusieurs générations d'élites françaises s'inclinent sans discussion devant le « génie anglais ». Mais, quand Barbey a vingt ans à peine, c'est bien l'Angleterre, le *so british*, qui donnent le ton et la mode à Paris, et ce sont Scott et Byron qui ont les faveurs de la jeunesse française...

Loin d'échapper à un tel rayonnement, Barbey s'empresse de s'y complaire, avec d'autant plus de force sans doute qu'il était « byronien avant d'avoir lu Byron » (21)... Cette influence véritable relève ainsi, constate John Greene, dans l'une de ses excellentes études (22), « du choc fertile qui se produit lorsqu'un homme se reconnaît dans un autre, et se sert de l'œuvre de cet autre pour mieux se comprendre ». Après avoir observé qu'« un cas très

(20) Les prémices de l'anglomanie : la connaissance des auteurs anglais en France à travers les périodiques (1717-1747), *thèse d'Elisabeth Bailly, Ecole des Chartes, 1997.*

La présence à Paris, dès 1814, d'un quotidien en anglais lu par les élites du monde entier mérite également d'être soulignée. Publié par la maison d'édition du même nom jusqu'en 1890, le Galignani's Messenger *fut en effet le premier quotidien en anglais de Paris et sans doute du continent européen. Il eut un caractère à la fois pionnier et très novateur, curieusement occulté ou oublié par de nombreux spécialistes de l'histoire de la presse (cf. :* Galignani's Messenger, an English newspaper issued in Paris, *mémoire de Danièle Pluvinage, dirigé par Pierre Nordon, Faculté des lettres et sciences humaines de Paris, 1968, et* Le Galignani's Messenger. *Naissance et évolution d'un quotidien anglais à Paris (1814-1852), mémoire de Nicolas Bénard-Dastarac, dirigé par Diana Cooper-Richet et Jean-Yves Mollier, université de Versailles-Saint-Quentin-en-Yvelines, 1999)*

(21) *Jacques Petit,* Barbey d'Aurevilly critique.

(22) Byron, in Revue des lettres modernes, *sous la direction de Jacques Petit, n° 5,* Barbey d'Aurevilly — Les Maîtres : Byron, de Maistre, Stendhal, Walter Scott, Balzac, Shakespeare, *1970.*

connu est celui de Baudelaire et d'Edgar Poe », le spécialiste estime que le byronisme de Barbey représente « une rencontre pareille de deux esprits » et consiste en une similitude frappante de caractère et d'éducation, à laquelle s'ajoute le fait que Barbey, comme Byron, se sent mal aimé de ses parents et de sa première maîtresse. Il se reconnaît dans *Childe Harold*, et Lara (23) est l'expression de ses plus profonds désirs. Rien d'étonnant donc si Barbey prend Byron comme maître. « Tous deux, précise Greene, ont quelques traits fondamentaux communs : la force et l'orgueil, la sensualité précoce, un sentiment de supériorité aristocratique et d'isolement moral. (...) L'éducation et les péripéties de la vie des deux jeunes gens renforcent la similitude de leur caractère. D'austères principes religieux (calvinistes chez l'un, jansénistes chez l'autre — la différence n'est pas grande, selon *Une histoire sans nom*) qui inculquent la peur, l'horreur du péché et d'un Satan très réel s'ajoutent aux effets des histoires surnaturelles racontées par les nourrices (May Gray, Jeanne Roussel), pour créer un univers mental de terreur et de culpabilité. La superstition, le pessimisme et le fatalisme des deux hommes peuvent être attribués à la formation religieuse des deux enfants. »

Que Barbey ait découvert l'existence de Byron dès 1824, chez son oncle Pontas du Méril, à Valognes, ou un peu plus tard, à partir de 1827, au collège Stanislas, à Paris, sous l'influence de Maurice de Guérin, peu importe. Ce qui, en revanche, est rigoureusement certain et riche d'incidences, c'est qu'il commence à écrire au moment où il s'est imprégné de Byron, au point de connaître à fond l'œuvre poétique du lord anglais et faire de sa *Correspondance* son livre de chevet. A l'époque où il écrit son premier *Memorandum*, en 1836, Barbey pourra même, de manière péremptoire, mais sans forfanterie, dire et écrire au sujet de l'auteur de *Childe Harold* :

---

(23) *Barbey aime à s'identifier à Lara, personnage mystérieux et sombre de Byron.*

« Je suis peut-être le seul en France qui sache à une virgule près ce qu'a écrit cet homme... »

Cependant, John Greene n'a pas tort lorsqu'il précise que la conversion, intellectuelle du moins, du byronien-né, au catholicisme entre 1846 et 1848 (24) « l'amène à renier le lord anglais sur le plan moral, tout en le gardant comme maître littéraire ». « Byron et Alfiéri ont empoisonné, en effet, écrit l'auteur d'*Une vieille maîtresse*, dans une lettre à Trébutien datée du 31 octobre 1851 (25), mes premières années de jeunesse... J'aime mieux laisser ce moi des premiers temps que d'y revenir. » Même s'il convient de faire preuve de prudence face à un aveu qui se veut peut-être particulièrement aimable à l'égard d'un ami qui s'est toujours montré plus que circonspect face à son byronisme, il paraît plus que probable qu'en prenant de l'âge l'écrivain, qui se rattache immanquablement au romantisme par son goût pour Byron, a su prendre du recul. Son admiration, foncièrement, subsiste, mais elle n'est plus aveugle. Ses articles critiques témoignent de cette évolution, quitte à ce que la lucidité et la finesse d'analyse aillent parfois de pair avec une certaine tendance à l'excès.

Dans les trois romans normands qui succèdent à *Une vieille maîtresse* — *Le Chevalier Des Touches*, *L'Ensorcelée*, *Un prêtre marié* — et surtout dans *Les Diaboliques*, Barbey montre, comme le souligne John Greene, « qu'il a su assimiler le byronisme jusqu'au point où ce n'est qu'un aspect de son propre caractère ».

---

(24) « *La conversion de Barbey (...), un travail régulier de journaliste, ses « fiançailles » avec Mme de Bouglon et sa réconciliation avec ses parents, indique encore John Greene, diminuent l'importance de Byron pour lui en créant la possibilité illusoire d'une vie d'ordre et de contentement.* »

(25) En 1851, Barbey publie presque simultanément Les Prophètes du passé *et* Une vieille maîtresse, *un roman commencé en octobre 1837, abandonné, puis achevé en 1849, où Byron, « le plus grand de tous les poètes peut-être », l'a inspiré à de nombreuses reprises.*

« Seul peut-être *Un prêtre marié* garde (un peu plus) l'empreinte de Byron, concède Greene ; le ténébreux Sombreval partage l'orgueil diabolique de Lara et du Giour, et l'impénitence finale de Caïn et de Manfred.» Mais, à l'exception du personnage de Néel de Néhou, ce jeune passionné dont la folle chevauchée à la fin du *Prêtre marié* est tirée de *Mazeppa*, les héros sont foncièrement aurevilliens, et, dans les dernières œuvres, il devient impossible de séparer l'influence de l'originalité, « tant le byronisme est devenu partie de la personnalité » de l'écrivain normand. « Ce n'est que pendant sa vieillesse, conclut Greene, que Barbey redécouvrira le fond byronien de son caractère.» Une vieillesse qui est essentiellement « le retour à un temps passé idéal, la création par l'imagination du héros que le jeune homme n'avait pas pu être, l'épanouissement de la passion et de la force aristocratique dans le cerveau d'un vieux journaliste». (26)

Sur la tombe de son ami, François Coppée pourra ainsi rendre un ultime hommage et avoir le dernier mot : « Chez d'Aurevilly, le romancier surtout est grand. Le romancier ? disons mieux, le poète. Car il y a en lui du Balzac et du lord Byron ; car, sous sa plume, tout s'exalte et se magnifie ; car il possède au plus haut degré la faculté maîtresse et suprême, l'imagination dans le style. »

---

(26) *Dans* Une page d'histoire, *publié un an avant sa mort, Barbey évoque « les spectres de son passé évanoui ».* « De toutes les impressions que je vais chercher, tous les ans, dans ma terre natale de Normandie, écrit-il notamment, je n'en ai trouvé qu'une seule, cette année, qui, par sa profondeur, pût s'ajouter à des souvenirs personnels dont j'aurai dit la force — peut-être insensée — quand j'aurai écrit qu'ils ont réellement force de spectres. La ville que j'habite en ces contrées de l'ouest — veuve de tout ce qui la fit si brillante dans ma prime jeunesse, mais vide et triste maintenant comme un sarcophage abandonné —, je l'ai, depuis bien longtemps, appelée : « la ville de mes spectres », pour justifier un amour incompréhensible au regard de mes amis qui me reprochent de l'habiter et qui s'en étonnent. C'est, en effet, les spectres de mon passé évanoui qui m'attachent si étrangement à elle. Sans ces revenants, je n'y reviendrais pas ! ».*

Byron : Scotland Yards

S'il est un grand poète dont la courte vie peut fournir la matière d'un long roman, ou plutôt d'une série de romans, c'est bien Byron. A son sujet, de nombreux auteurs ont rivalisé d'érudition, de talent et d'imagination... Avec souvent plus d'une incidence, car le risque est grand de ne pas se refuser les facilités de la vie romancée et de succomber à la tentation de l'approximation. Les pérégrinations de Byron, en des contrées attrayantes et puissamment évocatrices, ses relations tant avec les femmes qu'avec les hommes, passionnantes et sulfureuses, sont à la fois des mines d'information et des champs d'exploration qui se prêtent généreusement, aujourd'hui encore, aux savantes analyses, aux interprétations les plus diverses, et même aux plus extravagantes divagations. Bibliographie et filmographie sont là pour témoigner combien Byron a constamment été — et reste donc — une valeur sûre de la production d'ouvrages et de documents audiovisuels, au niveau planétaire. Mais, à force de s'intéresser à tel épisode italien ou à tel aspect de l'histoire gréco-turque, de sublimer le don Juan, de magnifier le héros de la liberté ou de sataniser le poète de *Childe Harold*, à force donc de « romaniser » à l'envi Byron, ces cinq lettres censées faire du chiffre, on a fini par en oublier un aspect essentiel : la racine éminemment écossaise du personnage. Certes, son lieu de naissance — Londres — contribue beaucoup à favoriser ce processus. C'est *a priori*, mais *a priori* seulement, que Byron paraît anglais. En réalité, ce poète est écossais. Le *distinguo* ne relève pas du tout — tant s'en faut — de la nuance. Un Ecossais digne de ce nom est sans aucun doute un Britannique, mais ne sera jamais — ô grand jamais ! — un Anglais. Il est fier de son pays, de ses montagnes, de ses *glens* (vallées) et de ses *lochs* (lacs). Fier de son histoire, de ses grandes reines d'Ecosse (et accessoirement d'Angleterre), de ses saints, tous plus écossais les uns que les autres, qui ont répandu la foi chrétienne dans le sud païen.

Fier également de sa langue (le gaélique), de ses lois, procédures et coutumes, de son système d'éducation et de la grande tradition métaphysique des universités d'Edimbourg, Saint Andrews, Glasgow et Aberdeen... Pas question donc de donner à penser, ne serait-ce qu'une seconde, que l'Ecosse puisse n'être qu'un appendice nordique de la Grande-Bretagne, ou pis encore, une quelconque eurolande administrative sous tutelle bruxelloise.

Il importe au contraire de toujours se souvenir que l'Ecosse a le plus ancien drapeau national d'Europe, que ses habitants sont restés fidèles jusqu'au XVIIIᵉ siècle à une structure tribale, simplement couronnée par une faible monarchie, et que l'armée anglaise n'est venue péniblement à bout des derniers vestiges de ce tribalisme féodal qu'après la rébellion de 1745, ultime sursaut national armé (1)...

Or, c'est dans un tel contexte, à l'évidence très particulier et aristocratique, que Byron a vécu les années déterminantes de son enfance. Aux côtés d'une mère et d'une servante écossaises et de maîtres écossais.

Géographiquement et culturellement, l'Ecosse — « l'Angleterre en pire » selon Samuel Johnson (2) — a des caractéristiques communes avec la Bretagne et la presqu'île du Cotentin. Sur ce territoire plutôt rude où il pleut beaucoup, tweed, imperméable et brodequins — articles écossais par excellence et prédestination — se marient bien.

---

(1) *Des épisodes marquants qui viennent corroborer le propos remontent à l'Antiquité. En particulier quand les légions romaines débarquèrent en Grande-Bretagne et que les Scots (et les Pictes) invaincus se retirèrent dans les montagnes situées au nord du territoire. Un fait qui obligea Hadrien à bâtir un mur afin de préserver la florissante colonie de leurs incursions.*
(2) Boswell's Life, *7 avril 1778.*

Un enchantement pour tout auteur sensible aux charmes des côtes déchiquetées par les assauts marins, des terres zébrées de rafales de vent et de crachin, toujours amateur d'horizons lointains, de légendes enjolivées et de récits hallucinants... Qu'il se nomme Jules Barbey d'Aurevilly, lord Byron ou Jean-Edern Hallier. A la vérité, qui ne voit pas ces trois-là se draper dans une sorte de plaid écossais, magnifique et bariolé, et écouter, dans le silence d'une demeure, le chant des navires perdus ? Même Dali le Catalan ne serait pas en reste pour contempler la mer et ses festons argentés. Ah, cette mer originelle, matricielle, existentielle ! Byron, poète cosmographe qui a parcouru sinon le monde, du moins des milliers de miles de l'Occident à l'Orient, ne rate jamais une occasion de le rappeler,

> *« Still must I on ; for I am as a weed*
> *Flug from the rock, on Ocean's foam, to sail*
> *Where'er the surge may sweep, or tempest's breath prevail »* (3)

Pour le poète de grand vent, rien de plus beau que de marcher sur un rivage, celui de l'Ecosse de son enfance. Qu'il vive au XIXᵉ ou au XXᵉ siècle comme Kenneth White qui, dans la préface de son premier recueil de poèmes (4), écrit :

> *« Je ne connais de rythme que de la mer*
> *et du vent et du vol des goélands. »*

---

(3) *« Il faut que j'aille ; car je suis l'algue*
     Arrachée au rocher, sur l'écume de l'Océan qui vogue
     Partout où la houle se gonfle, où souffle la tempête. »
     Childe Harold 's Pilgrimage, *Chant III (2).*
(4) En toute candeur, *Mercure de France, 1964.*

A l'intérieur des terres cependant, il n'est pas rare que la campagne écossaise soit l'une des plus belles du monde... Avec des bruyères pourpres dans les landes, des fougères et des châteaux de rêve qui jalonnent le parcours. Des propriétés de plusieurs milliers d'hectares, de terre arable et de bois, souvent habitées d'un siècle à l'autre et capables d'affronter bien des rigueurs climatiques... La plus vieille maison habitée en Ecosse ne porte-t-elle pas le nom évocateur de *Traquair* (de *tra* ou *tre*, «demeure» ou «hameau» et *quair*, «vent tourbillonnant»)? Comme en Normandie, des résidences écossaises peuvent être pleines de coins et de recoins, avec plusieurs appartements pour tous les membres de la famille. Avec des tableaux anciens superbes. Certes, il ne s'agit pas de musées, mais bien de quartiers généraux familiaux, de maisons de famille où il semble impossible de ne pas acquérir le goût du beau et le sens d'un certain art de vivre, qui ne saurait en aucune façon être associé à la recherche des faux-semblants d'un luxe tapageur et ostentatoire, ni même des vrais avantages du confort moderne.

En Ecosse, que ce soit dans les Highlands au nord ou dans les doux vallons des Borders au sud, le souci de l'économie se veut très prononcé, c'est bien connu. A la fin du XVIIIᵉ siècle, au moment où naît Byron, les rideaux de lit sont teints en noir, après la mort d'un membre de la famille, car l'achat du traditionnel lit de deuil noir est jugé trop coûteux. Une pratique qui s'est prolongée au cours du siècle suivant. Tandis que d'autres usages restent immuables et diverses commodités souvent réduites à l'essentiel. Ainsi, certaines demeures perdues des Borders n'auront-elles l'électricité qu'au milieu des années 1950...

Cependant, la piste de ces *Scotland Yards* est plurielle. Le « cas Byron » ne s'explique pas seulement par un environnement régional aussi « atypique » : il peut s'analyser au travers d'un faisceau d'éléments divers, s'inscrivant souvent dans une cohérence quelque peu alchimique. L'hérédité de l'écrivain est fastueuse puisqu'il est le descendant d'une famille venue de Normandie avec Guillaume le Conquérant et, semble-t-il, apparentée aux marquis de Biron... En tout cas, il ne faisait pas bon titiller l'intéressé au sujet de ses ancêtres, ces *barons of old,* qui

« proudly to battle
Led theirs vassals from Europe to Palestine's plain. » (5)

« fièrement, menèrent leurs vassaux
Au combat, jusque dans les plaines de Palestine. »

De tous les Byron, de tous ceux qui étaient allés à Calais, à Crécy comme en Terre sainte, il aimait à se prévaloir de la respectabilité et de l'ancienneté. Comme pour mieux justifier sa propre attitude, orgueilleuse, intransigeante et raide... Authentique descendante de la fille de Jacques Aer, roi d'Ecosse, sa mère, Catherine Gordon de Gight, était une orpheline nantie de vingt-trois mille livres, de terres et de concessions pour la pêche au saumon. Mais, comme le relève à juste titre Gilbert Martineau dans son *Lord Byron*, elle avait, elle, une tendance à oublier ses royales origines. A force de ne pas mâcher ses mots, elle gueulait plus qu'elle ne parlait. « Elle empestait le whisky, précise le biographe, s'habillait comme un épouvantail et montrait sans pudeur ses bras de lutteur, couverts de bijoux... » Son fils présentait, de son côté, une particularité qui ne l'avantageait guère : il boitait, mais « d'une singulière boiterie, précise Martineau, car si ses jambes étaient de même longueur, la cheville droite cédait sous le poids du corps et l'enfant ne pouvait se tenir qu'en se haussant sur la pointe d'un pied ».

(5) Fugitive pieces

Véritable cocktail d'ivrognerie, de brutalité et de bigoterie vicieuse, la domestique écossaise, May Gray, n'est pas de nature à arranger la situation. D'autant que des soupçons gênants et même de sombres accusations pèsent sur elle : avec l'enfant Byron, elle se serait livréc à dcs jeux qui n'auraient rien eu d'innocents. Comment s'étonner dans ces conditions que le « petit diable boiteux », élève plutôt médiocre dans les classiques disciplines scolaires, mais excellent au jeu de billes et aux exercices physiques, ait pu percevoir les échappées solitaires dans la campagne écossaise comme de plaisantes et mémorables réjouissances et l'étude comme un refuge de paix ? « On ne me voyait jamais lire, mais toujours en train de flâner, confiera-t-il, de faire des mauvais coups et de jouer. La vérité est que je lisais en mangeant, que je lisais au lit, que je lisais quand personne ne lisait et que j'avais lu tout ce qu'il est possible de lire dès l'âge de cinq ans. »

Sa double chance, c'est sans doute d'avoir reçu des leçons particulières du révérend Ross, un respectable pasteur de l'église d'Ecosse, et d'un certain Paterson, décrit par plusieurs historiens comme un jeune homme à la fois doux, grave et cultivé. A l'initiative heureuse de son invraisemblable mère, ce précieux apprentissage lui vaut d'avoir pu fréquenter la *Grammar School* d'Aberdeen — où il se souviendra surtout d'avoir forgé une manière bien à lui d'écrire, difficile à déchiffrer, y compris par lui-même ! — puis d'être devenu étudiant intermittent à Cambridge.

Certes, son nom et son ascendance font de Byron un aristocrate. Mot dont le poids est sans aucun doute plus lourd d'implications que dans le cas de Barbey d'Aurevilly et qu'il est probablement plus que difficile de mesurer dans toute sa spécificité pour qui a toujours vécu sous des plafonds situés à la hauteur normative de 2,50 mètres du sol et n'a jamais eu, ne serait-ce que le souvenir, de personnel de maison...

Voué par droit de naissance aux plus hautes charges et ayant la pairie à l'âge de dix ans, Byron a des privilèges. Mais, à la différence d'un William Beckford, filleul du grand Pitt et descendant par sa mère de Marie Stuart et d'Edouard III, qui ne manquera pas de le fasciner, il n'est pas l'héritier de richesses considérables qui permettent d'allier, avec la plus grande désinvolture, le faste et la prodigalité à l'originalité de l'esprit et à l'impertinence sulfureuse du comportement... Comme Barbey, il n'est pas un enfant fortuné. Une situation qui va conditionner l'évolution météorique de sa destinée. Byron sera en effet constamment pressé. Par le temps et son degré d'endettement. De là, son orgueilleuse hauteur, ses sarcasmes sataniques, sa sensibilité maladive et sa récurrente agressivité. Oui, il est pressé de vivre comme de mourir, de s'imposer, de lancer son cri à la face du monde, de s'inscrire dans l'Histoire, de se faire un nom pour de bon, alors qu'il en a déjà un dans la « bonne société », et de récolter les fruits de la gloire... A peine a-t-il, à l'âge de dix-huit ans, publié ses premiers vers qu'il apparaît comme un jeune lord singulier. Briseur de vitres et de conventions. Frénétique dans ses aspirations comme dans ses pulsions. Dans ses *Pensées détachées*, Barbey a, à ce sujet, cette réflexion bien appropriée : « C'est Vauvenargues, le trop vanté Vauvenargues, qui a dit ce mot de professeur : «Ce n'est pas assez d'avoir des facultés, il faut en avoir l'économie.». Cela ravit les pédants. Mais toute économie des facultés n'est qu'une économie de bouts de chandelle. Quand on a des torches, on n'économise pas les bougies. Vauvenargues économisait, par exemple, Byron, non ! »

Son existence n'est qu'un débordement de vitalité et de créativité. A vingt-quatre ans, avec la parution de *Childe Harold* qui survient après une série de passionnants voyages, il est célèbre. Et le voilà qui publie coup sur coup *Le Giaour*, *La Fiancée d'Abydos*, *Lara*, *Le Corsaire*, *Les Mélodies hébraïques*, *Le Siège de Corinthe*, *Parisina*, *Le Prisonnier de Chillon* et *Childe Harold II*... Tout en se ruant à fond de train sur tous les plaisirs londoniens. A un peu moins de vingt-sept ans pourtant, le 2 janvier 1815, il épouse Anne Milbanke, la fille de sir Ralph Milbanke, baronnet du comté de Durham dans le nord-est de l'Angleterre, que plus d'un biographe soupçonne d'être à la recherche de « sensations ». Surnommée « Annabella la mathématicienne » ou « Miss Parallélogramme », la donzelle est en tout cas forte en calcul. Nul ne sait si cela tient de famille. Mais tout le monde est obligé d'en convenir au moment du contrat de mariage... Qu'importe, pourvu qu'on ait l'ivresse et puisque le temps presse . Las ! Le 6 janvier 1816, trois semaines après la naissance de leur fille Ada, Byron, semble-t-il rongé par le poison de la mélancolie et par sa liaison incestueuse avec sa demi-sœur Augusta, prie son épouse de quitter Londres pour rejoindre ses chers parents. Le scandale de cette rupture est si retentissant qu'il est contraint de fuir l'Angleterre... Pratiquement chassé, il n'y reviendra plus. Quelle importance, puisque, à en croire John Donne dans l'une de ses élégies, « vivre en un seul pays, c'est vivre en captivité » ! Pas question donc de s'attarder. Il est déjà en Suisse où il noue une indéfectible amitié avec Shelley, puis en Italie où il s'attache à la comtesse Guiccioli et dirige une section étrangère du mouvement *carbonaro*. Pas question, là encore, de s'enliser dans les méandres d'une révolution italienne qui se fait trop attendre. Il passe en Grèce, à Missolonghi, afin de participer à la guerre d'indépendance : « Mieux vaut mourir en faisant quelque chose qu'en ne faisant rien », se justifie-t-il en mars 1824, dans une correspondance adressée à un ami. Devant tant d'impétueuse impatience, la mort n'attend pas : le 9 avril de cette même année, alors qu'il se prépare à passer à l'assaut de Lépante avec les forces gouvernementales, le poète contracte la fièvre des marais dans l'une de ses sorties quotidiennes à cheval. Moins de dix jours plus tard, le 18 avril, il rend son dernier souffle. Après avoir publié au cours des huit dernières années, *Manfred*, *Childe*

Harold IV, Beppo, Don Juan, Mazeppa, Sardanapale, Le Ciel et la Terre... Autant de jalons d'un parcours littéraire où, comme Barbey, Byron n'a cessé de heurter les opinions convenues. De bousculer « les modèles reçus de la représentation », comme l'écrit Jacques Dubois, dans un récent livre consacré à Stendhal (6). De se fracasser aux murs de la société. Quitte à ce que cet esprit de révolte finisse par sembler gratuit et inutile, en donnant l'impression de n'aboutir qu'au repli sur soi, dans une posture où l'orgueil se mue aisément en suffisance...

Byron vit à une époque où il existe tout un cercle social, mondain et élégant, spirituel et charmant, où les visages des *misses* montrent leurs délicats profils sous leurs bandeaux « à la Vierge», mais où l'hypocrisie le dispute à l'ennui et à la fermeture. Il lui faut donc aller au-delà des clichés, et son activité littéraire, menée le plus souvent à défaut de toute autre action plus noble, va lui servir à la purgation immédiate de ses passions. D'un jeune amour bafoué, il épanche le sentiment exacerbé de son moi en des vers qui se feront partout entendre. D'un voyage poussé jusqu'en Turquie, il rapporte le *Chevalier Harold*, ce qui, dès 1812 et du jour au lendemain, le rend célèbre. De ses relations avec sa demi-sœur, Augusta Legh, il laisse, de-ci, de-là, de mémorables traces dans *La Fiancée d'Abydos*, *Le Corsaire* ou *Lara*, textes plus ou moins hantés par l'inceste...

De cet éternel combat, joliment résumé par Pierre Daninos, « entre le sévère puritanisme (...) capable de chausser de mousseline les jambes des pianos à queue et cette sensualité, parfois gaillarde, souvent byronienne, toujours vivace chez les filles d'Albion les plus *school-fashioned*... » (7), de cette lutte avec son démon

---

(6) Stendhal, une sociologie romanesque, *Editions de la Découverte, Paris, 2007.*
(7) Snobissimo ou le désir de paraître.

intérieur et les contraintes extérieures, encore faut-il trouver le moyen de bâtir une œuvre véritable, et non quelques « pièces de circonstance », égrenées au fil des ans et des pérégrinations.

C'est là, en partie, le génie de Byron : en un temps relativement court et en dépit d'une existence marquée par la multiplication de ses aventures féminines, le scandale de ses amours ou la hardiesse de ses idées, il est parvenu à écarter le danger de la dispersion et à construire un ensemble impressionnant qui force l'admiration. Sans pour autant s'arracher le moins du monde à son mythe. Chapeau bas, l'artiste ! L'amour ? Il n'est pour lui qu'une sublimation plus ou moins édulcorée de l'érotisme. Comme il constitue une occasion de se désennuyer, de se sentir exister devant un monde banal, il n'engloutit pas toute sa vie, mais une partie seulement. La politique ? Par-delà les apparences, elle ne joue qu'un rôle bien circonscrit. A la Chambre des lords, Byron a fait des apparitions d'autant plus remarquées qu'elles se comptent sur les doigts d'une main ! En Italie comme en Grèce, qu'il s'agisse de révolution ou de révolte, les événements ne l'attirent et ne focalisent son attention que dans la mesure où il espère pouvoir, grâce à eux et aux attitudes qu'il va prendre en ces occasions, croire enfin à quelque chose qui ne soit pas simplement lui-même. Byron n'est ni un vrai militaire ni un authentique révolutionnaire : il est, pour reprendre la lumineuse formule de Pierre Humbourg, « physiologiquement contre ». Une attitude qui bat souvent en brèche les intérêts de sa caste, mais va avec son personnage. Et il tient à son personnage. A la vérité, pas plus que Barbey d'Aurevilly, Salvador Dali ou Jean-Edern Hallier, foncièrement, ne le seront, il n'est pas politique pour deux sous. Il n'a rien non plus d'un ancien combattant des causes perdues, d'un nostalgique militant de temps qui ne sont plus. Comme il l'écrit lui-même dans *Lara* (8), « il n'aimait pas qu'on

(8) Chant I, 6

39

lui fît de longues questions sur le passé : on ne l'entendait point vanter les merveilles des déserts sauvages qu'il avait parcourus seul dans des climats lointains et des mondes qu'il se plaisait à faire croire inconnus ; en vain, interrogeait-on ses regards...» Chez lui, il y a bien une forme d'engagement, mais elle naît de l'écriture elle-même et le temps ne l'a aucunement terni. Bien au contraire. Byron y a gagné en modernité. La verve de ce tempérament rebelle, de cet esprit foncièrement libre rend de nombreux vers faciles à lire ou à relire, tant ils sont proches de nous. Il convient en effet de le souligner : au terme de ses cyniques désenchantements et de son âpre combat littéraire, l'auteur de *Don Juan* se retrouve résolument moderne.

De son vivant, il s'est mis à dos la plupart des têtes couronnées d'Europe, le sultan de Turquie et le pape. Dans son propre pays, il a sans doute été l'homme le plus admiré, mais aussi le plus cordialement haï. Le poète lui-même le reconnaît :

> *« Je n'ai pas aimé le monde et*
> *le monde ne m'a pas aimé ;*
> *je n'ai jamais loué son haleine fétide,*
> *ni fléchi patiemment le genou devant ses idoles -*
> *ni ridé mes joues à lui sourire -*
> *ni fatigué ma voix en criant à ses échos. » (9)*

Mais le constat est, comme il l'écrit un peu plus loin, sans incidence négative. Bien au contraire, et surtout quand on s'appelle Byron :

---

(9)   Le pèlerinage de Childe Harold, *III, 113 (trad. E. Cathelineau)*

« Je ne cherche pas la sympathie et je n'en ai pas besoin ;
les épines que j'ai cueillies viennent de l'arbre que j'ai planté
— elles m'ont déchiré — mes mains saignent ; je devais savoir quel
fruit naîtrait d'une pareille semence. » (10)

« L'homme qui surpasse ou subjugue l'humanité peut mépriser la
haine qu'il laisse sous ses pieds. » (11)

Une légende de charme diabolique et d'infernale cruauté a eu beau se former autour de lui : la postérité a préféré ne retenir que de l'alliance du vice et de la vertu sont nés des vers fulgurants, d'une force intemporelle et d'une portée universelle, qui figurent parmi les traces les plus éclatantes du génie humain.

« O talk not to me of a name great in story
The days of our youth are the days
of our glory » (12)

Il arrive que la mort jette une lumière spectaculairement incendiaire sur un homme de l'ombre ou au contraire, qu'elle rejette dans l'obscurité la plus complète un personnage qui, de son vivant, paraissait toujours s'imposer au premier plan... Elle est en tout cas la chose la plus importante qui puisse survenir à un artiste. Byron ne déroge pas à la règle. Sa disparition a été un couronnement. Une forme d'apothéose. Elle eut en effet un retentissement considérable. En Angleterre. Mais aussi sur l'ensemble du continent européen.

---

(10) Le pélerinage de Childe Harold, *IV, 10 (trad. E. Cathelineau).*
(11) Le pélerinage de Childe Harold, *III, 45, (trad. E. Cathelineau).*
(12) All For Love *(vers écrits en novembre 1821, sur la route entre Florence et Pise :*
    « Que me parlez-vous d'un nom grandi par l'histoire ; les jours de la jeunesse
    sont ceux de notre gloire. »)

Ce qui, à l'époque, sous-entend résonance planétaire. Plus d'un siècle et demi avant celle de John Lennon, l'un des célèbres Beatles, la mort de lord Byron relève déjà de la mondialisation triomphante. Une extraordinaire prouesse, alors que, officiellement, la poésie a toujours été réputée mal s'exporter... Mais, franchement, comment s'étonner d'un tel rayonnement quand se découvrent et se mesurent les « ravages » de son influence. Ce n'est pas pour rien si Byron a été, de son vivant, une idole du romantisme. Et ce n'est pas pour rien non plus si le poète a été, toujours de son vivant, le seul des romantiques anglo-saxons à se faire lire, par des *happy few* et sur le mode élitiste, dans toute l'Europe, et à brillamment prolonger le XVIIIe siècle. En 1816, quand il s'est exilé, que son Harold a repris son pèlerinage et que les chants III et IV sont venus s'ajouter au poème primitif, notre aristocrate anglo-écossais s'est mué en citoyen de l'univers... Il a acquis, pour l'éternité, une stature considérable. Sa mort n'a fait que renforcer le processus. Avec le soutien ému et généralement inconditionnel du *fan-club* de l'artiste. En Angleterre, c'est le jeune Tennyson, alors âgé de 15 ans seulement, qui s'enfuit dans les bois pour y graver, inconsolable, « Byron est mort »... En France, ce sont Lamartine et Hugo qui en font un deuil personnel. Le premier, parce qu'il a écrit *Le Dernier Chant du pèlerinage de Childe Harold*. Le second, parce qu'il connaît lui aussi et admire la poésie byronienne ; ses *Feuilles d'automne* et ses *Orientales* en témoignent suffisamment. Un romancier comme Balzac dira de son côté (13) : « Moi, j'ai souvent été général, empereur ; j'ai été Byron, puis rien. Après avoir joué sur le faîte les choses humaines, je m'apercevais que toutes les montagnes restaient à gravir. »

(13) Cité par André Maurois dans Prométhée ou la vie de Balzac

Au sujet de la propre disparition, en 1850, du créateur de *La Comédie humaine*, Barbey d'Aurevilly, grand admirateur de l'un comme de l'autre, écrira que « cette mort est une véritable catastrophe à laquelle il n'y a rien à comparer que la mort de Byron. » (14)

D'autres auteurs, suédois, tchèques ou polonais, n'ont pas manqué d'être, eux aussi, sensibles au génie du lord et à sa puissance évocatrice. Les textes de Julius Slowacki sont régulièrement cités comme autant de références. Ceux du poète yougoslave France Preseru sont moins connus, quoique révélateurs de l'exceptionnelle influence exercée *urbi et orbi*. Y compris jusqu'aux recoins sibériens les plus reculés de la Russie... Plusieurs œuvres de Lermontov et surtout *La Gabriélade* de Pouchkine, ces quatre longs poèmes dans le goût byronien, traduisent la fascination éprouvée envers l'auteur du *Corsaire*.

Cette véritable « byronmania », qui a duré plusieurs décennies après la disparition de l'artiste, a également contribué au succès de la mode écossaise... (15) Aux côtés de Sir Walter Scott (16) dont le rôle, sans doute primordial, ne saurait être sous-estimé. Après avoir connu une belle réussite commerciale dans les années 1802 et 1803 avec des *Chants de la frontière d'Ecosse* (17), recueil de poèmes authentiques de la tradition orale et de quelques pastiches, Scott fut, comme Byron, célèbre du jour au lendemain, grâce à la parution, en 1805, du *Lai du dernier ménestrel* (18), une œuvre qui tenait de la ballade et du roman en vers.

---

(14) dans un numéro de La Mode, *daté du 24 août 1850.*

(15) *Tout en déclinant,* of course, *toute responsabilité dans la création, l'utilisation et la prononciation du langage qui, souvent, l'accompagne...*

(16) *Né en 1771 et mort en 1832, Walter Scott est l'auteur de nombreux romans plus ou moins évocateurs du passé historique de l'Ecosse, dont* Les Puritains d'Ecosse (Old Mortality), La Prison d'Edimbourg (The Heart of Midlothian), La Fiancée de Lammermoor (The Bride of Lammermoor), *et bien sûr, du fort célèbre* Ivanhoé, *publié en 1820.*

(17) Minstrelsy of the Scottish Border.

(18) The Lay of the Last Minstrel.

Près d'un quart de siècle plus tard, en 1829, ce fils de notaire né à Edimbourg démontra l'extrême constance de son attachement à sa terre natale, en consacrant l'un de ses derniers romans, *La Jolie Fille de Perth* (19), aux mœurs écossaises du XVIIIe siècle. Un ouvrage que la traduction de Defauconpret rendit vite célèbre parmi les lecteurs français... Grâce à Scott et à Byron, l'Ecosse ne s'est pas contenté d'avoir donné au monde le golf, un jeu déguisé en sport qui se pratique partout où se réunissent des hommes à peu près civilisés. Elle s'est imposée, pendant plus d'un demi-siècle et en dépit des inévitables variations d'intensité, comme une grande mode et une excellente source d'inspiration. Après Mendelssohn et sa *Grotte de Fingal* ou sa *Symphonie écossaise,* c'est Chopin qui place dans ses *Ecossaises* les ultimes et délicates flamboyances de son génie, tandis que, plus tard, en 1866, Bizet achève la partition de *La Jolie Fille de Perth*, associée, hélas, à un méchant livret d'Adenis et Saint-Georges conçu à partir du roman de Scott. Simples exemples, naturellement.

Ne serait-ce qu'en appréciant vivement, comme Barbey, les récits de l'auteur d'*Ivanhoé,* Byron avait su donner le ton. Sans se formaliser le moins du monde de l'exactitude parfois très relative des faits historiques rapportés. En parfait romantique, il lui importait davantage de percevoir dans les principaux personnages et leur auteur le sentiment pur de l'existence de soi, la réaction intense voire excessive des êtres dans des périodes troublées ou des situations troublantes. Ce qu'il recherchait dans ces textes, c'était la projection dans l'ailleurs, qu'il relève du passé ou de l'exotisme. Le travestissement théâtral et emphatique d'une réalité qui, trop souvent, déçoit ou accable. L'évasion dans un imaginaire plus ou moins — déjà ! — « dalirant »...

---

(19) The Fair Maid of Perth.

Dali : Amics, benvenguda !

Amics, benvenguda ! Cher amis catalans, bienvenue ! Oui, bienvenue : vous voici au pays de Dali. Au bord de la mer, mais ni en Normandie, ni en Ecosse ou en Bretagne. En Catalogne donc, où la trame d'un des grands mystères artistiques du XXe siècle s'est ourdie. Sur l'origine éminemment territoriale de son génie, l'intéressé avait son idée. Il l'a lui-même consignée par écrit. « Que l'on sonne toutes les cloches ! a-t-il claironné (1). Que le paysan courbé sur son champ redresse son dos voûté comme l'olivier que tord la tramontane, qu'il appuie sa joue dans le creux de sa main calleuse dans une noble attitude de méditation... Regarde ! Salvador Dali vient de naître. Le vent a cessé de souffler et le ciel est pur. La Méditerranée est calme et sur son dos lisse de poisson, on peut voir briller comme des écailles les sept reflets du soleil. Ils sont bien comptés et tant mieux, car Salvador Dali n'en voudrait pas plus ! C'est par un matin semblable que les Grecs et les Phéniciens ont débarqué dans les golfes de Rosas et d'Ampurias pour y préparer le lit de la civilisation, et les draps propres et théâtraux de ma naissance s'installent au centre de cette plaine de l'Ampurdan qui est le paysage le plus concret et le plus objectif du monde. »

Les registres officiels de l'état civil le confirment sans la moindre équivoque : c'est bien à Figueres, capitale de la comarque (2) du Haut-Ampurdan (3), dans la province de Gerone (4), au sein

---

(1) La Vie secrète de Salvador Dali.
(2) *La comarque (comarca), en Espagne comme en France, dans les Pyrénées-Orientales, est plus ou moins synonyme de « pays » ou de « région naturelle ». Elle correspond à une division géographique, historique, culturelle, ethnographique et économique dans un territoire défini. Elle peut comprendre des régions dans différentes provinces. En Catalogne comme en Aragon, et, à la différence avec les autres comarques situées dans la péninsule ibérique, elle est une unité administrative à part entière, avec les implications juridictionnelles et statutaires qui en découlent.*
(3) *Alt Empordà.*
(4) *Provincia di Girone*

45

de la Catalogne, qu'est né, le 11 mai 1914, Salvador Domingo Felipe Jacinto Dali Domènech, mondialement connu par la suite sous le nom de Salvador Dali. L'artiste n'est donc pas espagnol, mais catalan. Loin d'être anodin, le *distinguo* est déterminant. La Catalogne a beau être située au nord-est de la péninsule ibérique, bien rattachée en apparence au territoire espagnol, « au sable des arènes et eaux-fortes de Goya » (5) : elle est un pays. Elle n'a pas attendu le 19 juin 2006 pour être une communauté autonome d'Espagne, dotée d'un statut de « communauté historique » et reconnue comme « réalité historique » au sein de l'Espagne. Elle sait depuis toujours ou presque qu'elle a une personnalité qui lui est propre. En tout cas, Dali, lui, l'a toujours su et constamment vécu. Le pays de sa naissance et de son enfance n'a cessé d'occuper une place privilégiée dans sa vie comme dans son œuvre. Un fait qui constitue sans aucun doute l'élément clé pour toute tentative de compréhension et d'analyse de la démarche artistique. Sans ce profond enracinement catalan, le « divin Dali » n'aurait pas existé.

Pour découvrir ou mieux connaître et apprécier la personnalité de la Catalogne, son extraordinaire vigueur et ses traits particuliers, il suffit de se référer à d'excellents ouvrages. En particulier ceux de Josep Pla (6), encore inconnu ou méconnu de nombreux Français, mais sans aucun doute l'un des plus grands auteurs catalans de tous les temps, dont l'œuvre, à la fois fort abondante et diversifiée, évoque les paysages, les villes, la vie et les habitants de cette partie du monde au bord de la Méditerranée.

(5) Jean-Claude Martinez, L'Europe folle.
(6) Voir Bibliographie

Dans l'un de ces livres, *Cadaquès*, figurent des renseignements précis sur les fameux rochers du cap de Creus (7) que Dali connaissait et appréciait tant depuis son enfance et, en particulier, confirment Robert et Nicolas Descharnes dans *Dali, le dur et le mou*, sur leur géologie à base de granit, d'ardoise, mais aussi de matériaux comme le gneiss, l'ardoise micacée, quartzifère, mouchetée, le calcaire marmoréen, avec des filons de quartz, de porphyre... Une configuration géologique « si particulière, tourmentée, tellement dramatique, précisent-ils, qu'elle a servi de décor au film *Le Phare du bout du monde*, d'après le roman de Jules Verne dont l'action se situe à la pointe sud de l'Argentine, près du cap des Tempêtes.» «Dali, soulignent-ils encore, l'a expliqué mieux que personne, dans ses écrits et diverses déclarations à la presse : « Oui je suis le cap Creus et chacun de ses rochers est comme un phare formant la constellation de ma navigation intérieure » ; « Mon paysage mental est semblable aux rochers protéiformes et fantastiques du cap Creus» ; « Dali doit se mimétiser avec le cap Creus» ; « Ma paranoïa a la dureté analytique du granit. Les sables mouvants de l'automatisme et les rêves s'effacent avec le réveil. Mais les rochers de l'imagination sont toujours là». Relevées dans les *Carnets* de Robert Descharnes, qui fut un ami de Dali durant près de quarante ans, d'autres phrases de l'artiste catalan viennent compléter ces réflexions : « La géologie a une tristesse accablante qu'elle ne pourra jamais épousseter de son dos. Cette tristesse provient de l'idée que le temps travaille contre elle » ; « La géologie dort sans sommeil ».

---

(7) *Situé en Catalogne, à l'extrémité orientale de la Péninsule ibérique, le cap de Creus est un promontoire abrupt et rocheux, à plus de 600 mètres d'altitude, qui s'avance vers la mer Méditerranée et forme une petite péninsule de caractère montagneux, découpée par une multitude de petites calanques.*

« *La différence entre un fou et moi,*

c'est que je ne suis pas fou. »

Dali

C'est au cœur du cap Creus et nulle part ailleurs que Dali et Bunuel eurent l'idée de fonder la cité de Rome pour les besoins du film *L'Age d'or*. C'est également en ce lieu que Dali et Gala sont venus rêver, se promener en barque, prendre des bains de mer, effectuer du ramassage de bois frottés, d'objets divers et de détritus transformés par la corrosion marine. Un endroit magique qui fut le cadre d'événements, de mises en scène, de *happenings* et d'éphémères « installations ». « A l'occasion d'une promenade au cap de Creus durant l'été 1955, se souvient Robert Descharnes, Dali me montrait le célèbre rocher du Sommeil qui servit d'inspiration à son œuvre *Le Grand Masturbateur*. Il avait vu ce rocher depuis son enfance. Il a voulu absolument poser devant une sorte de rituel, avec une robe en lamé faite par Dior pour le bal Bestegui à Venise qui avait eu lieu quelques années auparavant, en 1951...»

Il existe ainsi de précieuses et saisissantes photographies qui relèvent aujourd'hui de l'histoire de l'art et sont autant de témoignages visuels de la gestation créatrice en mouvement... A partir d'une excroissance rocheuse qui apparaît comme une tête de rhinocéros minéral ou de la « figure » se dressant à l'entrée de la baie de Cullero que l'artiste commentait toujours comme une sorte de Niké (8) géologique. Parsemé de cailloux catalans qui sont autant de repères lumineux et peuvent permettre de se jouer de certaines interrogations ou d'éviter au créateur d'avoir à répondre directement aux questions soulevées, le chemin de Dali — et de ses damasseries — ramène toujours à Cadaquès et à ses alentours. Rien d'étonnant dans ces conditions si le maître est, aujourd'hui encore, présent sur une plage de ce village, grâce à une grande statue de bronze, exécutée par Joaquin Ros Sabate.

---

(8) *Fille du Titan Pallas et de Styx, sœur de Cratos (la Puissance), Bia (la Force) et Zélos (l'Ardeur), Niké fait partie, dans la mythologie grecque, de l'entourage proche de Zeus.*

Et rien de surprenant non plus si Ramon Sabi, le sculpteur retenu en 1957 pour réaliser deux bustes de Dali et Gala, a pu être choisi infiniment moins parce qu'il avait du talent que parce qu'il était originaire d'Olot, chef-lieu de la comarque de la Garrotxa, et authentiquement catalan... Quand Stefan Zweig écrivait en juillet 1938 à Sigmund Freud : « Salvador Dali est, à mon sens, le seul peintre de génie de notre époque, et le seul qui lui survivra, fanatique de ses propres convictions, disciple des plus fidèles et des plus doués de vos idées parmi les artistes », il faisait preuve d'une remarquable clairvoyance. Mais Freud avait en partie tort quand il lui rétorquait : « Je n'ai jamais vu aussi parfait prototype d'Espagnol ! Quel fanatique ! ». Salvador Dali n'était pas un parfait prototype d'Espagnol : il était catalan. Et fanatique de la Catalogne. Viscéralement. Existentiellement. Comment aurait-il pu, il est vrai, en être autrement dès lors qu'il avait conscience de ce que ce territoire plus d'une fois béni des dieux n'avait cessé de lui apporter depuis son enfance ? Autant le chemin qui le conduisit de sa Catalogne natale jusqu'au Paris des surréalistes s'est trouvé remarquablement éclairé par diverses études et, en particulier par un excellent essai de Jean-Louis Gaillemin (*cf.* Bibliographie), autant certains faits déterminants qui relèvent de sa prime jeunesse ou de sa formation intellectuelle et se rattachent à l'environnement catalan sont encore mal connus, ignorés ou passés sous silence, car minorés dans leur importance. Cas de cette réunion appelée « Ateneillo de Hospitalet », qui se tenait chaque semaine, à L'Hospitalet del Llobregat, dans la maison de Rafael Pérez Barradas, un peintre uruguayen de réel talent, passionné par le mouvement futuriste et passé à la postérité pour avoir développé le vibrationnisme, une interprétation personnelle du dynamisme pictural... Salvador Dali a fait partie, comme Federico Garcia Lorca et Filippo Tommaso Marinetti, des artistes en devenir et des lettrés d'orientations diverses qui l'ont, pour leur plus grand profit, régulièrement fréquentée.

La Catalogne, terre de libre échange, de vibrations comme de résonances... Oui, comment ne pas reconnaître qu'il existe dans ce pays aux cadres enchanteurs comme une magie ou une folie propices à bien des délires échevelés, mais parfois si constructifs... De nos jours encore, il semble toujours se passer quelque chose en cette véritable « terre promise » pour une jeunesse issue de tous les horizons, en ce lieu qui paraît ouvert à toutes les trouvailles, inventions ou extravagantes expérimentations... N'est-ce pas dans l'Alt Emporda qu'après avoir créé un Wine Spa, un hôtel « mise sur les vertus du raisin et du bain au vin élevé dans des caves proches » et propose « des soins qui fleurent bon la vigne, avec des massages à quatre mains à l'huile de pépins de raisins sous affusion d'eau et d'essence de vin blanc muscat » (9) ? N'est-ce pas non plus en Catalogne que la profusion d'événements professionnels, festifs et culturels, de toute nature et envergure, est devenue quasi illimitée à n'importe quelle période de l'année ? A croire que Dali n'a pas rendu l'âme... ou que la Catalogne s'y entend pour la conserver.

Ce qui est sûr, en tout cas, c'est qu'en matière d'autopromotion, le chantre du défunt chocolat Lanvin n'avait, lui, guère de leçons à recevoir : il était champion. Mais nul n'a jamais su avec une certitude absolue quel homme se cachait derrière l'excentrique provocateur et le communicateur hors pair, le « divin Dali », comme il se nommait lui-même, derrière celui qui, grâce à une œuvre énigmatique et éclectique, occupe une place capitale dans l'histoire de l'art moderne.

(9) *Article d'Agnès Pelinq, publié dans* Le Figaro Madame *du 24 février 2006 et consacré notamment à l'*Hôtel Golf Peralada *en Catalogne.*

Nul n'a jamais pu non plus apporter une réponse définitive aux nombreuses questions relatives à cet homme, qu'il s'agisse de sa vie ou de son œuvre, dans la période comprise entre le début des années 1930 et la fin des années 1980. Un fait qui, naturellement, contribue à la fascination d'un large public et au développement constant d'une production documentaire déjà fort impressionnante.

Ce que tout le monde sait, en revanche, c'est que Dali existe, que son nom sonne et résonne, qu'il a irradié le monde des arts et des lettres, au point d'apparaître comme le « mot de passe » du siècle dernier. Impossible en effet d'évoquer le XXᵉ siècle sans parler de Dali, ce génie aux multiples facettes, peintre de l'irrationnel, magicien de la dérision et de l'absurde, figure emblématique du surréalisme, ce courant littéraire et mouvement artistique où se sont côtoyés des personnages aussi importants qu'André Breton, Paul Eluard, Louis Aragon, Joan Miro, Max Ernst ou Diego Giacometti.

Durant des décennies, tous les faits et gestes rattachés à cet artiste, qu'ils relèvent du domaine public ou de la sphère privée, ont fait couler beaucoup d'encre et de salive... Parfois au-delà de toute raison. Adulé ou détesté, Dali n'a jamais laissé indifférent. Les anecdotes sur son compte foisonnent. Si bon nombre d'entre elles sont authentiques, certaines ne se révèlent vraies qu'à demi et certaines autres relèvent de la forfanterie des « témoins », de leur mythomanie aussi, ou encore de leur intérêt bien compris. Mais qu'importe. A Dali, il peut toujours être largement fait crédit et la rumeur ne risque rien à se montrer généreuse envers lui...

« La plupart de ses biographes, remarquent Robert et Nicolas Descharnes, sont souvent des compilateurs de coupures de presse et les rapporteurs des mêmes propos ressassés par une demi-douzaine de «sempiternels témoins». Ils ont peu de savoir ou de curiosité pour l'art du temps. Ainsi, selon ces mêmes biographes, la frénétique vie sociale et érotique de Salvador Dali occuperait une place considérable dans les journées du maître. Diable ! Alors, comment créer tous ces chefs-d'œuvre ? » « La réalité est tout autre, soulignent les deux experts. Elle apparaît quand on découvre la forteresse édifiée par celui-ci pour protéger son temps de travail. Véritables chefs de guerre dans ce domaine, Dali et Gala ont choisi, réuni et formé une troupe dont ils se sont entourés, avec capitaine, estafettes, éclaireurs et autres sergents recruteurs, nommés et remerciés au fil des années. L'activité principale de cette force consistait à s'agiter, préparant l'apparition du maître, afin de créer l'illusion d'un Dali toujours présent quand celui-ci, solitaire, était ailleurs, au travail. » Oui, voilà bien un mot clé, celui qui étymologiquement fait référence à un instrument de torture : le travail. Chez Dali, par-delà le semblant de désinvolture dans l'attitude ou le propos et la facilité apparente d'un trait destiné à une démonstration publique se dissimule la préméditation d'une opération soigneusement calculée ou l'exercice au quotidien d'un travail forcené, entrepris très tôt puisque dès l'âge de dix ans, il avait au moins deux tableaux à son casier pictural : *Joseph accueillant ses frères* et *Le Portrait d'Hélène de Troie*. La conférence qu'il donna en France, à l'Ecole polytechnique, le 12 décembre 1961, sur les enfants de Zeus, les Dioscures, surnom de Castor et Pollux, est restée mémorable. Pas seulement dans les annales de l'établissement et non sans d'excellentes raisons. « Les polytechniciens avaient invité Salvador Dali, racontent Nicolas et Robert Descharnes (10) avec l'intention évidente et arrêtée de «rire un bon coup». Mais Dali n'est pas un quelconque amuseur public. Tous s'apprêtaient à se payer sa tête. Mais ils ne sont pas nés les polytechniciens qui arriveront à mettre Dali dans leur poche... »

(10) Avec Gala et le psychanalyste Pierre Roumeguère, Robert Descharnes assista à la conférence donnée par Dali à l'Ecole polytechnique.

Après avoir commencé par surprendre et amuser son auditoire en grande tenue et plutôt guindé, en désignant Velasquez comme « le plus biologique de tous les peintres », il n'hésita pas à coiffer un « casque à bébés clignotants, un chapeau en forme de soupière, ou d'oeuf de Pâques, surmonté de deux clignotants rouges en Celluloïd : Castor et Pollux, qui s'allumaient alternativement selon que sa pensée s'égarait à droite ou à gauche » (11). L'ambiance ne manqua pas de tourner au délire et cette coiffure insolite fit le ravissement des journalistes présents comme de ceux qui auraient tant voulu en être qu'ils finirent par croire qu'ils en étaient... D'autant que, selon le reporter de *Presse Océan Nantes* qui « couvrait » l'événement, « fût-ce l'effet d'un court-circuit, de pensées antagonistes ou d'un vide soudain sous le crâne du génial artiste, les feux rouges s'allumèrent simultanément en pleine conférence » ! Hilarité forcément générale... « Mais, soulignent Nicolas et Robert Descharnes, le ton se fit plus grave et la salle plus attentive quand Dali expliqua la signification du chapeau des Dioscures, raconta son frère mort avant sa naissance (12), la présence tragique de ce double qu'il assimilait au mythe de Castor et Pollux, les jumeaux divins. » Sans jamais s'être laissé démonter par des questions dont il tira au contraire un parti avantageux et après avoir inauguré fort dignement une rue portant son nom dans la buanderie désaffectée de l'école, Salvador Dali put quitter l'établissement par une « sortie » bien à lui : « Le monde irait vers le néant si Dali n'était pas là. »

Un autre exemple célèbre de succès public remporté par Dali a été évoqué par Maurice Sachs. «.... On ne parle, écrit-il dans *Au temps du bœuf sur le toit* paru en 1939, on ne rêve que d'*intelligence* ;

---

(11) Dali, le dur et le mou — *Sortilège et magie des formes, sculptures et objets, op. déjà cité.*

(12) *Salvador Dali a eu en effet un frère aîné, également prénommé Salvador, qui est mort à l'âge de deux ans dans des circonstances un peu mystérieuses, durant l'année qui a précédé sa propre naissance.*

jamais ce mot n'a été plus largement usé. Il n'y a plus personne aujourd'hui qui ne *veuille* être intelligent. On a cru assez justement que l'intelligence ne se choquait de rien, c'est vrai : mais on a été aux extrêmes ; on a applaudi les surréalistes et leurs farces de collège de corps de garde et de sacristie sacrilège. Le triomphe du genre, ce fut plus tard Dali : «Je vous pisse dessus», criait-il à une conférence. «Bravo ! Bravo !» s'écriaient des dames ravies par *l'intelligence.*» Et Sachs de conclure : « Il est inutile de chercher plus longtemps à choquer. Rien ne choque.»

A force d'ironiser sur le snobisme masochiste de parterres de bourgeoises pâmées, il est évidemment tentant de sombrer dans la dérision et de clouer Dali au pilori... D'autant plus que le personnage a plus d'une fois prêté le flanc à la vivacité exacerbée des réactions (13).

Comme lord Byron, Jules Barbey d'Aurevilly ou Jean-Edern Hallier, Salvador Dali a été — c'est une de leurs caractéristiques communes — une cible de choix. Pour les journalistes, les audimateurs (14), les surfeurs des ondes et innombrables « badauds de l'info » qui, ignorants des tenants et plus encore des aboutissants, font rarement le *distinguo* entre l'encombrante vacuité d'un « people » et le « pied de nez » promotionnel plus ou moins réussi d'un créateur.

---

(13) Ainsi le peintre-graveur, écrivain et musicien Michel Ciry, bien connu pour avoir durant plus de cinquante ans bâti son œuvre en Normandie, à Varengeville-sur-Mer, a-t-il brossé ce portrait vitriolé : « Jamais drôle, pénible à voir couvert de ses oripeaux de bateleur, constamment grotesque et indigne, effroyablement ennuyeux, ce sinistre jean-foutre constitue pour moi, écrit-il dans Amour et Colère : *journal 1972-73, la cristallisation du déshonneur. (...) Manifestement, le vieux fantoche s'essoufle, ses pirouettes n'amusent plus, les fariboles qu'il distille théâtralement ne sont qu'enfilage de bêtes gratuités, agaçantes et sans esprit. Oui, il nous offre désormais vraiment le spectacle d'un misérable histrion à bout de tour. Appeler cela surréalisme ? Allons, donc, du bas cirque, des cabrioles de paillasse, une minable chienlit, et si peu d'art en somme. »*

(14) Dévots d'Audimat, cette sacro-sainte mesure d'audience dont l'évolution se traduit le plus souvent par l'intéressement de quelques-uns et l'abêtissement du plus grand nombre.

« – M. Dali, quel est votre secret

pour avoir du succès ?

– Offrir du bon miel à la bonne mouche

au bon moment

et au bon endroit. »

Dali

Singulier, altier, impressionnant par le regard et le port de tête, son personnage ne pouvait qu'agacer ou faire rire tous ceux qui semblent toujours avoir grandement intérêt à se méfier de ce qui les dépasse... Quand il ne faisait pas la risée générale, il horripilait donc de manière très plurielle.

Cependant, que cela plaise ou non, Salvador Dali est à lui seul un monde. Avec des visions, des jets d'encre, des traits d'esprit, des idées en veux-tu, en voilà... Iconoclaste, insolent, imprévisible et même incorrigible, il s'appuie toujours sur un remarquable savoir-faire académique et sur une grande rigueur intellectuelle. Peintre fabuleux, il fut et restera.

Ses toiles les plus célèbres portent des noms à la fois poétiques et insolites : *Persistance de la Mémoire* (plus connue sous le nom de *Montres molles*), *Bataille autour d'un pissenlit*, *Femme à la tête de roses*, *Apparition du visage de l'Aphrodite de Cnide dans un paysage*, *Le Pont brisé du rêve*... Des œuvres qui font pénétrer dans un univers dalinien pétri de fantasmes, de déambulations hors du temps et de l'espace.

Pourtant, Dali ne peut pas se voir qu'en peintures. Il est également un prodigieux dessinateur comme il en existe un ou deux par siècle sur la planète Terre, un créateur de mode, un cinéaste, un sculpteur trop souvent méconnu et un auteur parfois ignoré.

A la question « Vous considérez-vous comme un écrivain ? » qui lui fut posée au début des années 1950 lors d'une émission-jeu de télévision américaine (15), l'artiste catalan répondit sans hésiter un

(15) « What's my Life ? » du 20 février 1952. Ce savoureux morceau d'anthologie audiovisuelle est visible sur le site Internet de YouTube. Lancée en 1950, l'émission « What's my Life ? » était un « game show » hebdomadaire, à vocation délibérément ludique mais de haute tenue (sans équivalent en France), qui eut un grand et durable succès d'audience aux Etats-Unis : il s'agissait pour un « panel » de quelques invités très choisis de déterminer, à l'aveugle, quelles étaient l'activité et l'identité d'une personnalité invitée. Animée de 1950 à 1967 par John Charles Daly (1914-1991), « What's my Life ? » fit l'objet, par la suite, de plusieurs reprises, moins couronnées de succès, au début des années 1970, puis entre 2004 et 2006.

« Yes » bien sonore. Ce qui provoqua l'étonnement et l'hilarité... A grand tort, puisque, s'il a accédé à la notoriété par ses peintures... et ses coups d'éclat médiatiques, Dali a eu, à intervalles réguliers et tout au long de sa vie, une activité d'écrivain et sa bibliographie en témoigne. Il s'est très tôt intéressé au Livre. En 1930, le grand moment du surréalisme défini par Breton, il a en particulier abordé le livre illustré avec un texte d'Aragon et d'Eluard (16). Puis, en 1934, inspiré par *Les Chants de Maldoror* de Lautréamont, il a gravé plus de quarante eaux-fortes. Plus tard, en 1957, il démontrera avec son *Don Quichotte*, suite de quinze lithographies en couleurs, un exceptionnel talent d'illustrateur d'ouvrages... Innovateur insatiable, il a, à dire vrai, touché à tout ou presque. Si bien qu'il a fini par incarner la quintessence de l'Art. Pour Dali, la peinture, la sculpture, l'écriture, la mode et le cinéma ne font souvent que se répondre et se confondre. Dans une symbolique des correspondances et des sensations où les mots, les couleurs, les sons, les formes, les saveurs et les odeurs sont une seule et même harmonie destinée à colorer et à enchanter un monde dont les êtres humains sont les acteurs.

« Cet homme de la Renaissance a beau se cacher derrière son exhibitionnisme, a pu ainsi écrire Michel Déon à la fin des années 1970 (17), c'est son œuvre que nous aimons et c'est sur son œuvre qu'il sera jugé, non sur ses pétards mouillés, ses oursins graveurs, ses moustaches cirées, ses capes doublées de vison, sa Rolls, ses amitiés ambiguës avec des travestis et l'exploitation obsessive de son amour pour sa femme Gala. » « A la peinture, insiste l'auteur des *Poneys sauvages*, il aura apporté une conscience, une rigueur que la décomposition amorcée par Picasso nous faisait perdre de vue. Un peintre est aussi un artisan et, dans ce domaine, Dali est un des plus grands.

(16) L'Immaculée Conception.
(17) En 1978, dans le quotidien L'Aurore.

Peu de gens savent que cet artiste est un savant technicien, qu'il a retrouvé maintes recettes perdues et que ses toiles les plus grandes, les plus connues souffriront un jour la comparaison savante avec celles de Velasquez ou de Raphaël... On le prend facilement pour un fou parce qu'il dit des choses énormes avec un bon sens confondant. Tous ceux qui l'aiment bien, qui lui trouvent du génie, du moins un grand talent, aimeraient que cet homme inclassable, maintenant membre de l'Institut de France, mît fin à quelques-unes de ses clowneries. Je lui souhaite de raser sa moustache en croc, de cesser de rouler des yeux globuleux, de ne plus avoir recours au prestigieux hasard des accidents. Il a eu tout ce qu'un artiste pouvait souhaiter. S'il consentait à ne plus être l'événement des médias, sa peinture nous apparaîtrait en pleine lumière et certainement grandie. Nous saurions alors que son œuvre est une des plus grandes de ce temps. Mais peut-être est-ce beaucoup demander à un homme qui a élevé la mystification à la hauteur d'un dogme. »

Un quart de siècle plus tard, à l'occasion d'une réédition des *Cocus du vieil art moderne*, de Salvador Dali, Jean Dutourd a, de son côté, rédigé durant l'été 2004 (18) une remarquable chronique, malicieusement intitulée « Dali, génie gênant », qui, en quelques lignes et dans le style qui lui est propre, apporte une synthèse :
« Salvador Dali, qui était très intelligent, observait-il d'emblée, avait compris plusieurs choses qui, généralement, échappent aux artistes, la première étant que le talent (ou le génie) est une baraque foraine. Pour attirer les clients, il faut bonimenter, avoir la langue bien pendue, faire des pitreries et des cabrioles sur une estrade. C'est en quoi Dali, dès ses débuts, excella. Il considérait qu'il était le plus grand peintre du XXe siècle, c'est-à-dire un artiste classique ayant eu la malchance de tomber dans une basse

(18) Accessible sur Internet le 6 août 2004

époque de son art. Les esthètes de province, les névrosés de l'avant-garde, les Trissotin de l'intelligentsia occidentale et les bourgeois à la suite faisaient la loi, c'est-à-dire l'opinion.»

« Il y a deux façons, poursuivait Dutourd, de se concilier ces gens-là, dont dépendent les réputations ; la première est d'être aussi grave qu'eux, aussi imbu de sa dignité. Ils reconnaissent aussitôt un membre de la tribu et savent le lui montrer. L'inconvénient est que pour réussir une telle attitude il faut être soi-même un peu un imbécile, ce qui, Dieu sait, n'est pas le cas de Dali. Il ne lui restait que l'autre issue qui est la provocation, c'est-à-dire les extravagances et l'imprévu en pensée autant qu'en paroles, la sincérité brutale, le goût de la facétie, l'iconoclastie à l'égard de tout ce qui est à la mode et de ce fait est intouchable. (...) En écrivant cette chronique, je ne pouvais, concluait l'auteur d'*Au bon beurre*, m'empêcher de penser à Jean-Edern Hallier qui avait son côté Dali, en particulier la manière de dire la vérité sur tout sans qu'on s'en aperçût au premier abord. C'est peut-être le plus grand charme de ces natures d'artistes, leur talent ou leur génie mis à part.»

Hallier : Bretagne d'Edern

« Bonjour, le siècle... Je suis fils du goémon, du varech et du sable gris, de la fiente du cormoran et de la mouette, né d'une plage battue par les grandes marées, je me suis fécondé moi-même au ressac des flots verdâtres, au picotement de l'air iodé et aux hurlements des vents du désir...» D'emblée, dans *Chaque matin qui se lève est une leçon de courage*, Jean-Edern Hallier a prévenu. A défaut d'être un « monstre du loch Ness breton » (1) et qu'il fasse ou non figure de personnage emblématique du Marais parisien, il est d'abord et avant tout un homme des marais. Des marais salants. Il a la Bretagne marinée au corps. Avec elle, comme il l'écrit dans *Fin de siècle*, « tout est vent, vent nouveau, froissement de l'invisible, grande poussée effervescente de la respiration du ciel, tout au long des côtes des bosses pelées du Menez-Hom ou de la Troménie ». « Quand ce vent se lève, précise-t-il, au cœur de la nuit, je le reconnais aussitôt, il ressemble au *cironi venté* des steppes de l'Asie centrale, ce vent noir que les vieux paysans au visage ridé, au grand toupet enroulé au sommet du crâne rasé, reconnaissent infailliblement à sa saveur, celle de l'herbe sèche, amère et forte comme celle des feuillets de lauriers, et à sa voix qui est merveilleusement triste, pleine de profonde nuit. Ici comme ailleurs, c'est toujours le même vent que chacun désigne comme il l'entend. D'aussi loin qu'il m'en souvienne, il souffle sur toute ma petite enfance. » C'est ce vent iodé, inspiré par Hallier dès son plus jeune âge, qui a souvent contribué à lui souffler les mots les plus saisissants, les plus toniques... Quand il interpelle « Enfants, aimez-vous la mer ? » dans *Fin de siècle*, c'est pour répondre aussitôt : « Moi, je l'aimais d'autant plus passionnément, en Bretagne, qu'habitant l'intérieur des terres, elle ne s'étendait pas derrière nos vastes fenêtres à croisillons.»

(1) Arnaud Le Guern, Stèle pour Edern.

« Il s'était produit, raconte-t-il encore un peu plus loin, une discorde sous la surface crénelée de l'onde : un tremblement de mer. Je me redressai, ouvrant la bouche, aspirant fortement. J'étais saoul de sel, d'air et de solitude. »

Nul besoin pour lui des modelages rythmiques à quatre mains qui se pratiquent si bien aujourd'hui aux thermes marins de Saint-Malo pour avancer à l'excès, ni du massage inédit du Miramar Port-Crouesty, joliment baptisé « calligraphie », qui stimule les points énergétiques en dessinant un idéogramme sur le poignet ou la cheville (2), pour écrire, comme d'aucuns l'ont dit, à la défonce d'infini, à la recherche sans fin du Graal de l'éternité...

Jean-Edern Hallier a le casier héréditaire trop chargé, la veine trop littéraire et l'enfance trop marquée. De la Bretagne, « multiple dans son unité secrète » (3), de ses embruns cellulaires et de ses lichens mythologiques, il est originaire par toutes les fibres de son être, au point que de ses habitants, il n'hésite pas à se présenter comme le héraut tout désigné... « Paysan, rebelle, enraciné et aristocrate, proclame-t-il dans sa *Lettre ouverte au colin froid*, tel je suis et tel quel, en porte-parole des miens, je m'adresse à vous pour inviter à rompre le pain avec nous, en Bretagne ». Avec son Argoat — sa forêt en breton — légendaire et féérique, son littoral longissime (4), ses lacs, ses dolmens, ses cairns, ses tumuli et ses menhirs, cette péninsule de *Breizh*, si chère à Xavier Grall, l'auteur du *Cheval couché*, est, à n'en pas douter, un lieu magique. Chaudron historique et druidique de tous les rêves, enfantins ou non, où font bon ménage à trois la Domnonée, la Cornouaille et le Bro Waroch, ces royaumes de la vieille Armorique, originellement peuplés de Bretons de Grande-Bretagne...

---

(2)   « *Les massages évasion* » *par Agnès Pelinq,* Santé Magazine *(juillet 2007)*
(3)   A. *Le Guern, op. cit.*
(4)   *Environ 1100 kilomètres de Cancale à Pornic ou plus de 2200 kilomètres si les nombreuses îles sont prises en compte...*

Mais la profondeur d'un tel ancrage territorial ne doit pas faire oublier un aspect essentiel. Comme Barbey d'Aurevilly, Byron et Dali, et c'est là l'une de leurs grandes caractéristiques communes, Hallier est un homme de mer et de ciel, et non de terre ferme. Durant toute son existence, il en a eu une conscience aiguë. Avec des incidences sans aucun doute déterminantes sur son approche des êtres, des événements et des biens de ce monde. Pour lui, le « repère fondamental », le seul à dire vrai, c'est la Pointe du Raz.

« *L'aristocratie n'existant plus,*

l'étrange pouvoir qui reste paradoxalement le sien,

c'est le privilège de mesurer la hiérarchie

des illusions. »

Fin de siècle
Hallier

Dans un document audiovisuel tourné à Paris, au Panthéon, bien avant sa disparition (5), il l'a d'ailleurs dit avec force : son Panthéon à lui, cela ne peut qu'être enterré debout à la Pointe du Raz, là où il est né, dans les bras de l'océan, regard vers le large, bouche gorgée de salive celtique contre la bouche humide de la vénérable Arvor, la mer en breton. Pour les siècles des siècles... Comment s'étonner, après cela, qu'il puisse dédicacer *Le Premier qui dort réveille l'autre* à Paul Guimard (6) en l'incitant à jeter l'exemplaire aux « requins bretons » au cas où il aurait déjà reçu l'ouvrage ? Et comment être surpris que sa prose fleure si souvent bon le *gwemon* (7), avec ses sables plus ou moins mouvants, ses môles plus ou moins protecteurs et ses envols de *gwelans* (8) qui semblent vouloir emmener à l'autre bout de l'océan. Avec lui, qui donne si souvent l'impression de jeter l'ancre quand il écrit, il y a en permanence de la plume de mouette transatlantique dans l'*encrier* et de la voile de dundee (9) dans les sillages, à moins qu'il ne s'agisse du bruit de moteur d'un gros caboteur capable d'affronter les pires remous d'Irlande ou d'Ecosse...

(5)   *Document vidéo tourné en 1987 au Panthéon (accessible, via Internet, sur le site YouTube). Jean-Edern Hallier y suit son propre corbillard et déclare notamment : « Le haut de mon corps sera enterré face à l'océan Atlantique sur la Pointe du Raz, en Bretagne, mon pays natal. Mais je lègue mes tibias, mes cuisses, mes hanches, mes pieds et le reste, cette fonction génitale superbe, pour ensemencer l'avenir de l'humanité. » « Au nombre de mes provocations, jugera-t-il par la suite dans son* Journal d'outre-tombe, *c'est certainement l'un des plus belles — et qui correspond au vieux rêve d'assister à son propre enterrement. »*

(6)   *Paul Guimard (1921-2004), l'auteur du roman* Les choses de la vie *(adapté au cinéma par Claude Sautet) qui fut le second époux de Benoîte Groult, était, comme Hallier, un passionné de mer et d'écriture.*

(7)   *Goémon, en bas breton.*

(8)   *Goélands ou mouettes, en bas breton.*

(9)   *Navire à voiles à deux mâts. Le mot « dundee » étant, à en croire le dictionnaire* Robert, *une « altération de l'anglais* dandy, *d'après Dundee, port d'Ecosse ».*

C'est sans doute sa manière à lui d'être un dandy, de se jouer des pleins et des déliés, à cache-cache entre actualité et éternité, en avance d'une mode comme à contre-courant d'une tendance. Mais qu'il émigre à Eden-Roc, le célèbre pavillon de l'hôtel du Cap d'Antibes, l'un des lieux, comme chacun se doit de savoir, les plus *selects* de la planète *jet-set*, ou dans une autre *place to be* (10), pour *beautiful people*, à Deauville, il a toujours son style à lui. Edern-roc toujours et encore... *Beautifully*.

A ce stade, une distinction s'impose. Autant certains écrits du personnage sont admirables, autant le physique de l'homme prête davantage à discussion... Au début des années 1980, il pouvait parfois ressembler au portrait brossé par Maurice Sachs d'André Suarès, « dont le visage moyenâgeux faisait peur. Oui, peur, encadré de cheveux broussailleux, l'air d'un poète misérable et génial qui aurait traîné tout la nuit de ruelle en ruelle avec Aloysius Bertrand et retrouvé les morts de cinq cents ans ». Au point que Sachs affirmait n'avoir « jamais vu un écrivain avoir l'air d'un plus mauvais écrivain ». Non sans ajouter aussitôt : « Et pourtant il n'en est pas beaucoup aujourd'hui qui lui soient supérieurs. » (11) Lorsque, couvert d'un vieux manteau-cape en loden vert sombre, il arrivait, un soir d'hiver, en 1980, à Jean-Edern Hallier de se rendre dans un journal, l'impression qu'il produisait sur celui ou celle qui le croisait pour la première fois était plutôt saisissante et peu rassurante. A un horaire entre chien et loup, dans un couloir mal éclairé, il avait, avec son visage peu avenant et son allure manifestement ombrageuse, un côté légèrement Quasimodo. A moins qu'il ne fasse songer à quelque « sanglier échappé de ses forêts bretonnes féériques » et doté d'un « sourire frankensteinien» pour reprendre les formules de Le Guern...

(10) L'endroit où il faut être, en langage jet-set.
(11) Au temps du bœuf sur le toit.

Il donnait vaguement le sentiment d'avoir un compte à régler sinon au mieux avec quelqu'un, au pis avec la terre entière. Impossible de lui donner d'emblée le bon Dieu sans confession. Le fait d'avoir, à la suite d'un accident, perdu la vue de son œil gauche, n'était évidemment pas de nature à arranger la situation. Cependant, une fois le stade de la « primo-impression » passé, les caractéristiques de l'individu se renversaient plutôt en sa faveur. S'il n'était pas bel homme, le moins que l'on puisse affirmer, c'est qu'il ne passait pas inaperçu : il piquait la curiosité. Etait-il un revenant de Tombouctou ou la réincarnation d'un personnage aurevillien ? Un « envoyé spécial » revenu de tout, y compris d'un autre monde ? Un druide issu du plus profond d'un bois sacré ? Ou l'un de ses descendants, détenteur de quelque formule ésotérique et investi d'une mission plus ou moins chimérique ? En tout cas, il paraissait ondoyer les lieux et les êtres autour de lui. Délibérément ou non, il semblait toujours se mettre en scène dans son existence quotidienne. Comme il a su le faire dans les œuvres qui ont jalonné sa vie.

Il était, au sens fort du terme, un personnage, et c'est là sans doute l'une de ses plus incontestables caractéristiques communes avec Barbey, Byron et Dali. Il paraît donc permis de s'intéresser au moins autant aux faits et gestes de sa biographie, le « fumier de sa littérature» (12), qu'à la texture de son œuvre.

Successivement, alternativement ou simultanément, Hallier fut fils et petit-fils d'officier supérieur, agitateur toujours précoce, révolutionnaire en herbe, baroudeur d'opérette, prosateur, éditeur, littérateur, journaliste, présentateur et animateur d'émissions de télévision... Sa vie de romancier a souvent tenu de l'épopée,

---

(12) *C'est notamment au cours d'un entretien diffusé en 1982 à l'antenne de Radio-Paris (accessible, via Internet, sur le « Jean-Edern's blog ») qu'Hallier utilise cette formule-choc : « Ma vie est le fumier de ma littérature ».*

de l'élégie, toujours d'une drôle de poésie, homérique et tragi-comique, précieuse et populaire, classique et baroque. « Ecrivain par défi et par provocation, a-t-il confié (13), j'étais destiné à la carrière des armes, mais une blessure (14) m'en a empêché. Je me suis alors accroché à la planche pourrie de la langue française...» Planche pourrie ? La formulation se conçoit d'autant mieux quand se juxtaposent tous les qualificatifs qui lui ont été accolés tout au long de sa vie. Hallier mégalo, imposteur, menteur, mythomane, gauchiste, maoïste, fasciste, castriste, lepéniste, castro-lépéniste... Assez sur le coltard ? Nenni, nenni ! Hallier diffamateur, affabulateur, truqueur, maître-chanteur, bandit, fripouille, antisémite ! Le déballage sémantique ne s'arrête évidemment pas là. Au pays du Fisc-Roi, la langue française n'est pas la plus mauvaise pour taxer le maudit. Hallier y a donc eu droit au littérateur dilettante, au falsificateur professionnel, au bouffon de salon et au pantin de télévision... Y compris *post mortem*. Le quotidien *Libération*, qui n'arborait pas encore son panonceau Rothschild & Co et ne savait donc pas que deux et deux font vingt-deux, n'a pas hésité à verser dans la nécrologie de bas étage en présentant Jean-Edern Hallier comme un « écrivain dévoyé », « dans le monde de la plume, affilié à la catégorie «faisan»»...Que l'énergumène ait tout fait pour apparaître comme un drôle d'oiseau, qu'il ait également, avec des accents de grande gueule, affiché un cynisme de cabot au long cours, qu'à force de vouloir figurer au hit-parade des écrivains de premier rang, il ait fait, ici ou là, le paon ou le corbeau, tous ceux et celles qui l'ont connu peuvent certes le confirmer. Mais nul ne saurait de bonne foi contester qu'Hallier s'impose, à sa manière, provocatrice, dérangeante, flibustier, comme une figure à la fois marquante et rare de la vie littéraire de la seconde moitié du siècle dernier.

(13) *France 3, entretien avec Pierre-André Boutang, 1971.*
(14) *La perte d'un œil.*

Souvent rappelés, certains épisodes de sa « jeunesse dorée » ne doivent donc pas trop induire en erreur. Jean-Edern Hallier s'est bien rendu en Ferrari 333 GTC, sa fameuse « Marie Madeleine » gris argent, dans l'enceinte des usines Renault, durant les grèves de mai 1968. Un peu moins de vingt ans plus tard, en 1986, il pose également en habit d'académicien pour les besoins d'une grosse campagne publicitaire de Vespa, le fabricant de scooters. Mais c'est le même homme qui, de 1960 à 1963, dirige la revue *Tel Quel*, en sa période prestigieuse où sont publiés des textes signés Julien Gracq, Henri Michaux, Louis-René des Forêts ou Francis Ponge. C'est encore lui qui, jusqu'à ce qu'il devienne quasiment aveugle, en 1992, *annus* qui ne fut pas *horribilis* que pour la reine Elisabeth II d'Angleterre, fait paraître œuvre sur œuvre avec une constance métronomique, ou qui, peu avant sa mort, profite de son émission « Jean-Edern Club » sur Paris Première pour faire le tri dans la production réputée littéraire et balancer — audace sacrilège ! — quelques-unes de ses victimes de papier par-dessus l'épaule... Oui, c'est toujours lui qui, en dépit des apparences, privilégie toujours, imperturbablement, le culturel par rapport au politique.

En réalité, dans son esprit, comme le souligne à juste titre Benjamin Labonnélie sur le Net, dans le « Jean-Edern's blog», « tous les moyens étaient bons pour faire parler de littérature, pour tenter de la replacer dans la vie, de lui donner son rang que son éducation de petit prince de la Renaissance lui avait assigné : le premier.» Education ? Pas question de la passer sous silence en effet. Si Hallier apprécie tant les chemins de traverse, il le doit en partie à son origine grand bourgeoise plus ou moins rêveuse où la rigueur des principes, l'apprentissage des règles de comportement, la connaissance et le respect des codes sociaux se conjuguent souvent avec le goût du vagabondage, la frivolité du libertinage, la soif d'absolu et l'insolence de la provocation ou de l'excentricité.

Enfant d'un militaire qui s'était illustré durant la Première Guerre mondiale avant de devenir général de cavalerie et d'occuper un poste de haut fonctionnaire dans la diplomatie en Hongrie, il reçoit une éducation non chaotique, mais nomade, en version austro-hongroise, française et anglo-saxonne, et plutôt « décalée » au regard des « normes » qui prévalent dans le contexte de l'époque.

Elève, en France, du couvent de la Pierre-qui-Vire puis des lycées Claude-Bernard à Paris et Pasteur à Neuilly-sur-Seine ; étudiant, en Grande-Bretagne, à l'université d'Oxford où il se penche sur les traductions de grands romantiques anglais comme Byron, Coleridge ou Keats et décroche des « peaux d'âne » à vocation intellectuelle certaine et à finalité professionnelle indéfinie, en littérature comparée, latin-grec et philosophie... Le bon parcours juvénile du combattant d'une guerre de sécession avec la société.

En tout cas, dès le milieu des années 1960, Hallier va multiplier les initiatives spectaculaires et combiner, au moins jusqu'au début des années 1990, une énergie très mature, une virulence entêtée de l'attaque et de la dénonciation, avec une naïveté quasi enfantine et de touchants accents post-adolescents. S'en prenant à l'air pollué du temps, certaines de ses « cibles » récurrentes sont toute désignées : les journalistes, ces agents de transmission de la « sous-culture » médiatique, ces innombrables chiens de journaleux qui, pénétrant ou rêvant de s'immiscer dans les couloirs de l'Elysée, cherchent toujours — et trouvent souvent — une ou plusieurs paires de babouches à lécher... Ah, comme il l'analyse bien, le système de cette « société grégaire où il faut toujours avancer à saute-moutons » (15), de cette politique nauséeuse infestée de rats, dans les mairies comme au Conseil d'Etat, de ce journalisme « conçu pour l'éloge et la réserve nuancée ».

(15) Journal d'outre-tombe.

« D'où la perversion des valeurs qu'il entraîne, précise-t-il aussitôt. On reconnaît un grand homme à ses refus, à la force de ses convictions et à ses fidélités. Or le journalisme en est réduit organiquement à une transsubstantiation à l'envers. Il fait passer les coups fourrés pour du florentinisme, l'habileté pour de l'intelligence et le reniement de soi-même pour du machiavélisme ; l'hésitation devient réflexion, le vide devient énigme de sphinx. L'abus de pouvoir n'est plus que de la distanciation, on appelle la bassesse ambiguïté ; quant aux mensonges répétés, ils ne sont plus que sincérités successives ; le népotisme devient esprit de famille et, bien sûr, le carriérisme, destin.»

Cependant, Hallier en convient : il lui faut pactiser, s'exhiber, courir le risque de se ridiculiser, quitte à susciter — et parfois justifier — moult ricanements. « Moi, confie-t-il, je préfère jouer au clown plutôt que de me trahir. C'était le choix de quelques artistes du début de ce siècle : Dali, Picasso, André Breton...» (16).

En avant donc, avec la divine caution de Salvador Dali, pour idées de génie, coups d'éclat à faire peur, trouvailles poétiques, scénarios farfelus, pitreries et coquecigrues à gogo ! Clown blanc qui « essaie d'élever le pince-sans-rire à la dignité de l'un des beaux-arts — et de restituer à la fois au monde des arts et lettres son véritable raffinement » (17), Hallier n'en est pas à un show effroi près. Il a trop besoin des chambres d'échos de la presse, de la radio et de la télévision, pour ne pas se prêter au jeu des médias. « Nous vivons dans un monde de l'image, reconnaît-il dans un texte destiné à la revue *Les Ecrits de l'image* et reproduit dans *Journal d'outre-tombe*, livre paru un an après sa mort.

---

(16) Dans un entretien avec Jean-Pierre Jumez en 1992 (accessible sur Internet).
(17) Extrait d'un texte destiné à la revue Les Ecrits de l'Image *et reproduit dans* Journal d'outre-tombe.

Alors, il faut combiner le bon goût littéraire avec toute la charge symbolique que permet la scène télévisuelle. Il est bien évident que Cocteau, Dali et Picasso étaient des précurseurs. Ils auraient admirablement usé de la télévision, dont j'ai appris à mesure qu'elle avait ses techniques propres — et qu'elle permettait de combiner le mime et la parole, le geste et le jugement, le show et la poésie profonde.» « On a fait de Dali ou de Picasso des clowns, insiste-t-il dans un entretien radiophonique (18). On les a bouffonisés. Et je crois qu'à bien des égards, je suis bouffonisé parce que ce que j'écris, comme Picasso, est un patchwork de traits, de couleurs et de pensées. C'est une insulte aux imbéciles, et les imbéciles ne se trompent pas quand ils m'attaquent. L'originalité, ou la force, ou la profondeur de mon travail de créateur ne peut être qu'une insulte à l'imbécillité ambiante. L'erreur de mes détracteurs, c'est qu'ils prennent à la lettre tout ce que j'écris.»

Hallier a peut-être également eu le tort de prendre la littérature romanesque un peu trop au sérieux. Comme Byron avait pris la poésie trop au sérieux. Hallier-Byron, même combat ! Alliance nullement gratuite (19). Tous deux ont connu le scandale, le déchaînement autour de leur personne du mépris, de la plus vive jalousie et de la plus insondable bassesse.

---

(18) *Entretien diffusé en 1982 à l'antenne de Radio-Paris.*

(19) *Dans la vie comme dans ses écrits, Hallier se référait souvent à Byron, qu'il avait étudié et qu'il admirait. Une allusion à la mort de ce dernier figure en bonne place dans le texte de* Discours pour le transfert des cendres d'André Malraux au Panthéon *reproduit dans les annexes de* Journal d'outre-tombe *: « Entre ici, André... Entre ici même sans ta Louise... (...) Entrez ici, genoux de l'Histoire en marche. Entrez ici, épaule d'Hercule de l'épique, mâchoire à consonnes, mandibule à voyelles ! (...) C'est en ton nom que je prends la parole ! Lyrico-éjaculatoire ! Tragediante, commediante, épique, lyrique, dorique, musique avant toute chose ! Tu es à la fois le druide, l'aède, l'oracle et le dernier chamane de la vieille tribu française. (...) Mort il y a vingt ans, c'est à des années-lumière de notre France que tu es mort, André. Mort avec Byron à Missolonghi. »*

Tous deux ont poussé au-delà des limites du supportable. Sans tenir compte des dangers pour l'équilibre spirituel et moral, des risques de perte de contact avec la logique de la vie... L'un comme l'autre auraient pu être confrontés au drame d'une solitude et d'une révolte qui, sous l'apparence d'un jeu, tournent en rond sans trouver d'issue. Mais, face à tous les « notables du prêt-à-penser » (20) et aux gredins microcosmiques dont les noms sont déjà oubliés ou le seront dès le lendemain de leur décès, la foi en leur propre destinée d'auteur les a sauvés.

Dans son long entretien à Radio-Paris au début des années 1980, le premier le déclare aussi péremptoirement que l'aurait sans doute fait le second : « Je suis un écrivain, d'abord, totalement, explique-t-il (21). Je suis totalement un écrivain, totalement un poète, totalement un homme du discours. C'est-à-dire que je suis un créateur. » « Je crois que toute création véritable, précise-t-il encore, c'est le *non possumus*.

Je me bats, je ne peux pas supporter ce monde moderne, je n'y suis pas à l'aise, je vais être assassiné, meurtri, je vais perdre tout ce qui fait ma force et ma vérité. Donc, c'est dans la chute, pas dans la révolte ou la rébellion, dans la chute, une espèce de parcours en dents de scie de l'animal, de l'homme frappé à mort par le mouvement de la mort et de la chute, que se créent les plus grandes choses, à la fois en poésie et pour les pères fondateurs. Alors, il arrive miraculeusement que certaines chutes, certaines fautes absolues deviennent, par le *non possumus* luthérien, des créations ou des fondations. C'est mystérieux, mais c'est ainsi que cela se passe : saint Ignace, sainte Thérèse d'Avila, Marx. C'est le mouvement propre du grand créateur. » « Tomber. Tomber !

(20) et (21) 12 janvier 1996, Journal d'outre-tombe.

Plus dure, plus haute sera la chute, insiste-t-il. Retomber, mais dans un mouvement qui vous sera propre et qui sera, dans tous les sens métaphoriques du terme, une ligne de vie. » « Etre réactionnaire, dit encore l'auteur de *L'Evangile du fou*, entre autres propos auxquels aurait certainement plus que souscrit Barbey d'Aurevilly, ce n'est pas être de droite ou de gauche, c'est ne pas supporter un monde qui ne ressemble plus à celui de votre enfance (...) L'avenir est toujours aux réactionnaires, et comme disait Chesterton, il est toujours à des vieux messieurs vieux jeu qui inventent des choses fabuleusement nouvelles. ».

Oui, se rassure Hallier, dans *Le Refus ou la Leçon des ténèbres*, « les plus grands écrivains sont des polémistes, et c'est même ce qui les distingue des autres un peu moins grands ; un écrivain qui n'est pas un vrai polémiste n'est jamais un grand écrivain : en art comme ailleurs, c'est le courage qui fait la différence. » Précisément, ce courage, il l'a eu. Victime de la répression du pouvoir politique pendant quatorze ans, de l'ignominie d'une « tontonmania » putassière et de la servilité de ses « golden boys ». Mais la roue tourne, y compris pour les termites à Légion d'honneur de la future zone F de l'Euroland : tout est donc bien qui finit par un excellent présage, puisque le vent de l'Histoire, furieux, a arraché le drapeau français du cercueil de cet ancien président de la République et que l'Histoire balaiera « ce manteau d'Arlequin d'impostures et d'opportunismes successifs» (22).

« Maintenant, écrit Hallier dans son journal intime quelques jours après le décès du politicien et un an avant sa propre disparition, je vais enfin pouvoir publier le long pamphlet que j'écrivis en 1982 (...) et qui me valut d'être le *recordman* absolu des écoutes téléphoniques dans une démocratie occidentale. Nixon a sauté sur le Watergate — c'est-à-dire pour cent fois moins.

---

(22) « *Mitterrand est mort chez lui, note Hallier dans* Journal d'outre-tombe. *Il a retrouvé à la fois son origine et la substance même de son âme : l'extrême droite.* »

J'y pense, car je viens de recevoir les épreuves du livre de Jean-Marie Pontaut et Jérôme Dupuis, *Les Oreilles du président* (23). Ce que j'apprends sur la répression dont j'étais la victime dépasse même ce que je savais. Quand je protestais, on me prenait pour un fou. Ces choses n'existent pas dans un pays libre — et c'est parce qu'elles «n'existaient pas» qu'on les découvre si tardivement. » Certes, Hallier ne nourrit pas d'illusions excessives : il est bien trop tôt pour qu'on célèbre son « exil du dedans pendant quatorze ans » et il n'a toujours pas la gloire qu'il mérite ! Mais il n'est pas aigri : « Je rigole... assure-t-il. Il faudrait que je sois un peu plus mort-vivant que je ne le suis. Que faire ? Préparer un suicide métaphysique pour mon soixantième anniversaire ? Je risque d'être plus vivant mort, contraint de mourir aujourd'hui d'ennui, à l'écoute de notre macabre semaine. Comme disait Jules Renard : «La meilleure manière de ne pas mourir, c'est de vieillir». Comme cela j'entretiendrai lentement le cancer de la prostate qui me guette. Je ferai faire des communiqués sur ma bonne santé. » (24) Pour l'heure, en ce mois de janvier 1996, il se contente d'envoyer un communiqué à l'Agence France Presse pour signifier que le politicien disparu « a accompagné le déclin moral et spirituel de la France » et qu'« il sera plus petit mort que vivant même si, dans les jours qui viennent, on fera passer pour de la grandeur cette décadence tranquille et parfaitement maîtrisée par un homme remarquable ». Un an plus tard, presque jour pour jour, le 12 janvier 1997, peu avant huit heures du matin, Jean-Edern Hallier, ce Breton de Paris, meurt sur la côte normande, à Deauville. Officiellement d'une chute de bicyclette et d'une crise cardiaque.

---

(23) *Fayard, 1996. Le nom de l'auteur y est mentionné comme faisant partie, en raison des nombreuses conversations téléphoniques qu'il eut avec Jean-Edern Hallier, des personnes qui furent activement écoutées par la « cellule spéciale » mise en place par M. Mitterrand, soucieux que ne soit pas révélé combien il abusait des fonds publics pour préserver la pluralité de ses vies privées.*

(24) *12 janvier 1996,* Journal d'outre-tombe.

Désormais, place moins aux interrogations, aux hypothèses émises au sujet de cette disparition, qu'à l'épilogue littéraire. Le seul qui, foncièrement, présente de l'intérêt.

A coup sûr, s'il n'avait pas été victime de son accident visuel en 1992 et s'il n'avait pas disparu prématurément cinq ans plus tard, cet auteur aurait eu la capacité d'engendrer de nouvelles œuvres d'envergure et même de surprendre son monde... A coup sûr également, il lui arrive de subir le jugement hâtif que lui décernent les lecteurs qui n'ont perçu que les tics d'écriture, les facilités les plus manifestes ou n'ont retenu que les concessions d'ordre médiatique ou commercial. Mais l'essentiel ne saurait être pour autant oublié ou sous-estimé. Jean d'Ormesson ne s'y est pas trompé : « En son noir romantisme, Jean-Edern Hallier est d'emblée le meilleur écrivain de sa génération ». Discours d'académicien expert ès ronds de jambe, de vieil admirateur aveuglé par la sympathie ou même l'amitié ? Voire. En 1997, le jeune Frédéric Beigbeder a également rendu un intéressant verdict. « A mi-chemin entre Salvador Dali et Bernard Menez (25), Jean-Edern, a-t-il jugé, était le dernier écrivain. Entre la postérité et la liberté, il a choisi la liberté — et il a obtenu les deux. » (26)

---

(25) *Autre Breton de Paris, Bernard Menez est en général classé comme interprète de comédies boulevardières, de quelques chansonnettes plus ou moins mémorables, et de grands succès sur les écrans (dans des films réalisés par Pascal Thomas, François Truffaut, Georges Lautner ou Edouard Molinaro)... Mais cet artiste très populaire, qui fut admis à l'ENSET-Ecole normale supérieure de Cachan et certifié de mathématiques et de physique, est méconnu et en partie victime de son image, tant dans l'opinion qu'au sein des médias. Si ses incursions dans l'arène politique n'ont guère été concluantes, il a toutefois tenu des rôles inattendus et notables dans plusieurs « films d'auteur », après être entré à la Comédie française au début des années 1990.*

(26) *Dans l'hebdomadaire* Voici

Mais aujourd'hui, comment faire sans lui ? C'est la question que s'était déjà posée... Louis Aragon en annotant de sa main en décembre 1965 un carton d'invitation à une soirée donnée au Théâtre Récamier à Paris sur le thème « Six poètes et une musique de maintenant ». Oui, comment faire sans le génie de Jean-Edern ? Peut-être suivre le bon conseil de Laurent Hallier, son frère, dans sa postface au *Journal d'outre-tombe*, après avoir évoqué l'un des derniers épisodes de leur passé commun : « Quand, chassé de partout, il se retrouva à la Boixière — grand vaisseau de granit échoué à Edern, Finistère, près du lieu où il repose aujourd'hui — je le guidais vers l'immense grenier de notre enfance où l'on avait entreposé les milliers de livres de sa bibliothèque. Il ne put s'empêcher de pleurer murmurant : « tous ces livres que je ne pourrai plus lire... ». Commençait déjà la période de mémoire. Par cœur et du cœur. Amis de Jean-Edern, ennemis aussi, rendez-lui cette dernière justice que l'on puisse concéder à un écrivain : seule l'œuvre compte, seule l'œuvre reste. Lisez Jean-Edern avant que vous ne perdiez la vue, je voulais dire la vie. »

Quadrature du cercle

Réunir Barbey, Byron, Dali et Hallier en un même ouvrage revient à se prêter à une problématique particulière, dans la mesure où la célébrité risque toujours d'apparaître a priori *— et elle seule — comme le lien le plus évident entre eux. En réalité, il n'en est rien. Il existe en effet une équation verbale et tout un jeu de symétries latérales ou d'homothéties particulières qui se conjuguent avec un étonnant axiome du trapèze et vont de pair avec un dandysme sur mesure. Pour, finalement, mener au théorème du génie. Elémentaire, mon cher Gordon... En tout cas, la quadrature du cercle où s'insèrent les quatre grandes figures est à ce prix.*

Équation verbale

Chez Barbey, mais également Byron, Dali ou Hallier, au commencement est le verbe. Impossible qu'il puisse en aller autrement. Outre que ces quatre artistes ont eu en commun un goût de la causerie particulièrement prononcé, ils ont su cultiver l'art de la conversation. Expression peut-être étrange, saugrenue même en ce début de XXIᵉ siècle qui ne semble plus connaître que certains *talk-shows* de la « vulgaritélé » et où le mot « salon » est si souvent associé à antiquités et antiquaires, automobile ou agriculture... Qu'importe. Tant Barbey et Byron que Dali et Hallier s'inscrivent toujours dans l'univers des fauteuils, des canapés, confidents, bergères, voyeuses, duchesses ou chaises percées. C'est ainsi : ils ne se referont plus. Si les deux premiers se rattachent au XVIIIᵉᵐᵉ siècle où un certain art du siège eut une extraordinaire apogée (1), les deux derniers ne sont pas en reste. Ils ont certes connu — et même apprécié au-delà du raisonnable — les nouvelles commodités de la conversation que sont les téléphones, interphones et autres haut-parleurs, l'univers du bouton à presser du bout du doigt ou du micro à portée des lèvres... Mais, avec eux aussi, les pieds soudain se cambrent, les dossiers s'incurvent et se chantournent, les accotoirs se galbent d'aise. Il suffit que ces messieurs soient en bonne compagnie et que leur disposition d'esprit se prête à quelques étincelles verbales.

(1) *Une apogée qui s'explique en partie par le fait qu'à chaque occupation de la journée devait correspondre un siège élégant, pratique et confortable. Au XVIIIᵉ siècle, l'élaboration de ce type d'accessoire impliquait l'intervention de plusieurs corporations distinctes d'artisans, dont les maîtres menuisiers travaillant le bois massif et les maîtres ébénistes, spécialisés dans les placages de bois précieux.*

Barbey, Byron, Dali et Hallier peuvent ainsi faire banquette commune. Pour le premier comme pour le second, les témoignages sont légion pour, sans discussion aucune, le confirmer. Y compris quand l'auteur des *Diaboliques* subit les atteintes de l'âge. « Hier soir, raconte ainsi François Coppée, j'ai dîné et passé la soirée avec Barbey d'Aurevilly. C'est vraiment un type très amusant. Au physique, l'ancien beau ténébreux de 1830, édenté, ravagé, c'est vrai, mais encore superbe avec sa moustache relevée, ses yeux qui roulent des flammes et cet étonnant costume de Graville ou de Gavarni, redingote à jupe, chapeau à larges ailes, manchettes retroussées et gants blancs dès le matin. » « Nous avons parlé femme et littérature, poursuit Coppée, femmes surtout. Il a à ce sujet les opinions les plus romantiques. Il rêve de laisser Célimène soumise passer la nuit sur son paillasson, comme un chien chassé, et de se faire tirer ses bottes à l'écuyère par des princesses du sang. Tout cela est très démodé. (...) Le mot de Baudelaire sur Barbey d'Aurevilly est juste : c'est un *orateur*. Son éloquence est très pittoresque et très cynique. Très autoritaire, il casse les vitres ; très catholique, il ne cesse de blasphémer. D'ailleurs beaucoup d'esprit et du plus imprévu. Et puis, il parle comme un dieu de l'immense Balzac, qu'il tient pour le plus grand esprit des temps passés et modernes. » « Il arrivait très paré, confirme le poète dans une autre évocation de ses propres souvenirs, selon la mode du temps où il avait été très beau. Cravache en main, le chapeau sur l'oreille, quelque dentelle à sa cravate, le pantalon bien tendu par les sous-pieds sur les bottes vernies, la redingote à la bavaroise sanglée et marquant la finesse de la taille, il n'avait pas abdiqué, certes, le « gant jaune » d'autrefois, l'ancien « lion » du perron de Tortoni, et il faisait son entrée avec des façons de grand seigneur et de premier rôle. Mais on se mettait à table et le brave homme reparaissait tout de suite. » « Il y avait là, précise-t-il, ma sœur aînée, Mlle Read, souvent un ou deux camarades

des lettres, parfois mes gentilles nièces, et, pour cet auditoire sans prétention, l'éblouissant causeur déployait sa pyrotechnie verbale, allumait toutes les fusées, tous les « soleils », toutes les chandelles romaines de sa conversation. » (2)

Rien d'étonnant dans ces conditions si, avec les femmes, le charme du discours aurevillien opère à merveille... La baronne Rufin de Bouglon, qui a 32 ans lorsqu'elle rencontre Barbey pour la première fois chez la baronne Almaury de Maistre, a beau être riche, avec notamment maison à Paris et château à la Bastide d'Armagnac, dans les Landes, et apte à se prémunir contre les « beaux parleurs », elle est immédiatement conquise par la flamboyante causerie du personnage. Hermann Quéru, l'auteur de *Barbey d'Aurevilly Connétable des Lettres*, a également rapporté cette confidence de Louise Read, l'amie des dernières années : « Ce qu'on ne peut s'imaginer, assurait-elle, c'est sa grande, sa très grande simplicité. Et sa conversation ! Bien sûr, il venait chez Maman des jeunes gens, des hommes de valeur. Mais, quand il était là, personne n'existait plus. »

(2)   In Les Cahiers aurevilliens, 1937, pages 35 à 41.

(3)   Normand d'alliance et d'adoption, Astolphe de Custine, né en 1790, était fils et petit-fils des généraux de Custine, tous deux morts guillotinés durant la Révolution. Il fut en relation avec Balzac, Hugo, Vigny, Gautier, Nodier, Chopin, George Sand, le peintre Louis Boulanger... Fort riche, il possédait hôtel particulier à Paris, résidence à Rome, domaine à Fervaques dans le Calvados et château à Saint-Gratien, dans le Val-d'Oise, où il réunissait ses invités. Il avait pour secrétaire-ami Edouard de Sainte-Barbe, issu d'une vieille famille normande, et était à juste titre réputé pour son homosexualité (il fut l'un des homosexuels les plus connus de son temps). Dans une lettre à Trébutien, Barbey y fait une seule fois clairement allusion en évoquant le « spirituel Gomorrhéen, le marquis de Custine, resté, malgré ses vices, très bien avec Pie IX ».

Astolphe de Custine mourut le 25 septembre 1857 d'une crise cardiaque. Il se disait « filleul spirituel » de Chateaubriand dont sa mère, Delphine de Custine, fut, durant vingt ans, l'une des maîtresses, mais ce sont ses *Lettres de Russie*, publiées avec succès en 1843, qui lui ont valu de passer à la postérité. Le personnage connut également Mme de Staël, restée célèbre en partie pour son art de la conversation que son oncle, Elzéar de Sabran, dut beaucoup apprécier en sa qualité de sigisbée... Il faillit même épouser Albertine de Staël, la fille de Mme de Staël, avant qu'elle ne devienne duchesse de Broglie. Sa grand-mère maternelle, Eleonore de Sabran, fut une reine des salons du XVIIIᵉ siècle. Dès 1831, Balzac dédia à M. de Custine une nouvelle, *L'Auberge rouge*. De son côté, Chopin lui donna la primeur d'un *Nocturne* au cours d'une de ses réceptions.

L'importance de cet art de la conversation se reflète dans plusieurs œuvres de Barbey, souvent de manière magistrale et, en particulier, dans *Une vieille maîtresse* ou *Un prêtre marié*. L'écrivain lui-même se montrait extrêmement sensible à la distinction des personnes qui le recevaient et au charme de leurs discours. Ainsi apprécie-t-il beaucoup de se rendre, à partir de 1850, aux invitations de M. de Custine (3), qui a, il est vrai, tout ce qu'il faut pour le séduire : un beau nom, une ascendance illustre et une grande fortune qui lui permet de traiter dignement ses amis, avec cuisine choisie et cellier bien pourvu, mais aussi — et surtout, serait-il sans doute juste de souligner — une éducation digne de ce nom et un esprit « qui se distingue par un piquant infini » : « J'aime infiniment M. de Custine, confie-t-il dans une lettre (...). Il est charmant et noble, et simple de manières, comme le dernier des Grands Seigneurs, et il pratique la grande hospitalité à l'anglaise, avec le naturel et l'abandon italien. Il cause comme un homme qui a connu Mme de Staël et qui a gardé les parfums de cette rose de feu de la causerie. » C'est donc pour Barbey, comme le souligne Aristide Marie dans sa biographie, « une fête unique qu'une réception chez le marquis «où la conversation est si exceptionnellement spirituelle que c'est la seule maison où (il) se *souffre* dîner maintenant» ».

S'agissant de Byron, sa réputation d'artiste de la conversation est trop solidement établie et ses succès amoureux trop connus pour qu'il soit permis — là encore — d'avoir le moindre doute à ce sujet. Du discours, le lord connaissait les finesses comme les pesanteurs, les raccourcis comme les méandres : il savait manier le mot doux comme la répartie cinglante... Don Juan sur titre — et beauté du visage, reconnue comme l'une des plus remarquables de son temps —, mais aussi sur paroles.

Plus proche de nous dans le temps, Salvador Dali fut lui aussi un fascinant manipulateur sémantique et relationnel. Un expressionniste du verbe à l'efficacité diabolique.

(4) *Dali était toujours « en représentation », mais il y avait malgré tout les manifestations publiques et les apparitions relevant de la sphère privée...*

Les médias l'ont donc perçu comme ce qu'il est convenu d'appeler un très bon « client », pouvant joindre aisément le geste à la parole et prendre des initiatives déroutantes. « Les interviews de Salvador Dali restent pour moi des modèles du genre, confirme l'animateur de télévision et auteur dramatique Jacques Chabannes, aujourd'hui disparu, dans son livre de souvenirs. Il ne se permettait aucune faille dans sa composition. Il jouait son personnage du lever au coucher, sans défaillance. Je me suis demandé comment il se présentait au réveil avec sa moustache. Sa femme ne l'a jamais dit à personne. » « Il arriva un jour à la télévision, poursuit Chabannes, avec un énorme pain, transporté par quatre manœuvres. Il nous expliqua qu'il faisait un pèlerinage, d'abord à Sainte-Geneviève, à l'église proche du Panthéon, ensuite à Montmartre. Il avait l'intention de réaliser, sinon la multiplication, du moins la répartition des pains sur la place du Tertre ! Une autre fois, il nous déclara que le problème de l'énergie nucléaire l'habitait désormais. Il en était arrivé à la peinture atomique. Il apportait un tableau représentant, disait-il, une assomption par bombardement nucléaire. — C'est très simple. Le Seigneur est projeté dans le ciel par une gigantesque explosion —. »

Quelques documents audiovisuels permettent de se faire une petite idée, une toute petite idée, de ce que pouvait être la conversation dalinienne, en particulier quand le « divin Dali » était en représentation « ordinaire » (4), que ce soit dans les salons de l'hôtel *Meurice* à Paris où Gala et lui venaient chaque année séjourner, dans la salle d'un restaurant comme *Lucas-Carton* ou dans les tribunes de l'hippodrome de Longchamp, en compagnie de l'acteur Jean Gabin ou de quelque autre personnalité en vue. Les témoignages des personnes qui l'ont connu de manière plus ou moins privilégiée ont tendance à le confirmer : à ses interlocuteurs, ce jongleur de mots et d'idées laissait le plus souvent l'impression d'être, avec son accent pittoresque, un seigneur, un grand seigneur qui ne se laissait guère démonter. A la fois très sérieux et capable des plus folles facéties. Un peu comme Barbey, volontiers paradoxal dans ses propos comme dans ses attitudes. Eminemment disert ou amateur de monosyllabes, à moins qu'il ne joue la buse plutôt que la montre et se mure dans le silence, il pouvait être hautain et froid en apparence, mais toujours brave homme au fond, et s'intéressant d'autant moins aux questions d'argent — en dépit de son célèbre surnom d'« Avida Dollars » (5) — que Gala s'en préoccupait largement pour deux...

De son côté, Jean-Edern Hallier est un causeur-né. Qui affectionne les grandes causes. Et les petites aussi. Loin de lui être étranger, l'art de la conversation semble chez lui parfaitement consommé et s'exerce dans tous les registres ou presque. Grandiloquent, emphatique, lyrique à certaines heures, charmeur, amateur de sourdine ou gouailleur à d'autres, il est un aristocrate fil-de-ferriste qui, face aux vicissitudes de l'existence, à la disparition de nombreux repères socio-culturels et à l'ampleur sidérale du vide, s'efforce de maintenir à l'équilibre son rang tant verbal que scriptural.

Un peu comme Maurice Sachs déplorant juste avant la Seconde Guerre « la baisse du niveau des conversations au point même qu'elles n'existent pour ainsi dire plus dans les salons » et regrettant que « s'il y a quelques salons où l'on converse encore, comme ceux de la marquise de Ludre, de Mme Jacques Bousquet, de Mme Louis Bour, de la princesse Edmond de Polignac, de la duchesse de La Rochefoucauld », ce soit « tout le bout de ce monde-là » (6), l'auteur de *L'Evangile du fou* est amoureux d'un temps où le mot France avait encore un sens, un vrai,

---

(5) *Lancé par André Breton qui fit l'anagramme de son nom.*
(6) *Au temps du bœuf sur le toit.*

où le rayonnement culturel était si francophonique qu'il se percevait d'un bout à l'autre de la planète Terre, où les échanges d'idées — même les plus iconoclastes — avaient droit de cité et où les authentiques personnalités étaient mieux que tolérées : appréciées, admirées, reconnues...

Sans joie ni sérénité béate, il observait donc se profiler l'arrivée en force de la « société de communication » dite moderne, avec, sur fond d'inculture de masse et d'amnésie-asepsie généralisée, ses cercles microcosmiques dominants et ses « catins de la république cathodique », un univers « où personne ne peut parler à personne, sauf au ministre », et « où les haines s'entrecroisent entre des gens qui pourtant ne se quittent jamais — se voient midi et soir au *Fouquet's*, ou à Saint-Tropez, toujours ensemble, toujours les mêmes, les enchaînés de la barbichette»... « Je ne pouvais, confie-t-il dans son journal intime, m'empêcher de penser avec une mélancolie intense à la première fois où, à vingt ans, j'avais dîné au *Meurice*, chez Florence Gould, à la table du ministre de la Culture. Il s'appelait André Malraux. Il avait la folie, le faste d'un opiomane rongé de tics, il lui arrivait de pisser dans sa coupe de champagne et de boire dedans par inadvertance, mais c'était un mégalomane inspiré de l'histoire de France. A la même table soupaient Saint-John Perse, Henri Michaux, Darius Milhaud, Cioran, Jules Supervielle, Dali, Masson, Jean Paulhan, Marcel Jouhandeau et quelques égéries ravissantes... » Le contraste avec le présent ne peut être que violent. « Ici, autour de ce radeau à nappe blanche, poursuit Hallier, il n'y avait plus que Sollers et moi pour représenter l'ancienne culture, la culture éternelle. Soudain, je compris à quel changement de pouvoir nous avions assisté depuis un quart de siècle et l'irrémédiable détérioration du tissu conjonctif de la culture française qui, jadis, parlait au reste du monde. C'était un extraordinaire rapetissement du dîner de têtes à la Prévert, mais réduite dans la jungle des villes jivarisées... ".

Alors, rien d'étonnant dans ces conditions que Jean-Edern s'accroche à son téléphone-bouée, passe des heures chaque matin à pratiquer le tutoiement de connivence avec ses interlocuteurs et donne l'impression de prendre le fil du combiné - mot du siècle passé — pour son fil d'Ariane ou son cordon ombilical...

Rien d'étonnant non plus qu'à une époque où le canapé semble davantage relever de la promotion que de la conversation, il se rende quotidiennement ou presque à la *Closerie des lilas*, sa Causerie des lilas à lui, puisque, en ce havre privilégié, ultime port d'attache des arts et lettres, on a les meilleures chances d'être entre soi, c'est-à-dire entre gens de même compagnie. En fait, l'atmosphère chaleureuse des paroles l'enchante : il ne se lasse jamais de s'exprimer et d'entendre des voix... « J'ai aussi envie, confie-t-il dans son *Journal d'outre-tombe*, de parler de cette société littéraire que j'ai passionnément aimée, du moins telle que mon père me la décrivait quand j'étais enfant. Je m'en suis fait une telle montagne magique que je n'ai jamais pu imaginer que je ne l'escaladerais pas jusqu'à son sommet.»

Cependant, l'équation verbale d'Hallier, avec ses volutes, ses brillantes circonvolutions et ses éclats parfois phosphorescents, ne doit surtout pas faire illusion. Pas plus que celles de Dali, de Byron ou de Barbey. Lorsque, en 1889, François Coppée prononça l'hommage sur la tombe de ce dernier, il attira l'attention sur les risques inhérents à ce type d'éblouissement et prit même la précaution de les anticiper : « Dans la presse, de plus en plus envahie par l'abus de l'anecdote et l'indiscrétion du reportage, déclara-t-il, on parlera trop, j'en ai peur, des innocentes bizarreries de langage et de costume par lesquelles d'Aurevilly se consolait de la platitude et de la médiocrité du monde moderne.»

Il en va un peu de même avec Hallier qui, se payant beaucoup de mots et voulant toujours « continuer à parler dans les têtes et dans les cœurs » (7), a eu la conscience aiguë des limites de l'outil verbal, qu'on l'utilise installé dans une somptueuse ottomane, posé sur un modeste tabouret ou planté sur un trottoir de la rue du Faubourg-Saint-Honoré, en présence ou non d'un micro ou d'une caméra. Contrairement à ce que d'aucuns ont cru ou fait mine de croire, il a toujours compris et retenu que ses propos au jour le jour, ses joutes oratoires, ses numéros d'agité-agitateur ou d'agitateur à JT, et ses manifestations d'hurluberlu devant l'entrée de l'Elysée ne lui vaudraient pas la postérité. Ses repères étaient ailleurs. Nichés, il importe de le souligner, au plus profond de lui-même et rivés au paramètre du temps qui dure, et non à celui du temps qui passe... Soumis à la question sur le sujet, Hallier le dévoilait parfaitement. Il n'a pas attendu d'avoir cinquante ans pour analyser l'évolution de son parcours d'auteur et de son *curriculum vitae*. Se sachant mortel et ne se contentant pas d'avoir fait sienne la devise anglo-saxonne, *publish or perish* (publier ou disparaître), il savait avec la plus grande lucidité constamment déposer le bilan. Il attachait beaucoup d'importance à la progression des jalons de son œuvre. Ce qui générait chez lui qui se voulait un créateur aux prises avec l'éternité d'angoissantes réflexions, en partie parce qu'il mesurait les faiblesses de certains de ses livres et les insuffisances de sa propre bibliographie... « Courage, petit homme ! écrira-t-il un an avant sa mort dans son *Journal d'outre-tombe*. Il faut encore faire une grande œuvre — et ne pas se contenter de celle qui est déjà accomplie. »

(7) *« Je continuerai à parler dans vos têtes et dans vos cœurs. » Propos tenus par Jean-Edern Hallier comme tête de liste du mouvement régionaliste « Régions Europe-Bretagne » et, en conclusion d'une intervention télévisée, diffusée le 6 juin 1979, sur Antenne 2, dans le cadre de la campagne télévisée des premières élections européennes.*

Pour se donner de l'énergie, du courage justement, ou pour se rassurer, il empoignait avec force ce qui lui apparaissait comme un signe tangible et incontestable d'une prometteuse « transformation de l'essai » : la traduction déjà publiée ou en cours de certains de ses livres. Mais le doute et le sentiment d'insatisfaction, viscéralement, subsistaient.

" Les grands peuples se reconnaissent

à la qualité de leurs dissidents."

Bréviaire pour une jeunesse déracinée

Hallier

Axiome du trapèze

Barbey, Byron, Dali et Hallier, c'est, quoi que puissent en dire les esprits chagrins, le triomphe de l'excès. Du droit à l'excès, à la démesure, à l'extravagance. Il n'y a pas trop à insister. Ce qui plaît tant en eux, c'est qu'ils aient, outre leur intelligence, leur culture et leur sens si aiguisé de l'anticonformisme, le culot, mieux, l'audace de si magistrales excentricités. Dans leur œuvre comme dans leur vie... Ils aiment les fleurs ? Ils n'hésitent pas à en mettre un bouquet à la boutonnière. Ils adorent les parfums ? Ils embaument et en offrent. Ils apprécient les véhicules, les tapis et les bijoux ? Ils portent métaux ou pierreries suivant leur fantaisie, usent d'ouvrages d'art en fibres textiles qui étouffent leurs pas, et roulent carrosse, en version calèche, Cadillac, Ferrari ou Rolls... Comme disait Maurice Sachs, « d'abord on se récrie, puis cela fait personnage ». Eh oui, ce sont bien des personnages. Rien à voir cependant avec des parvenus de la politique, des potentats de l'économie ou des mondains qui croient encore qu'un nom à rallonge suffit, à lui seul, à justifier une présence dans un plan de table. Rien à voir non plus avec la sempiternelle et ordinaire foire aux vanités, l'esbroufe à gogo ou l'aplomb arriviste des médiocres qui parviennent souvent à se glisser dans les allées du pouvoir et prennent tout de haut sur l'air de « Savez-vous à qui vous parlez ? ». A titre posthume ou non, Barbey, Byron, Dali et Hallier, c'est donc la victoire de la liberté d'esprit sur un ordre bourgeois plus ou moins paralytique. Mais elle implique sinon d'être riche, du moins de ne dépendre financièrement de personne ou presque, dès lors que l'hypothèse idéale revient à mettre les puissants dans sa propre dépendance... Car cette victoire a son revers : elle se paye. Au prix fort, le plus souvent, de souffrances de tous ordres, de condamnations morales et judiciaires ou encore d'une fin de vie plus ou moins pathétique. Pour rattraper cette dimension parfois tragique, il faut sans aucun doute un sérieux sens de l'humour et de la relativité. Une foi également, chevillée au corps, dans son destin *post mortem.*

La présence chez Barbey d'un registre comique est *a priori* déconcertante, étant donné le caractère tragique de certains récits, le ton tranchant du romancier et le pessimisme fréquent de l'homme, volontiers agressif. L'auteur du *Prêtre marié* n'en a pas moins le sens de l'humour et le goût du trait. Un peu comme dans la vie, le sourire et le comique dans un roman doivent procurer des instants de détente, drôles et suggestifs. De nombreuses anecdotes démontrent à quel point le connétable pouvait en être friand. René Héron de Villefosse rapporte ainsi que « l'illustre fat Gramont-Caderousse, apercevant un jour à la terrasse (de *Tortoni,* le célèbre café parisien) Barbey qui avait médit d'une théâtreuse qu'il protégeait fit venir le chasseur et lui ordonna de porter à l'écrivain un paquet de plumes d'oie pour attendre sa coléreuse réaction ». L'auteur de *L'Ensorcelée,* une fois mis au courant, aurait alors hurlé à la cantonade : « Je savais que cette demoiselle plumait ses... amants, mais j'ignorais que ce fût pour m'offrir leurs dépouilles ! » (1).

Autres exemples caractéristiques, relevés dans un recueil du chansonnier Armand Isnard (*cf.* Bibliographie).

Alors qu'il se promenait, un soir, sur les boulevards, Barbey aurait senti une fille, toute tremblante, lui saisir le bras :

— Sauvez-moi, monsieur, par pitié, c'est la rafle ! Donnez-moi votre bras !

— Trop heureux de vous être agréable, madame !

Barbey aurait alors traversé la chaussée et conduit, bras dessus, bras dessous, la jeune femme loin des policiers, jusque sur le trottoir d'en face. Puis, la saluant galamment, il lui aurait dit :

---

(1) Histoire et géographie gourmandes de Paris.

— Adieu, madame, vous voilà chez vous !»

En 1885, Barbey serait également entré, serré plus étroitement encore que de coutume dans son étrange tunique coulissée à la taille, dans les bureaux du journal où travaillait le spirituel Willy, futur époux de Colette.

— Maître, se serait permis de dire Willy à l'écrivain, vous semblez un peu serré dans votre redingote...

Alors, Barbey aurait répliqué :

— Ne m'en parlez pas, jeune homme, si je communiais, j'éclaterais...»

Les extravagances de Byron figurent également en bonne place et à juste titre dans toutes les biographies qui lui ont été consacrées. Certaines viennent donner un aperçu du faste déployé dans les difficultés... Lorsqu'il quitta l'Angleterre, en 1816, le poète-lord n'hésita pas un instant non seulement à passer commande d'une calèche, mais encore à se la faire fabriquer sur le modèle de celle de Napoléon. Bien que « ruiné », selon le sens du mot à l'époque, il embarqua accompagné de son fidèle Fletcher, d'un certain Polidori qui avait en principe vocation à écrire la chronique de l'exil du don Juan, et de quelques serviteurs... Il fait partie de ce type d'hommes qui, mettant pied à terre, se retrouve aussi — nul ne sait par quel enchantement ! — entouré d'une ménagerie de luxe, avec singes, aigle et perroquet. Lorsque le même Byron séjourne à Venise, que fait-il ? Naturellement, il se laisse dorloter dans les bras tièdes d'une ravissante Marianna, à la voix douce et claire. Mais il prend également des leçons... d'arménien (2) ! Langue fort intéressante, rare et riche d'implications culturelles il est vrai, et il se conçoit que cet apprentissage de l'arménien a trouvé sa double origine dans la grande curiosité intellectuelle de Byron comme dans son désir de profiter de la présence alors importante à Venise d'ecclésiastiques fort savants et polyglottes.

(2) Auprès du père Pascal Aucher.

Mais, près de deux siècles plus tard, nul ne sait toujours avec certitude pourquoi le poète, en principe déjà très occupé par ses amours et ses œuvres, a eu ce qui peut apparaître aujourd'hui comme une sorte de lubie... Naturellement, Salvador Dali ne saurait être en reste dès qu'il est question d'initiatives « hors normes » et de facéties. D'autant que ses « sorties » sont loin de passer inaperçues et relèvent souvent de la publicité voire du *marketing*... Dans son livre de souvenirs, Jacques Chabannes souligne combien « les manifestations publicitaires de Dali faisaient grande impression sur la clientèle américaine et constituaient une publicité gratuite ».Il n'hésite pas, en outre, à soulever la question de savoir si les « admirables toiles » de l'artiste auraient attiré l'attention du public sans le personnage parfaitement construit d'un homme « pas comme les autres »... « J'ai assisté à une de ses démonstrations dans les Pyrénées-Orientales, témoigne-t-il encore. Il avait convoqué un nombreux public à Céret. Il entra tout seul dans l'arène. Assis devant une petite table, il mangea un oeuf à la coque, devant des centaines d'admirateurs. Il prit ensuite un train de marchandises. Installé sur un plateau recouvert de peaux de bêtes, il fit le parcours de Céret à Perpignan, en saluant les populations dans les gares et aux passages à niveau. » Chez Dali, passionné de spectacle (3), il y a presque toujours une prise de risque. Que ce soit devant des académiciens, polytechniciens, des paysans ou des téléspectateurs, il se met « en danger ». Il court le risque de tomber à plat. C'est son côté trapéziste. Et il le partage fort bien avec les autres membres du quatuor de cet ouvrage.

(3)   Comme Picasso, qui, dans les années 1930, aimait tant prendre une loge au cirque Medrano, Dali était — de nombreux témoignages et documents photographiques le confirment — un grand amateur de spectacles. Non par goût des mondanités ou par obligation, mais sincèrement et profondément. Jusqu'à la fin de sa vie, il a assisté, souvent accompagné de Gala, à des représentations et mises en scène de toute nature.

Grand amateur d'exercices physiques et jongleur d'axiomes, Byron était loin de détester, en tout et pour tout, la prise de risque. Il l'a démontré tout au long de son existence, à la fois si brève et si dense. Quant à Barbey, spadassin de la répartie cinglante et de la phrase qui fouette, contemporain de l'invention du numéro de trapèzes volants, il ne pouvait qu'apprécier le cirque, créé sous sa forme moderne en Angleterre et dans la seconde moitié du XVIIIe siècle par Philip Astley, le célèbre écuyer (4). Hallier enfin, eh oui ! Hallier aimait beaucoup se rendre sous le chapiteau du cirque Alexis Gruss dont les spectacles talentueux et élégants l'enchantaient. Sans doute se rêvait-t-il en clown blanc, alors qu'il était déjà clown de la République dans la réalité. Lui aussi faisait régulièrement son numéro au bal costumé. Qu'il s'agisse d'asperger un livre de « Francisque Mitterrand » (5) avec l'eau d'une bouteille de Vichy, de gifler le chroniqueur de cinéma François Chalais (6) ou d'avoir une « moumoute story » avec Guy Bedos, le curieux « fantaisiste », si peu amateur du comique de situation (7). C'est le même Jean-Edern qui osait s'acoquiner avec Fidel Castro ou Pinochet, prendre position contre la première guerre du Golfe, apprécier des écrits de Marc-Edouard Nabe et le dire, éditer les *Versets sataniques* de Salman Rushdie et en offrir le premier exemplaire à l'ambassadeur d'Iran à Paris...

(4) *Philip Astley (1742-1814) peut être considéré comme le père-fondateur du cirque moderne.* Après avoir ouvert à Londres, en 1768, un théâtre d'exercices équestres et de jeux d'adresse, il fut invité en 1772 à se produire à Versailles, devant le roi Louis XV et s'établit à Paris, en 1774, rue des Vieilles-Tuileries, dans le manège de Razade, écuyer du roi de Sardaigne. C'est cependant en 1782 qu'il créa faubourg du Temple son premier cirque parisien, baptisé « Amphithéâtre anglais » et comportant une double rangée de loges éclairées de 2 000 bougies. Par la suite, il fonda dix-huit autres cirques dans des villes européennes. Il mourut victime d'une maladie gastrique et est enterré au cimetière du Père Lachaise.

(5) *Surnom donné par Hallier. L'ancien président Mitterrand fut en effet décoré en 1943 de la francisque, marque spéciale d'estime du maréchal Pétain sous le régime de Vichy.*

Quatre tours de roue et puis s'en vont de la piste. Mais sous le drôle de chapiteau à l'enseigne de la comédie humaine, ce qui reste intéressant chez Hallier comme chez Dali, Byron ou Barbey, c'est, à chaque fois, l'homme bien sûr, et c'est, on ne le soulignera jamais assez, le fait que ces quatre artistes-funambules nous livrent une axiomatique du trapèze, leur interprétation poétique du monde.

(6) *Mémorable altercation qui eut lieu en 1983, à Nice.*

(7) *Sous le titre « Etonnant crêpage de chignon médiatique », Télé 7 jours a relaté en avril 1995 cet épisode quelque peu ébouriffant.* « La « moumoute story », raconte l'hebdomadaire, commence au « Jean-Edern's Club » de Paris Première, sur le câble, le dimanche 9 avril. Jean-Edern Hallier s'est affublé d'une perruque pour parler du livre de Guy Bedos qu'il trouve nul, et auquel il inflige la punition désormais classique : la poubelle. Avant de partir dans une tirade contre Bedos « qui le poursuit depuis des années. Cet homme de grande conscience de gauche, donneur de leçons de morale qui vire ses domestiques portugais ». Il remet ça dans « Le monde est fou » de Foucault, sur TF1, le mercredi 12 avril. Reperruque que Jean-Edern enlève en direct, précisant encore que ce postiche est celui de Guy Bedos ! Ce crêpage de chignon médiatique ne va pas s'arrêter là puisque, le samedi 15 avril, dans « Chela ouate », sur France 2, Laurent Ruquier évoque à son tour « la moumoute » de Guy Bedos. Interrogé par Philippe Gildas à « Nulle part ailleurs », Guy Bedos n'a pas souhaité s'expliquer sur le fond du problème — perruque ou pas —, préférant parler du personnage J.-E. H. sur le mode ironique, acéré. Jean-Edern, le trublion du PAF s'explique : « Depuis dix ans, Bedos, ce comique au talent sans génie, n'arrête pas de me titiller dans ses sketches. Là, il m'a traité de borgne, comme Le Pen, proche de la cécité, sans tenir compte de l'accident qui m'a vraiment rendu aveugle. J'ai été blessé et furieux. Il fallait que je réagisse et que je me venge d'une manière drôle. » La journaliste de *Télé 7 jours*, Danielle Sommer, indique ensuite que Hallier s'est rendu chez le perruquier de Guy Bedos et lui a demandé de lui fabriquer une « moumoute » à l'identique. « Jean-Edern n'en a pas fini de régler ses comptes, prévient la revue, en citant ses propos : « A force de m'asticoter, ce poids plume de Bedos va voir à quoi ressemble le poids lourd que je suis (Télé 7 jours précise : « il s'agit, pour J.-E. H., du poids des neurones, bien entendu »). Ceux qui portent des perruques sont des menteurs qui refusent de paraître tels qu'ils sont dans la réalité. Ils se réfugient dans la dissimulation, ce qui les rend hargneux. » Enfin, l'article assure qu'à la question : « Le perruquier n'était-il pas tenu au secret professionnel ? », Hallier eut cette réplique sans appel : « Non, il s'amusait trop ! »

Symétries latérales

Toute véritable création artistique relève de la pensée physique, mathématique et philosophique. De la manipulation des règles et notions. Elle est architecture. Rythmique, syntaxique, ludique aussi. En quelque genre que ce soit. Poétique, pictural, sculptural ou musical. Dans ces conditions, il pourrait être tentant de rechercher entre Barbey, Byron, Dali et Hallier des similitudes, des ressemblances et des différences, de les classer par thématiques, de manière sys-thémique, de les dénombrer au point de donner l'impression de se livrer à une appréciation statistique. A la recherche d'un nouveau quantique des quantiques. Mais le jeu des parallélismes et des correspondances peut toujours entraîner des conjonctions, des intersections, comme des disjonctions ou des négations, plus ou moins aléatoires. Comme chaque artiste est unique, il existe simplement des rapprochements possibles et des recoupements éventuels. A partir de repères biographiques, de caractéristiques physiques ou comportementales, ou de projets artistiques. Barbey-Byron, Byron-Hallier, Hallier-Barbey, Barbey-Dali... Pour qui viendrait d'emblée à en douter, il lui suffit de se rendre en Normandie, au musée de Saint-Sauveur, et de regarder le buste en bronze de Barbey d'Aurevilly réalisé en 1875 par le sculpteur Zacharie Astruc... pour avoir la saisissante impression de se trouver en présence de Salvador Dali ! (1)

Les ressemblances confondantes de symétrie existent. *A priori* comme *a posteriori*. Pas seulement parce que Byron et Hallier ont souvent joué les séducteurs ou qu'ils ont tous deux connu les visites d'huissiers mauvais genre et les saisies-exécutions à l'emporte-pièce. Pas seulement non plus parce que Barbey et Hallier ont été tous deux anglicistes ou qu'ils ont eu, comme Byron, des rapports difficiles avec leur mère... A elles seules, les relations qu'ont entretenues ou non les quatre artistes avec leurs ascendants, tant du côté maternel que paternel, pourraient amplement justifier des travaux de recherche et d'analyse, dans le cadre de l'élaboration d'une thèse ou d'un ouvrage. Le jeune Barbey, qui désirait ardemment entreprendre une carrière militaire, n'a accepté de faire son droit à Caen qu'en cédant à la volonté de son père. Longtemps, il exprimera des regrets de n'avoir pu réaliser son rêve et éprouvera de la rancœur à l'encontre de sa famille avec laquelle les diverses tensions se solderont par une quasi-rupture relationnelle durant vingt ans.

(1)   Dans sa thèse, « «Moi qui suis laid...» : Jules Barbey d'Aurevilly et la laideur » , Marguerite Rousselot-Champeaux a parfaitement relevé le fait. « Ce buste énorme figura au Salon de 1876, précise-t-elle. L'expression est presque aussi terrible que celle que se donnait souvent Salvador Dali, et elle fascina littéralement Léon Bloy qui en donne cette description : « O l'étrange, l'admirable effet de la contemplation de ce chef d'œuvre ! de cette poignante figure de bronze qui m'a tant rappelé la terrible Méduse de ces poètes-enfants qui symbolisaient ainsi l'excès d'épouvante et le comble de l'étonnement humain !... Il n'y eut jamais, dans aucun siècle, et dans aucun monde, une physionomie plus mâle et plus fière que celle-ci ; plus héroïque et plus calme à la fois, pour résister, par son intensité même, aux plus enveloppantes étreintes spirituelles d'un art plus acharné et plus profond... Imaginez, si vous le pouvez, deux yeux de proie jaillissant — comme deux aigles noirs — dans leurs serres terribles pour vous emporter et vous déchiqueter dans les nues. » « Un Dali certes, commente Marguerite Rousselot-Champeaux, aurait applaudi des deux mains, ou se le serait écrit lui-même... Mais quand Léon Bloy lui soumit ce texte, Barbey écrivit en marge, entre autres énergiques « découragements » : « Verve trop emportée », et ce ne fut qu'en 1902 que Bloy osa publier son extase en se moquant d'ailleurs un peu de lui-même ! Voici comment Barbey évoque indirectement ce buste : « De quoi parlerons-nous ? de mon buste que vous avez peut-être vu alors. Il ne m'intéresse pas pour *moi* dont je suis largement dégoûté, mais pour Astruc, le sculpteur, qui est un maître, et dont je voudrais dire du bien. » »
En 1968, quand le musée Grévin fit réaliser une effigie de Dali par le sculpteur Barbiéri, l'artiste catalan vint en personne, le jour de l'inauguration de la statue, baiser la chaussure de sa statue en déclarant : « Suprême coquetterie, je vais m'humilier devant la seule personne au monde devant laquelle je puisse m'humilier : moi-même. »

S'il ne connut pas son père, Byron vécut des scènes plus qu'orageuses avec sa mère... Tandis que Dali éprouva, lui, de sérieuses difficultés avec Don Salvador Dali y Cusi, son notaire de père (2). Non seulement ce notable de Figueras, engoncé dans ses préjugés et entiché de respectabilité, ne consentit du bout des lèvres aux études artistiques de son fils qu'avec l'espoir qu'elles le conduisent au professorat, mais encore il ne put admettre que son rejeton ait, lors d'une présentation d'un tableau à Paris à la fin des années 1920, joué les trublions en proclamant : « Parfois je crache avec plaisir sur le portrait de ma mère ». Un cri du cœur qui visait sans doute moins une mère biologique décédée huit ans auparavant que la sœur de celle-ci, devenue la seconde épouse de son père... Ce qui est sûr en tout cas, c'est que la liaison de Dali avec Gala, femme plus âgée que lui, déjà mariée et d'origine particulièrement douteuse puisque russe, constitua une véritable provocation et acheva de rendre les rapports impossibles. « Tu finiras ta vie pouilleux et sans un sou », lancera le père en guise d'adieu. Il faudra le séjour de Dali aux Etats-Unis et probablement les échos répétés d'une grandissante renommée pour que, près de vingt ans plus tard, des retrouvailles aient lieu. Mais le fils prendra soin d'arriver à Cadaquès au volant d'une splendide Cadillac noir et accompagnée d'une Gala soumise en manteau de fourrure aux rayons d'un soleil juilletiste... Ce qui est également certain, c'est l'importance qu'a revêtue pour Dali la naissance le 11 mai 1901 de son frère aîné, également appelé Salvador, dont la responsabilité de la mort, deux ans plus tard, aurait, semble-t-il, incombé, au moins en partie, à son père.

---

(2) *En termes de « sociologie notariale comparée », les caractéristiques du notariat catalan n'étant pas tout à fait les mêmes que celles du notariat français, le mot « notaire » prend ici une tournure particulièrement cossue,* a fortiori *dans le contexte de l'époque.*

Lors de la conférence à l'Ecole polytechnique en décembre 1961, le « Salvador bis » n'hésita pas à assimiler la présence tragique de ce double au mythe de Castor et Pollux, les jumeaux divins. Enfin, qu'écrit de son côté Jean-Edern Hallier, dans *L'Evangile du fou* ? D'abord : « Ma mère est morte, c'est la fin du monde »; puis « Je n'aimais pas ma mère (...) Qu'elle m'eut enfanté, moi, me paraissait intolérable : un petit prince, c'est un orphelin professionnel qui joue sur un tas de sable en Tunisie, au bord de la mer, par un bel après-midi ensoleillé »...

Parfois, les analogies prennent une forme trilatérale. Barbey, qui n'a jamais pu écrire dans la presse catholique alors qu'il croyait défendre la religion, le «divin Dali» et le diabolique Hallier ont, entre autres points communs étonnants et frappants, cette même particularité : leur foi chrétienne. « Beauté du christianisme, explique l'auteur du *Journal d'outre-tombe* dans le joli raccourci d'une formule. Je l'aime parce qu'il est la religion du visage. » De même, si Barbey s'est longtemps perçu comme laid et en a éprouvé de la douleur, Byron et Hallier ont souffert de leur infirmité respective, pied bot pour l'un, œil accidenté pour l'autre. Enfin, à analyser les sources et influences anglaises dans son œuvre ou les envoûtantes vibrations hispaniques qui animent certaines de ses créations (3), l'auteur d'*Une vieille maîtresse* peut parfaitement faire le lien entre Byron et Dali... Similitudes en 3 D toujours, quand elles ne parviennent pas à se mettre en quatre. Ici, c'est le romantisme de Byron, là, le postromantisme de Barbey, là encore, l'expressionnisme néo-romantique d'Hallier, face au surréalisme de Dali. Encore que Byron puisse parfaitement passer pour surréaliste dans ses meilleurs jours et que Barbey ait été, à sa manière, surréaliste dans sa perception du passé comme de la mort...

---

(3) « *Le sortilège espagnol : Barbey d'Aurevilly* », thèse d'Eric Hendrycks, soutenue en 2004.

En fait, loin de s'opposer, romantisme et surréalisme parviennent à se rejoindre, parce qu'ils ont pour particularité commune d'être des mouvements en réaction et d'impliquer plus qu'une révolte : une révolution théorique, artistique et politique. En mousquetaires de la création, Byron, Barbey, Dali et Hallier ont ainsi joué les pionniers médiatiques et les aristocrates libertaires. Toujours prêts dans leur jeunesse ou leur âge mûr à dégonfler les baudruches et à dénoncer l'imposture. Officiellement, le lord est un poète et les autres sont des prosateurs.

Mais la réalité est autre : ces magiciens de l'expression ne sauraient se laisser enfermer dans ce type de *distinguo*, d'autant qu'il y a longtemps que sont brouillées les frontières entre la poésie — ce « lieu critique de l'invention des phrases » (4) — et la prose. Barbey, Dali ou Hallier n'ignorent rien de l'art poétique : ils le vivent au quotidien. Devenu quasi aveugle, l'auteur du *Bréviaire pour une jeunesse déracinée* en témoigne avec force. Après avoir noté que « la grâce, c'est aussi l'enchantement du malheur — et l'acceptation du pire... », il confie dans son *Journal d'outre-tombe* comment, « en contrepartie », il a « fait de grands progrès en poésie ». « Les mots me remontent jusqu'à la main, raconte-t-il. Ils me chantent de frémissants coq-à-l'âne entre les doigts — et, curieusement, plus ma prose est lyrique, plus ma poésie se fonde sur l'allitération humoristique. Des paysages de mots se dévoilent soudain, inimaginables quelques instants plus tôt, dans la traversée d'une contrée farfelue que j'explore à mesure, incapable de dire d'avance où cela me mènera. » « Il est intéressant, conclut Hallier, de s'apercevoir à quel point, en dépit de tous mes efforts pour les intégrer, les choses commandées par l'argent échappent à toute poésie. » « Ce que je dis ici va loin, assure-t-il encore : la force de toute poésie véritable, c'est qu'elle est irréductible à la marchandise. »

(4) Pierre Alféri, Chercher une phrase.

Avec Barbey, Byron, Dali et Hallier, les symétries se suivent et se rassemblent pour former un ensemble foisonnant de références et d'interférences. Parallélisme ponctuel des lignes de vie ou des environnements, concordance des temps à l'angle des ruptures ou des revirements, le tableau — moderne polyptyque — prend tournure. Graphiquement chez Dali, mais aussi, curieusement, pour Barbey d'Aurevilly qui ne se contente pas d'avoir des cannes à pommeau d'ivoire (5) et des gilets brodés dans sa garde-robe. A défaut de pouvoir prétendre s'exprimer sur la toile, l'auteur d'*Un prêtre marié* est un champion de l'extravagance dans la calligraphie sur le papier. Quand il jette l'encre, il dessine souvent, lance des flèches qui, nécessairement, impliquent, et n'hésite pas, à l'occasion d'une dédicace, à donner du relief à son trait. Il aime à mettre de la couleur. Du vert, mais aussi du rouge, oui de ce rouge vif qui lui plaît tant.

Comme Byron, auteur de « poèmes de peintre » selon Eugène Delacroix, Hallier, ce lecteur assidu de Dali et du *Journal d'un génie*, a été sensible à l'art pictural. A la fin de sa vie, il s'est même prêté de manière sérieuse à l'exercice, grâce à d'énormes marqueurs et surtout au Magnilink, un appareil qui agrandissait considérablement et permettait au quasi-aveugle qu'il était devenu de se repérer et de laisser trace (6). « Hier soir, j'essayai de jouer du piano, raconte-t-il dans son *Journal d'outre-tombe*.

---

(5)　*Dali est également connu pour avoir eu le goût des cannes auxquelles Hallier eut, lui, parfois recours, par nécessité, durant les dernières années de sa vie.*
« Ce n'est pas plus étrange de collectionner des cannes que de collectionner des timbres-poste, fait écrire Michel Déon à l'un de ses personnages d'*Un déjeuner de soleil*. La canne donne une contenance. Je n'aime pas les mains dans les poches et les femmes sans chapeau. (...) Avec des bâtons, on mène les ânes depuis l'Antiquité. C'est le ressort d'Aristophane, de Molière, de Goldoni, de Marivaux. (...) Nadar photographiait ses contemporains canne en main : Barbey d'Aurevilly, Emile Augier et même ce merveilleux fou anarchiste de Mikhaïl Bakounine. Il y a la jolie canne de Boni de Castellane, les cannes plus solides de Flaubert, d'Apollinaire, celle du général Leclerc. Et, pour parler au présent, que crois-tu que signifiaient dans les tableaux de Dali toutes ces béquilles ? Ce sont des cannes. Dali ne se promène jamais sans canne. »

(6)　*En dépit du Magnilink, cette « Rolls des aveugles » qui permet d'accroître la vision de plusieurs dizaines de fois, Hallier assurait ne pouvoir distinguer que trois mots à la suite* (Journal d'outre-tombe, *p. 63*).

Tous les jours, j'essaie de dessiner, avec des markers très épais pour distinguer les traits de la page blanche. » « Je me suis remis furieusement à dessiner, confie-t-il encore, là où je suis le meilleur, avec de petits croquis fulgurants comme des phrases, et des courbes simples comme des formules. Quand je trouve le trait, cela devient un mot d'esprit. Parfois je me dis que le dessinateur restera plus longtemps que l'écrivain. »

Dandysme sur mesure

Plus qu'une mode, le dandysme, ce « dernier éclat d'héroïsme dans les décadences » selon Baudelaire, est une philosophie. Sans attendre la parution en 1845 de sa célèbre étude sur le sujet, Barbey d'Aurevilly l'a d'emblée parfaitement compris. Très frappé dans sa jeunesse d'avoir pu entrevoir, à Caen, Brummell, « le grand Brummell, dont les gilets blancs causaient de si violentes insomnies à Byron », il a conservé le souvenir très vif du dandy vieilli, au point de rêver d'écrire sa biographie... George Beau Brummell n'est pas en effet qu'un simple chef de file : il a, au début du XIXe siècle, inventé à Londres cette élégance invisible qui part du principe que pour être « bien mis », il ne faut pas être remarqué (1)... mais qui se nourrit du regard des autres et des conversations de salons. Avec Brummell, les Français du meilleur monde ont commencé à découvrir la *fashion* anglo-saxonne, la *high life*, les tissus fabriqués en Ecosse, les parfums les plus *select* (2), aux ingrédients luxueux, dans des flacons fabriqués à la main, aux bouchons de verre émeri recouverts de cuir naturel (3)...

(1) L'authentique dandy est supposé s'efforcer de ne pas attirer l'attention par sa toilette. A preuve, cette célèbre répartie attribuée à George Brummell. A une personne qui le félicitait de son élégance lors d'une soirée, il aurait rétorqué : « Je ne pouvais pas être élégant puisque vous m'avez remarqué ! »

(2) En particulier ceux de la maison Creed, fondée en 1760, qui, à la demande expresse de l'impératrice Eugénie, finira par ouvrir, en 1854, une succursale à Paris. Aujourd'hui encore, Olivier Creed et son fils Erwin, sixième et septième générations de cette famille de parfumeurs, continuent de concocter des fragrances sur mesure pour des personnalités et de sillonner le monde en quête du citron de Naples, récolté à Amalfi, qui entre dans la composition de leur *Royal Water*, du santal acheté à l'un des derniers petits négociants indiens, des feuilles de vétiver cultivées sur l'île Bourbon...

(3) Durant la première moitié du XIXe siècle, ce sont des flacons ou cassolettes, des pots-pourris et autres pastilles à brûler qui servent à se parfumer. C'est seulement en 1868, à l'Exposition universelle de Paris, qu'apparaît le vaporisateur. Une innovation importante qui va faire tomber en désuétude les autres procédés.

Une anglomanie qui se met à ennoblir les courses de chevaux et à codifier à peu près tout, des jardins à la boxe en passant par les jeux de ballon et le style des parlements. Même le temps ne devient universel que s'il a le bon goût de se référencer sur le méridien de Greenwich !

Converti très tôt au byronisme, tout en ayant toujours conscience que vouloir réduire un Byron à un mondain — dandy-don Juan —, revient à aller beaucoup trop vite en besogne, Barbey n'a guère eu de peine à se mettre à l'heure du plus grand raffinement et à retenir les leçons de l'école très *british* du sur-mesure. Avec ses atours, souvent ingénieusement surannés et agressivement somptueux, il s'est longtemps joué de sa garde-robe. Sans peur de la risée générale puisque de son bon goût il est son propre complice et qu'il lui appartient de donner le ton. Peu importe d'apparaître fétichiste quand l'accessoire fait la différence ou de devenir énigmatique en flirtant avec les atouts capiteux et étincelants du vestiaire féminin... Bottines à boutons, boutons de manchette, avec cabochons émeraudes ou saphirs, boucles savantes et décoiffage maniéré... Le souci du détail est toujours la plus exacte attitude et la touche d'exception, l'apanage du parfait gentleman caméléon.

Comme l'a fort bien souligné John Greene (4), Barbey a du dandysme appliqué à son propre cas une certaine idée, à la fois précise et pragmatique, qui correspond d'abord au besoin « de faire une grosse impression à Paris ». A étudier Brummell, il s'est en effet aperçu « qu'il n'est pas et ne peut pas être un vrai dandy à l'anglaise, car il n'a pas la froideur d'âme nécessaire ». Il adopte donc « un dandysme qui est une philosophie toute personnelle et qui consiste à afficher héroïquement, en face d'une société médiocre qui le trouve ridicule », la grande valeur individuelle de

_____

(4)   In Revue des Lettres modernes, *n°3, 1968.*

Jules-Amédée Barbey d'Aurevilly ! Pas question, dans ces conditions, de commettre ou de faire perdurer l'erreur de la plupart de ses contemporains qui ne s'intéressaient qu'à sa mise ou de certains biographes prompts à faire commerce du trompe-l'œil et de la superficialité. Barbey ne saurait être rabaissé au niveau du « talon rouge » d'un dandy absolu. Ni assimilé à un Robert de Montesquiou, ce mondain exubérant doublé d'un aristocrate à la conversation brillante, qui servit de modèle pour le baron Charlus de Marcel Proust. Ni encore moins comparé au fantasque et séducteur Jacques de Maleyssie qu'évoque Maurice Sachs dans *Au temps du bœuf sur le toit*, « ce beau grand jeune homme blond » qui, voyageant avec une véritable ménagerie, se transportait d'hôtel en hôtel avec ses dettes et ses animaux et disait aux hôteliers : « Je suis le seul descendant de Jeanne d'Arc. Gardez-moi ma note »... D'abord parce que la période « dandy » la plus caricaturale de Barbey, cette époque où il passait des heures à s'adoniser avant de se rendre au bal, avait un « feuilleton de théâtre *inévitable* » et pouvait s'adresser à un ami sur le mode : « Je vous écris *al punto dell aurora* pour ne pas vous donner l'ennui de m'attendre », a été limitée dans le temps. De 1837 à 1841. Ensuite, parce que sa carrière de critique des modes, sous le pseudonyme de Maximilienne de Syrène, a, elle aussi, été courte. Elle lui a certes permis d'arborer son refus du laisser-aller vestimentaire, de s'en prendre à « l'odieux habit-veston », ancêtre de notre démocratique veston et de déplorer « ces gilets d'une longueur démesurée, qui déplacent entièrement les proportions du buste ». Elle lui donna également l'occasion de défendre le bleu, « la couleur chère à Brummell, le grand dandy des temps modernes » : « Jamais il ne l'abdiqua, souligne-t-il dans *Le Constitutionnel*, il la porta même à l'exil et sur son déclin. » Barbey n'a qu'une hantise : que les habits de couleur disparaissent et que le noir finisse par être la seule teinte admise pour les réunions habillées. « C'est la mort ! s'écrit-il. Les hommes d'un salon, avec leurs vêtements noirs, nous ont toujours fait l'effet d'une congrégation méthodiste qui s'ennuierait au sermon. N'est-ce pas Sterne qui a soutenu, avec son acuité d'observation ordinaire, que la couleur d'un vêtement a une bien plus grande influence qu'on n'a l'air de le croire sur l'esprit de l'homme qui le porte ?...» Mais cette « carrière » de pourfendeur de tissus imprimés, de polémiste spécialisé dans la coupe réglée, se résume en une dizaine d'articles, répartis en trois journaux... Enfin, il y a toujours eu, dans le comportement de Barbey, davantage de rébellion et de résistance que de frivolité pure et de simple soumission à une mode. Comme l'a finement relevé Albert Camus dans *L'Homme révolté*, « le dandy est par fonction un oppositionnel. Il ne se maintient que dans le défi (...). Le dandy se rassemble, se forge une unité, par la force même du refus. Dissipé en tant que personne privée de règle, il sera cohérent en tant que personnage. Mais un personnage suppose un public ; le dandy ne peut se poser qu'en s'opposant. Toujours en rupture, en marge, il force les autres à le créer lui-même, en niant leurs valeurs.» C'est ainsi sans doute que, au soir de sa vie, Barbey a pu dire à François Coppée (5) : « J'ai traversé de bien mauvais jours, mon cher Coppée ; mais je n'ai jamais quitté mon gant blanc.»

Au siècle dernier, Hallier et Dali ont également cultivé leur propre dandysme. Certes, Jean-Edern n'était pas du genre à passer la moitié d'une journée à discuter avec l'un des meilleurs tailleurs de Paris sur le point capital de savoir si un veston croisé doit avoir quatre ou six boutons. Pas du style non plus à se pavaner, comme disait Pierre Daninos, avec un gilet de nankin champagne

---

(5) *Une confidence rapportée par Coppée lui-même en 1889, dans son hommage sur la tombe de Barbey.*

en portant un terrier ou un loulou enrubannés par des carélistes attitrées. Non, il n'avait pas ces faiblesses. Mais se revendiquant ouvertement comme un « dandy de grand chemin », il affectionnait le luxe bohémien et l'opulence libertine... Alors que Salvador Dali, lui, est, viscéralement, un marquis alchimiste. Un homme de la Renaissance, à l'image d'un Karl Lagerfeld, le couturier bibliophile et éditeur qui ose rappeler aux masses dépenaillées qu'« un homme doit cinquante pour cent de son parcours et de sa réussite au soin apporté à sa tenue vestimentaire ». Salvador est donc un *aficionado* averti de la dentelle et de la soierie, qui affiche constamment sa passion pour la couture et la parfumerie. Dès la fin des années 1920, il prend la pose, comme en témoignent de saisissants clichés photographiques, aux côtés de Gabrielle Chanel (6). Puis dans les années 1930, il fait partie, avec Duchamp, Dufy, Cocteau et Bérard, de la belle brochette d'amis qui entoure Elsa Schiaparelli, celle dont Maurice Sachs confirme qu'elle l'emporte alors sur tous et « fait la mode excentrique des jours néfastes, comme Chanel avait fait la riche pauvreté des jours fastes » (6). Une grande dame à qui l'on doit de surcroît une incursion mémorable dans le monde des fragrances en 1937, à l'occasion de la dernière Exposition universelle française. Après 1944, Dali est encore, avec la grande vogue des dessinateurs de flacons de parfum, aux avant-postes du dandysme. Entre Lalique, Paul Iribe, Georges Chevalier, Fernand Guéry-Colas (pour Baccarat) et Fernand Léger, il fait partie des stylistes les plus en vue. Avec délectation, il assiste régulièrement, durant plusieurs décennies, aux défilés de mannequins les plus courus par la *jet-set* qui vit entre Gstaad, Hollywood et Capri... En particulier

(6) In Au temps du bœuf sur le toit.

ceux de la maison Emilio Pucci (7). Lorsque la plus ancienne marque italienne de prêt-à-porter féminin, devenue la griffe des *jet-setteurs* en villégiature depuis la fin des années 1940, dévoile ses collections à Paris, il est présent. En compagnie de Gala, et toujours au premier plan.

(7) Après avoir consacré l'essentiel de sa jeunesse aux sorties mondaines, aux femmes et aux sports, le marquis Emilio Pucci di Barsento, dit Emilio Pucci (1914-1992), qui fut membre de l'équipe olympique italienne de ski en 1934, connut le succès en dessinant et créant des combinaisons pour skieurs. A la fin des années 1940, il installa sa maison de couture dans le palais familial, à Florence, et ouvrit sa première boutique à Capri. Surnommé « le prince des imprimés », il apparaît alors, avec son style visionnaire, comme le fer de lance de l'avant-garde italienne. En 1971, la mission Apollo 15 envoya dans l'espace un drapeau portant sa griffe. Après la mort d'Emilio Pucci, la maison a été reprise en mains par sa fille Laudomia, avant de faire partie, depuis 2000, du groupe LVMH et de voir sa taille quintupler en quelques années (le nombre de ses boutiques se compte désormais par dizaines dans le monde).

Homothéties particulières

« Quel dommage que ce ne soit pas aussi un péché ! » Salvador Dali appréciait beaucoup cette phrase de Stendhal citant une princesse italienne en train de déguster une glace, un soir d'été particulièrement chaud... Sans doute Byron aurait-il également adoré ce mot et il est plus que vraisemblable que Barbey et Hallier se seraient empressés de se joindre au duo pour former un quatuor de fins connaisseurs des tentations humaines. Tous les quatre ont en effet pour dénominateur commun d'avoir été des hommes éminemment sensuels, débordant de vitalité le plus souvent et toujours attirés par tout ce qui relève de l'érotisme, par tout ce qui touche de près, de très près, à la sexualité, sous quelque forme que ce soit. Mais s'ils ont eu une sensualité très développée, ils n'ont pas nécessairement été des tendres pour autant... Leur entourage a pu plus d'une fois le constater et leur œuvre en témoigne.

Sur leurs rapports pluriels avec les femmes comme avec les hommes, il a été beaucoup écrit et dit. Des milliers de pages et des tombereaux de colportages, dont il ressort qu'il leur a été grandement prêté et relativement peu pardonné. A coup sûr, Byron, Barbey, Dali et Hallier ont, en ce domaine des amours charnelles et des amitiés intenses, emporté avec eux certains de leurs secrets. Se laisser prendre au petit jeu des accointances et des circonstances, des évocations plaisantes ou plutôt complaisantes, ce serait donc s'aventurer et succomber à une affriolante facilité... D'autant que certains paramètres ont pu évoluer, que les mêmes mots n'ont pas nécessairement les mêmes connotations ou implications d'un siècle à l'autre, et qu'il y a, en permanence, des problèmes de perspective, avec les risques d'erreur de jugement qui en découlent. En matière de sexe, autant sinon plus qu'en d'autres sujets, tout ou presque est souvent affaire de contexte.

Dans tous les sens du terme.

S'agissant de Byron, ce qui semble incontestable, c'est que tout au long de son existence, il n'a jamais très bien su à quel « sein » se vouer... Profondément sentimental, il paraît avoir toujours ressenti un besoin d'amour, de contact humain, de présence d'autrui à lui-même et de lui-même à autrui. Ce qui ne l'empêchait pas d'avoir conscience de ce qui, à ses yeux, représentait une grande vulnérabilité et de s'en défendre, tant bien que mal, par un orgueil parfois agressif voire absurde. Il y a chez lui, perçu comme divinement avantagé par la nature tout en souffrant toute sa vie de sa légère claudication, personnage à la fois le plus admiré et le plus haï de son propre pays, comme une sorte de fatalité de l'amour. Dans sa superbe biographie, André Maurois a fort bien évoqué « la légende de vice et d'esprit, de charme diabolique et d'infernale cruauté » qui, du vivant de Byron, s'était formée autour de son nom. « La beauté de l'homme, écrit-il, la grandeur du titre, le génie de l'écrivain, la hardiesse des idées, le scandale des amours, tout s'unissait pour faire de lui le parfait héros. Il avait eu de nobles maîtresses : la comtesse d'Oxford, lady Frances Webster et cette malheureuse lady Caroline Lamb, qui, le premier jour où elle l'avait vu, avait écrit dans son journal : « Fou, méchant, dangereux à connaître », et, en dessous : « Mais ce beau visage pâle contient ma destinée. ». « Il s'était marié, poursuit Maurois, et tout Londres racontait que, en entrant dans la voiture nuptiale après la cérémonie, il avait dit à lady Byron : « Vous voici ma femme, cela suffit pour que je vous haïsse ; si vous étiez celle d'un autre, je pourrais peut-être vous aimer. » Il l'avait traitée avec un mépris tel qu'elle avait dû demander la séparation au bout d'un an. Les colporteurs de scandales racontaient qu'elle avait découvert d'incestueuses relations entre Byron et sa sœur Augusta. Depuis que courait cette sombre histoire, les âmes craintives s'écartaient de lui avec horreur. » L'auteur de *Childe Harold* n'en a pas moins bel et bien semblé aimer de nombreuses femmes. Nul besoin de prendre en compte les filles des boîtes londoniennes ou vénitiennes pour avoir la nette impression qu'il fait collection de prénoms et de sensations. Avec Marianna, Margarita, Teresa, Allegra, Augusta, Fornarina... Un festival où l'excitante côtoie la lassante, la violente, la trop consentante ou la trop complaisante. Mais s'il a paru s'enticher de la gent féminine, le lord eut, parallèlement, un entourage masculin, où figuraient son fidèle Fletcher, rompu à toutes les extravagances, Hobhouse, convaincu que le génie n'a pas à se soumettre à la morale commune, Moore, le poète qui eut le mérite d'avoir reconnu et admiré plus grand artiste que lui-même... Expert ès virilité brumellienne et homosexualité wildienne avant l'heure, initié semble-t-il, dès sa quinzième année par lord Grey, de neuf ans son aîné, à Newstead Abbey, Byron a sans relâche, avec cependant des intensités variables, cultivé le dualisme de la sensibilité et du cynisme, le goût des « soirées spéciales » et une attirance pour les éphèbes et autres mignons de couche. Bisexuel, à une époque où l'homosexualité, perçue comme répugnante par la plupart de ses contemporains, était, comme l'inceste, un crime impitoyablement poursuivi par la justice, il a eu une ribambelle de liaisons masculines (1). Mais ce comportement sulfureux, sans doute explicable en partie par rébellion au conservatisme réactionnaire de son milieu social et par familière référence à l'Antiquité grecque, ne l'a pas empêché, à la fin de sa vie, de réserver ses derniers mots à Anabella... Ada... Augusta : « Ma femme, mon enfant, ma sœur ! ".

Face à l'énigmatique complexité byronienne, le cas de Barbey d'Aurevilly paraîtrait presque simple. Plusieurs de ses relations féminines ont occupé une place majeure dans son existence.

---

(1) *A ce sujet, on pourra lire ou relire avec intérêt, entre autres ouvrages,* La Diététique de Lord Byron *de Gabriel Matzneff,* Byron and Greek Love, *de Louis Crompton et* Lord Byron' s Mariage *de George Wilson Knight (cf.* Bibliographie*).*

Mais s'il fut amoureux toute sa vie, si les femmes dont il aima la compagnie, Louise de Méril, la baronne de Bouglon ou Louise Read, eurent pour lui une grande importance, le connétable des lettres resta célibataire. Cette solitude contribue peut-être à expliquer les attitudes excessives qui ont caractérisé l'homme et l'agressivité de l'écrivain.

Elle a également donné à penser que le personnage avait des relations homosexuelles, que ses tendances le portaient à l'homosexualité. En réalité, il se peut fort bien que Barbey ait eu une ou plusieurs expériences dans ce domaine, mais il ne semble pas de toute façon qu'il leur ait accordé un vif intérêt et qu'il ait jugé nécessaire de trop les renouveler. Auprès de François Coppée, il s'est livré à cette unique « sortie », en forme de « mise au point » : « Dites donc, on raconte partout que je suis pédéraste ! s'est-il exclamé. Pédéraste ! Tout m'y porte, ma nature, mes goûts, le plaisir de la chose... Mes principes ne s'y opposent point et ma religion ne me l'interdit pas ! » Avant de clore par une ultime confidence : « La laideur de mes contemporains m'a depuis longtemps dégoûté de la pratique. »

Son célibat et sa fréquente solitude eurent enfin pour conséquence un travail acharné. Aussi débordant de sensualité soit-il, Barbey transige peu — de moins en moins au fil des ans — avec la concentration qu'implique la création d'une œuvre d'envergure. En fait, il ne laisse pas la sensualité l'absorber : il pratique l'art du cloisonnement. « Quand je fais un livre, je ne suis guère heureux que pendant que je le fais, confie-t-il à une dame en décembre 1880 dans une lettre de quatre pages écrite à l'encre rouge. C'est comme l'amour ! Tant qu'il dure c'est divin. Mais après ? » « Je suis très amant, précise-t-il, mais ne me sens pas père du tout et je ne m'intéresse plus à mes rêves dès qu'ils sont devenus des réalités littéraires. »

Quand il écrit *Un prêtre marié*, la baronne de Bouglon, son

« ange blanc », existe bel et bien. Sans toutefois mobiliser ni monopoliser les pensées de l'écrivain. Comme le constate Jean Canu, « elle occupe l'arrière-fond, et, pour partie — mais pour partie seulement — l'arrière texte ». La femme que Barbey aime lui est précieuse, surtout lorsque, volontairement ou non, elle ne vient pas, en quoi que ce soit, troubler son travail... Contrairement aux apparences et à sa réputation de misogynie, Barbey n'en est pas moins un être à la fois cérébral et sensible. En août 1855, il suffit que Mme de Bouglon soit malade pour que l'inquiétude enlève toute inspiration au romancier qui écrit alors que « la maladie de *l'ange blanc* a tué l'invention en (lui) ». (2)

D'une manière générale et à tout âge, Barbey aime parler aux femmes et leur adresser ses hommages... Une admiratrice lui envoie son portrait accompagné de beaux fruits. Il s'empresse de la remercier, dans un style qui n'appartient qu'à lui : « Je ne peux pas présentement comparer votre portrait à votre visage, lui écrit-il (3), et j'ai un préjugé, justifié par les miens, contre les portraits en général, mais si le vôtre est bien Vous, Mademoiselle, je vous en fais mon compliment ainsi qu'à l'artiste qui l'a dessiné ; et si ce n'est pas Vous, de ressemblance absolue, c'est le rêve qu'on fait de Vous, quand on pense à Vous, et c'est assez pour y penser longtemps et pour souvent le regarder... »

A une autre femme affligée d'un nez imposant qu'il complimente en société, en l'assurant, suivant son habitude bien connue, qu'elle est « un ange tombé des cieux pour le bonheur des hommes », il s'entend rétorquer : « Regardez mon nez et osez me dire, à moi aussi, que je suis un ange ! » Mais le polémiste ne se laisse pas le moins du monde démonter : « Oui, je l'ose ! lui lance-t-il aussitôt. Vous êtes un ange, madame, mais tombée des cieux sur le nez ! »

---

(2)   Correspondance, *lettre à Trébutien, 16 août 1855, Edition Bernouard, Tome III, p. 304.*

(3)   *Lettre du 8 novembre 1883.*

Un trait d'esprit qui aurait sans doute plu à Dali, volontiers intellectuel dans ses rapports avec les femmes. En matière de sexualité, comme le relève Jean-Christophe Argillet dans l'excellent petit livre qu'il lui a consacré, le Catalan est également un cérébral. « Si on le voit régulièrement entouré de jolies filles, d'éphèbes ou d'androgynes, il n'y touche pas, souligne Argillet. Il l'affirme et c'est vrai, il ne connaît qu'une seule et unique femme : Gala (4). Sa dame de cœur lui consent par contre des plages de liberté pour organiser des séances d'un genre un peu particulier auxquelles elle ne participe jamais.» C'est elle, Gala, qui serait parvenue à le guérir de sa phobie des créatures de sexe féminin qu'il a longtemps comparées à des mantes religieuses. Et c'est encore elle qui aurait réussi à se jouer d'une impuissance dont il s'est souvent vanté et qui expliquerait sa propension pour les objets mous...

A coup sûr, davantage voyeur que consommateur de sexe, Dali, qui a été dans sa jeunesse un ami intimiste de Federico Garcia Lorca, ne se contente pas d'adorer les femmes peintes par Vermeer : il est un champion de la masturbation, un amateur invétéré de transe sexuelle, de « parties fines » en 3 D, où ses yeux prennent un plaisir intense à aiguiser ses sens esthétiques, à diriger de charmants et superbes mannequins à l'hôtel *Meurice* à Paris (5), à caresser des œuvres d'art en chair, en os et en mouvement. Les anecdotes, plus ou moins hautes en couleur et authentiques, abondent à ce sujet et ouvrent plus d'une perspective...

---

(4)   *Avant de devenir mondialement célèbre comme compagne et muse de Dali, Helena Dmitrievna Diakonova fut le grand amour de Paul Eluard auquel elle doit son surnom de Gala.*

(5)   *Le lecteur émoustillé pourra assurément trouver un plaisir visuel certain à prendre connaissance de certains documents photographiques. En particulier, un cliché de l'agence Magnum reproduit dans le livre de Jean-Christophe Argillet, en page 62.*

Dans leur livre de référence, au titre soudain très évocateur, *Dali, le dur et le mou*, Robert et Nicolas Descharnes rapportent que « selon Roger Peyrefitte, la «concierge de service» toujours bien informée, Dali a possédé une grande collection de godemichés, qu'il proposait à ses modèles des deux sexes, dans les «partouzes» dont il était friand, et dont certains offrent, en guise de gland, la figure de personnages inattendus : le pape, Hitler, sainte Thérèse d'Avila, de Gaulle... » « Dali, poursuivent les deux auteurs, a aussi coutume d'appeler le membre viril «la limousine», ce qui lui permet, quand il dîne chez *Maxim's* avec Amanda Lear, de dire : «A en juger par son nez, ce monsieur qui est là-bas doit avoir une grande limousine». Il aime aller voir à Cadaqués, un jeune homme dont le sexe, en érection, est assez dur pour casser une noix. Cela le remplit d'admiration. Il compare le vagin à un chou-fleur et prétend que c'est un piège de la nature pour entretenir la population et que, le vrai organe de l'amour, c'est l'anus. Assurant que, dans le vagin, on barbote sans savoir où l'on est, tandis que, dans le cul, il n'y a pas d'équivoque : on sait qu'on y est. » « Tout cela, précisent encore Robert et Nicolas Descharnes, il le résuma pour la télévision française — émission qui, bien évidemment ne fut jamais diffusée — en déclarant tout de go que «ce qu'il y a de plus important au monde, c'est le trou du cul». » Certains textes de Dali, qui figurent en annexes de cet ouvrage, donnent également un aperçu des prédilections sexuelles et de l'outillage érotico-obsessionnel que l'artiste a pu, avec son extraordinaire virtuosité, mettre en valeur dans son œuvre. S comme Salvador, S comme Sexy... Toujours et encore. Qu'il soit question de dessiner dans les années 1930 le « Mae West Lips Sofa », dont les « lèvres rouges inventent un divan de clarté Vaste délit d'Eros », comme l'écrit si délicatement la poète Béatrice Libert. Ou qu'il s'agisse de concocter, en 1966, un menu érotique « digest », fort heureusement rapporté par Mafalda dans *Le lit n'est pas fait pour dormir* et composé d'une demi-cuillerée de poudre de corne de rhinocéros dans un verre d'eau de Vichy, de dix écrevisses à la nage, d'ortolans, de fraises des bois, et d'une absence absolue et clairement spécifiée de café...

Dans la vigueur de sa jeunesse (6) et la force de son âge mûr, Hallier n'était assurément pas du genre à avoir besoin de recourir à un menu érotique « digest » ou à tergiverser avant de prendre position en charmante compagnie dans le fameux sofa de Dali. Sensuel, Jean-Edern l'était, et il lui arrivait souvent d'avoir le sourire carnassier de l'amateur de chair fraîche et de vagin soyeux. Au début des années 1980, dans le vaste appartement qu'il habitait, au premier étage d'un des immeubles donnant sur la place des Vosges et le square Louis XIII, régnait certains matins une atmosphère tendrement harémique. L'auteur du *Premier qui dort réveille l'autre* aimait à réciter ses plus récentes « trouvailles » à une appétissante brochette d'hétaïres de circonstance. Nul doute qu'il ait pu avoir sous la main des Kamasutriennes sans trop de peine. Sa notoriété, son statut d'écrivain auréolé d'un envoûtant parfum de grande littérature, l'excitante effervescence d'une créativité incessante et le charme aristocratico-bohémien d'un environnement suranné lui valaient en tout cas les regards intéressés voire énamourés d'un aréopage de jolies jouvencelles quasi aimantées...

<hr />

(6) *Hallier aurait souvent dit avoir eu dans sa prime jeunesse, avant l'âge de dix-huit ans, des rapports homosexuels avec Jean-René Huguenin, né comme lui le 1er mars 1936. En tout cas, il entretint une amitié intense avec le jeune écrivain, son « jumeau stellaire » qui décéda accidentellement en 1962, non sans avoir publié* La Côte sauvage, *son unique roman.*

Byron, Barbey, Dali et Hallier auraient pu, c'est certain, se donner rendez-vous dans cet appartement et y évoluer le plus naturellement du monde. Ces mousquetaires de la provocation et de la création s'y seraient sentis chez eux. Parfaitement à leur aise. Et d'autant plus à leur place que le centre du Paris littéraire et artistique, le seul qui curieusement compte après décantation du temps, se trouvait là, au 16 rue de Birague et nulle part ailleurs.

« J'avais déjà remarqué

que les êtres heureux sont graves.

Ils portent en eux attentivement leur cœur,

comme un verre plein que le moindre mouvement

peut faire déborder ou briser. »

Les Diaboliques, Le bonheur dans le crime.
Barbey

Théorème du génie

Qu'il y ait chez Barbey, Byron, Dali et Hallier un penchant immodéré pour la pose, la mise en scène théâtrale et l'excentricité qui vous rend le centre d'intérêt d'une certaine société, c'est plus qu'une probabilité. Que, chez ces champions de l'autopromotion, la singularité devienne provocation et la vanité mondaine, un défi plus ou moins désespéré, c'est également une quasi-certitude. Mais la volonté de faire parler de soi n'est pas à elle seule de nature à expliquer le profil de ces êtres hors du commun qui ont écrit, dessiné, peint, conçu, imaginé... De même qu'il ne suffit évidemment pas de prendre son petit-déjeuner au *Flore*, de déjeuner chez *Lipp*, de bruncher au *Prince de Galles* ou de dîner à la *Closerie des lilas* ou au *Balzar* pour avoir du génie, ni même du talent ! Pas la peine non plus de prendre comme Barbey pour devises *Too late* ou *Never more*, de mener le train de vie de Byron, d'imiter Dali en s'asseyant dans la première Rolls plaquée or qui passe (1), ou de se livrer, comme Hallier, à des excès de tabac, d'alcool, de drogues aussi, à certains moments de sa vie, pour s'imposer dans le cercle restreint des *happy few* de l'Art authentique. Le génie est une question beaucoup trop sérieuse et complexe pour se réduire à l'étude de quelques axiomes médiatiques et attitudes plus ou moins « stratégiques »... Une multitude d'auteurs d'ouvrages et de savants experts ont cherché à résoudre l'énigme que constituent les réussites d'une démarche créatrice et les fulgurances de certains êtres humains. Sans trouver de réponse définitive.

---

(1) Quand, en compagnie du portraitiste allemand Arno Breker, le peintre autrichien Ernst Fuchs « est arrivé un jour chez Dali au volant d'une Rolls plaquée en or, Dali, à qui Gala payait des Cadillac de série, même de luxe, mais des voitures de série, a tenu à s'asseoir dans la Rolls en or (...). » Une anecdote rapportée par Robert Descharnes, dans Dali, le dur et le mou.

Pour un spécialiste comme Claude Thélot, il y aurait en fait deux types de génies : le génie éclatant qui n'a besoin de rien ni de personne pour l'être, puis, au contraire, le génie potentiel qui a dû bénéficier d'un environnement favorable, du hasard, de la chance et qui, révélé par les circonstances, n'aurait jamais existé sans elles... Claude Thélot a également observé que les génies ont tendance à s'attirer mutuellement, qu'ils s'inscrivent avec bonheur dans les grands mouvements artistiques, les fameuses « écoles », qu'ils sont souvent orphelins de père et qu'ils sont issus, dans au moins un cas sur deux, d'un milieu social élevé. Autant de « données » intéressantes. Mais la célèbre formule balzacienne, toute en concision, dans *Le Curé de village* : « Le génie a cela de beau qu'il ressemble à tout le monde et que personne ne lui ressemble » peut également séduire par sa lumineuse pertinence... A moins que l'excellente définition offerte par Mafalda, cette proche de Dali, ne paraisse venir à bout des « pistes de réflexion » : « Le génie : une monstruosité pour les petits-bourgeois ; une folie pour quelques politiciens ; une erreur pour beaucoup de femmes ; une ambition pour ceux qui en ont. »

Assurément, Barbey, Byron, Dali et Hallier ont tous eu cette ambition. Peut-être confusément parfois, mais ils l'ont eue. Avec une inflexible détermination. Contrairement au diktat médiatique qui interdit aujourd'hui de « se prendre au sérieux », à une époque où le sérieux est souvent ce qui fait gravement défaut, ils ont cultivé, eux, cet art essentiel de se prendre au sérieux. Car ils étaient eux-mêmes extrêmement sérieux. Certes, ils savaient au moment opportun jouer les bouffons et passer pour de drôles d'énergumènes, des « dingos», des « triples buses » ou des psychopathes (2).

(2) Plusieurs théories médicales ont visé à analyser les rapports entre génie et psychopathie. Dans les années 1920, le Dr. Starobinski (cf Bibliographie) s'est notamment penché sur le cas de Byron, en faisant référence à la revue des « Archives cliniques du génie et du talent » dirigée par le Dr. Ségaline, professeur à l'université d'Oural.

Mais ils ont généralement refusé de sacrifier à une certaine démagogie, de s'inscrire dans la mouvance quelquefois très putassière de la norme dominante. S'appuyant toujours sur le travail, ils n'ont jamais perdu de vue la construction de leur œuvre qui, tôt ou tard, cloue le bec des palabreurs de « haut niveau », spécialisés dans les velléités, futilités et autres billevesées de « grandes personnes ». Pratiquant le non-conformisme — ce qui doit être distingué de l'anticonformisme —, ils ont, à leurs risques et périls, bravé l'opinion, défié la société, épaté le bourgeois... Mais aussi bâti, au fil des ans et à coup de réalisations artistiques tangibles, leur mur d'enceinte. Des individus dangereux donc, en particulier pour les « bien pensants » et la sacro-sainte démocratie, si chère à ses principaux dignitaires qui savent trop qu'en son nom, tout — des comptes numérotés à Genève et alimentés par des sources inavouables aux pires crapuleries — est permis !

Pour être un « géant » des arts et lettres, il ne suffit pas de s'en prendre, comme l'écrit Barbey, « à la surface très plate d'une société qui n'a plus guère de profond que ses vices » (3). Il ne suffit pas non plus de s'ériger en censeur ou de dénoncer les fort médiocres divertissements, sempiternels, du zoo télévisuel où, d'une semaine sur l'autre, d'un mois sur l'autre, d'une année sur l'autre, les mêmes baudruches de basse-cour, fausses valeurs gonflées à bloc sur écran plat, se répandent en truismes et autres inepties... Il faut être, non une vedette « dans le vent » ou un phénomène de foire, mais un artiste de grand vent. Qui, ne connaissant que le rythme de la mer et du vent, marche sur un rivage, celui de l'Ecosse, de la Normandie, de la Catalogne ou de la Bretagne de son plus jeune âge. Qui refuse le toc, au risque d'avoir le tic de l'authentique.

---

(3)   In Les Ridicules du temps, *recueil publié en 1883 et composé d'articles parus entre 1866 et 1867, plutôt sévères sur la littérature et les mœurs de l'époque.*

Qui a l'esprit de contradiction, tout en se posant en être vrai de tous les contrastes. Qui, au fond, reste toujours un enfant... Barbey, Byron, Dali et Hallier ont été ces personnages ultrasensuels et hypersensibles aux senteurs comme aux couleurs ou au galbe des formes. Audacieux à certaines heures, brillants et pétulants à d'autres, abattus et désemparés à d'autres encore... Curieusement, en dépit de l'éclat de leur renommée et de ce qu'ils croyaient être la clarté de leurs messages, des inconnus, des méconnus, des incompris. Pour paraphraser André Breton et le *Manifeste surréaliste*, « il faut bien le dire », ils ont, dans une certaine mesure, été « mal, très mal avec le temps », avec leur temps. Des cas de figure qui relèvent presque de la géométrie fractale ou la théorie du chaos. Barbey, Byron, Dali et Hallier sont donc des « aérolithes ». Sur le plan social et politique, ils semblent être « mal » nés. Venus au monde trop tard, beaucoup trop tard... Sur le plan artistique, ils n'appartiennent à aucune école ni ne se sont inscrits durablement dans aucun système, d'où la difficulté et l'intérêt d'analyser leur personnalité, leur parcours et leur œuvre. Dali n'échappe pas à la règle. Il adhère bel et bien au surréalisme, ce nouveau mode d'expression artistique (4), essentiellement parisien, qui accepte de recevoir en héritage à la fois le mystère de la peinture métaphysique italienne et les associations troublantes du dadaïsme, tout en tablant sur l'irrationalité la plus délibérée, la désinvolture et le goût de l'absurde. Mais accusé de s'être rendu coupable d'actes contre-révolutionnaires tendant à la glorification du fascisme hitlérien, il est exclu du mouvement et férocement combattu... Même s'il peut continuer à collaborer à certaines expositions, il sera systématiquement « classé à part ».

---

(4) *Très lié au mouvement littéraire et baptisé ainsi par André Breton et Philippe Soupault.*

De même, s'il est souvent désigné comme l'un des noms majeurs du romantisme anglais, Byron n'a jamais été inféodé à une quelconque mouvance poétique. Il a été, au contraire, une audacieuse figure de proue, il est un original qui ose dire à haute voix, en faisant semblant d'en sourire, ce que de nombreuses personnes pensent sans le dire. Explorateur et initiateur, il feint souvent de voir toute chose de haut... A lire le portrait qu'en a laissé Chateaubriand qui le connut à Londres, il est « anormal » et unique dans sa solitude, sa souffrance et sa démesure. « Byron, d'après l'opinion fantasmagorique, est l'ancien serpent séducteur et corrupteur, parce qu'il voit la corruption de l'espèce humaine : c'est un génie fatal et souffrant placé entre les mystères de la matière et de l'intelligence, qui ne trouve point de mot à l'énigme de l'Univers, qui regarde la vie comme une affreuse ironie sans cause, comme un sourire pervers du Mal ; c'est le fils du désespoir, qui méprise et renie, qui, portant en soi-même une incurable plaie, se venge en menant à la douleur par la volupté tout ce qui l'approche. C'est un homme qui n'a point passé par l'âge de l'innocence, qui n'a jamais eu l'avantage d'être rejeté et maudit de Dieu : un homme qui, sorti réprouvé du sein de la nature, est le damné du néant. » (5) En fait, Byron porte sa fatalité en lui et s'en sert. Mais comme les surréalistes, un siècle avant eux, il ne comprend pas toujours « pourquoi ni comment, ni comment encore » (6) il vit, et à plus forte raison ce qu'il vit. Mais il vit, aime, jouit, souffre et écrit comme pour se venger de la vie. Densément. A la folie. C'est avec lui peut-être, cet astre solaire, que débute l'extravagance britannique du XIXe siècle. Y compris et surtout quand il vagabonde. Son séjour en Italie en donne la mesure : « La maison était splendide, le train royal, raconte André Maurois.

---

(5) Mémoires d'outre-tombe, *livre XII, ch. 4.*
(6) *André Breton,* Manifeste surréaliste.

Dans l'escalier de marbre, (...) des animaux de toutes espèces qui vivaient là comme chez eux. Huit énormes chiens, trois singes, cinq chats, un aigle, un perroquet et un faucon y réglaient leurs querelles en famille. Les écuries contenaient dix chevaux.»

Au siècle suivant, Salvador Dali est un autre astre solaire. « Pour lui, comme l'explique l'éditeur d'art Jean Amiot dans un texte écrit en 2004 à l'occasion du centenaire de sa naissance, l'univers est un tout. L'homme qui respire 25 920 fois par jour est lié au mouvement des étoiles dont le Soleil met 25 920 années à parcourir le Zodiaque. Notre vie, dit Dali, n'est qu'un mime du monde, et ce que nous nommons le hasard, c'est-à-dire la preuve de l'existence de la liberté, n'est que l'ombre portée de Dieu. Dans tous les grands moments de sa vie, poursuit Jean Amiot, il a assumé son destin, quelquefois à la limite de la folie et du désespoir. Il a su transcender l'adversité, les pulsions de mort, les échecs, les explosions de l'instinct, en autant de forces créatrices : expulsion de l'Ecole des beaux-arts de Barcelone, malédiction du père, éviction du mouvement surréaliste, scandale aux Etats-Unis. De même, chaque rencontre, chaque événement heureux est devenu source d'inspiration : Picasso, Gala, Freud, Lydia de Port Lligat, Pie XII, jusqu'au musée de Figuéras et au château de Gala, qui, sans cesse, surexcitent son imagination géniale. A chaque instant de son existence, précise encore l'éditeur d'art, Dali, guetté par la folie, doit surmonter les pièges les plus tragiques. Sa lucidité, l'amour de Gala et ses dons plastiques l'ont protégé de la plus affreuse des morts. Il a conçu la méthode paranoïaque-critique, qui est véritablement le garde-fou de son génie, et nous livre les diamants oniriques, psychologiques, artistiques qu'il puise dans son exploration des profondeurs de l'être où se situe son aventure extraordinaire. Dans cette mesure, sa quête nous concerne tous. Les images créatrices par lesquelles il traduit les étapes de son étonnante carrière constituent la fresque surréaliste la plus délirante. Je crois, en arrive à conclure Amiot, que si Nietzsche avait rencontré Dali, il aurait eu le sentiment de rencontrer le surhomme de *Zarathoustra*. Et, en effet, le phénomène Dali est hors mesure. Il faut évoquer les mânes de Caligula pour trouver un parallèle historique à tant de lucidité mariée à tant de folie. Ses outrances n'ont d'égales que son intelligence aiguë et sa volonté destructrice qui donne naissance à un formidable pouvoir de création. Sa vision du monde est généralement prophétique et ses intuitions sur les sciences, la philosophie ou l'avenir relèvent de la voyance. »

A la fois fou et lucide, Hallier avait lui aussi un côté funambule. Météore de la vie littéraire, il était en circonvolution permanente. Son axiome personnel consistait à ne jamais se renier, à seulement changer d'erreurs... *L'Idiot*, dont la reparution commença en 1989 et le dernier numéro parut début 1994, en fut sans doute une qui se transforma en piège. Hobereau *guérillero* transformé en *desperado* du Marais, il eut alors un entourage de qualité incertaine, où des êtres trop intéressés pour être réellement intéressants, côtoyaient des personnages douteux, voire glauques. Jean-Edern évolua le plus souvent entre flagorneurs, exploiteurs toujours en puissance, plumitifs en mal d'apprentissage, faux amis et piètres agités du bocal. En dépit de cette « cour des miracles », qui s'imposait sinon d'elle-même du moins par la « force des choses », en dépit des tribunaux devant lesquels il ne se défendit jamais — ce fut sa grandeur et, d'une souveraine manière, la pathétique mise au tapis d'adversaires, devenus soudain tout petits pour mieux disparaître dans l'oubli —, il parvint, tant bien que mal, à maintenir le cap et surtout à conserver, sinon sa foi en lui, du moins la Foi.

Curieusement, ce qui a fait la force de cet accidenté de la vue, jusqu'au milieu des années 1980 et même tout au long de sa vie, c'est d'avoir eu, il convient de le souligner avec force, un véritable don de voyance. Une capacité à se projeter dans le temps, à discerner le destin des êtres qu'il était amené à rencontrer, à « jauger » avec la plus grande perspicacité, leurs « réalisations », à faire la part du factice, de l'esbroufe, et du déterminant, du fondamental. Tutoyant tout le monde ou presque, mais distinguant parfaitement le singulier du pluriel, il conservait, au fond de lui-même, une lucidité sans faille face à la foire aux vanités, aux fausses valeurs et aux talonnettes médiatiques. Un regard et un jugement qui, avec le recul d'un quart de siècle, prennent un relief plus que saisissant. En particulier dans le domaine de l'écriture. Quelques exemples authentiques.

Les deux ou trois jeunes journalistes, que rien *a priori* ne semblait distinguer des dizaines de confrères de la même génération dont il était amené à faire connaissance, lui paraissaient promis à ne pas se contenter de rédiger des articles... Non seulement ils ont eu un parcours d'auteur, mais ils ont été les seuls à en avoir un et à faire paraître plus d'un ouvrage d'authentique valeur.

Les livres que tel rédacteur en chef alors connu se mettait à publier la cinquantaine venant étaient — et ne pouvaient qu'être — sans le moindre intérêt littéraire ni réelle portée documentaire... C'est le cas.

Les romans de tel éditorialiste, dont l'abondance s'annonçait à peu près proportionnelle à leur médiocrité, finiraient par être publiés en Folio et par faire croire à leur auteur — et à lui seul — qu'il était écrivain... C'est ce qui s'est produit.

Les œuvrettes de tel journaliste, futur académicien, se signalaient par leur insignifiance... Ni l'élection à l'Académie, ni les parutions chez Gallimard et Grasset, en dépit des efforts d'accompagnement sans doute importants de ces maisons d'édition, n'y ont effectivement jamais rien changé. A ceci près qu'elles ont sans doute fait davantage ressortir, auprès des connaisseurs, la vanité de textes tombant en poussière dès l'instant de leur impression et l'inconcevable légèreté de leur auteur de pacotille !

« Le drame de ma génération, a écrit Hallier dans son *Journal d'outre-tombe*, c'est que finalement, je n'ai pas eu de rivaux, mais des jaloux ». Une réflexion très juste qui ne doit cependant pas induire en erreur. Jean-Edern Hallier ne se prenait pas pour ce qu'il n'était pas. Il a simplement eu un projet, un ambitieux projet : la gloire littéraire. Et si le génie, c'est quatre-vingt-dix pour cent de travail, et dix pour cent d'esprit, de curiosité, de sensibilité, de culture, d'éducation, de circonstances et de rencontres, alors oui, il a peut-être détenu le secret de cette alchimie où interfèrent l'énergie, le caractère, la croyance, la foi, la folie aussi. Car il a beaucoup travaillé. Obstinément. Tout le temps. Souvent sans en avoir l'air et à des heures où la plupart des intellectuels parisiens ou supposés tels dorment. Que ce soit de manière concrète ou non, il prenait des notes. Les amassait, les décantait et les utilisait. En permanence. L'apprentissage du piano ne l'avait peut-être pas rendu pianiste et encore moins musicien, mais il l'avait initié à l'importance de l'exercice quotidien et à l'impérieuse nécessité des gammes. Hallier, qui, des années durant, a eu le clavier d'un quart de queue quinquagénaire d'excellente facture française à portée de main, près de celui d'une robuste machine à écrire électrique, n'a cessé d'en faire. Jour après jour. Soucieux d'enfoncer son clou — inlassablement — et de l'enfoncer de mieux en mieux. Quitte à devoir accepter de passer pour un demeuré ou un hurluberlu. Son génie à lui, ce fut donc de tromper le monde par des apparitions répétées à *La Closerie des lilas*, des déambulations gyrovagues et des initiatives déroutantes. Ce fut également de parvenir à ce que les jalousies, fort nombreuses, n'entravent pas trop sa progression. Ce fut enfin de faire preuve d'une imagination libre de toute contrainte et de mettre au service du talent, comme le firent Barbey, Byron et Dali, une technique savante, fondée sur l'étude et le respect des vrais maîtres.

Carré d'Art

« 'Tis to create, and in creating live
A being more intense, that we endow
With form our fancy... »

« C'est pour créer, et en créant vivre
D'une vie plus intense, que nous revêtons
D'une forme nos songes... » (1)

Ces célèbres vers peuvent-ils s'appliquer indifféremment à Byron, Barbey, Dali et Hallier ? Assurément, puisqu'ils ont tous les quatre en commun de s'être prêtés au « je » de la création. A la différence des hommes ordinaires qui ne se passionnent jamais pour l'art ou pour le génie, mais souvent pour leurs bas instincts, pour attiser leurs haines, assouvir leurs vengeances, « lécher des bottes » ou « hurler avec les loups » comme l'écrivait Albert Paraz, ils ont eu, eux, l'audace de se lancer dans cette folle aventure qu'est la création littéraire et artistique. Au risque de s'alambiquer l'esprit, ils ont accepté de se muer en alchimistes, à la recherche constante de la formule mystérieuse et complexe de l'œuvre parfaitement réussie. Ils ont consacré leur vie... à ce qui, pour le commun des mortels, empêtré dans ses grandes jalousies et petites envies, relève généralement d'une chimère ou d'une bizarrerie. Leur héroïsme, le mot n'a rien d'incongru, c'est d'avoir pu accomplir leur destinée au prix du ridicule, d'une incompréhension largement répandue et, en dépit des apparences, d'une solitude foncière. En fait, il semble que l'écriture ait été une drogue, qu'elle ait agi pour eux comme le « pharmaco » que se plaît à évoquer Jacques Derrida dès qu'il est question de littérature, c'est-à-dire comme un poison qu'ils s'inoculaient et l'antidote qui leur permettait de lui survivre.

(1) *Byron*, Childe Harold, *III, 46-48.*

Qui saura jamais si Barbey, Byron, Dali et Hallier ont vendu leur âme au diable en échange de leurs talents ? Et surtout à quel prix ? Mais ce qu'il est permis d'avancer, c'est qu'ils ont été à la fois des forçats et des forcenés, à vouloir non seulement créer une œuvre, mais faire de leur propre vie une œuvre d'art. S'il n'est pas Gabriele d'Annunzio, le poète et colonel italien qui entra dans Fiume avec 200 000 hommes sans l'autorisation de quiconque et l'annexa avec tambours et trompettes, Byron n'en a pas moins fait preuve d'une bravoure militante et littéraire plus que remarquable. Sa production en l'espace de quelques années et la densité de ses faits et gestes de mois en mois, ou plutôt de semaine en semaine, en témoignent. Elles ne sont pas les seules à pouvoir illustrer le caractère épique des divers combats menés par les membres du quatuor, moins sans doute par narcissisme qu'avec le dessein d'exister dans le regard des autres.

Les efforts de Barbey d'Aurevilly pour extraire certaines de ses œuvres du néant et finir par s'imposer comme l'un des plus grands noms de la littérature ont également été répétés et tenaces. Inscrits dans la longue durée comme autant de leçons d'humilité et révélateurs d'une conscience d'artiste très haute et exigeante.

De même, Dali ne peint ni n'écrit : il torée. Des décennies durant. Chez lui, il y a du rétif et du demi-sel, du méfiant et de l'enthousiaste. Il délivre des naturelles, porte des estocades foudroyantes et remporte de lumineux triomphes. Son pinceau comme sa plume est une épée de *conquistador* des arts et lettres. Dali est un seigneur... A la différence de certains surréalistes qui ne savaient pas peindre ni graver et n'étaient pas en mesure de rédiger quoi que ce soit qui vaille, il domine, lui, les questions techniques. La masturbation à laquelle il s'adonne ne le rend ni aveugle, comme il se dit en Catalogne, ni sourd comme le voudrait l'ancestrale rumeur sur le territoire français... Elle ne l'empêche pas non plus d'avoir le coup de main au moment le plus opportun et de démontrer qu'il a du répertoire. Au-delà de tout ce qu'il est habituel d'imaginer et donc pas seulement dans les banderilles, les *gagneras* ou les *derechazos*... Quand il gagne de l'argent, c'est pour pouvoir travailler. En artisan, sérieusement et en paix. Il le dit et c'est vrai. Cela n'a rien d'une pirouette. C'est sa manière à lui d'anticiper, d'aller de l'avant. Très tôt, il tient compte de la conception du temps qu'implique l'époque dite moderne : un temps où il n'y a plus de passé puisque, dévalorisé ou au contraire survalorisé, il a perdu tout son sens, et où le règne sans partage du présent, devenu le centre de gravité absolu, est consacré par l'urgence et l'immédiateté que privilégient systématiquement les nouveaux médias audiovisuels. Gagner de l'argent lui permet donc de libérer du temps, d'en préserver et d'en faire fructifier. Au profit de l'art puisque c'est ce réalisme qui rend possible le surréalisme, l'adoption des principes les plus fermes et la création des montres molles ...

Comme l'a écrit l'éditeur d'art et galeriste Jean Amiot, en 2004, à l'occasion de la commémoration du centenaire de la naissance de Dali, « quatre-vingts ans après la naissance du surréalisme, lorsqu'on considère ce qui demeure des découvertes, des leçons, des œuvres mises au jour par l'un des mouvements les plus féconds de la pensée depuis Platon, on peut se dire que la vie et l'œuvre de Dali, avec ses outrances, ses scandales, mais aussi ses trésors de formes et d'inventions, incarnent les images de nos rêves les plus fous et les plus secrets et constituent une galerie à jamais gravée dans la mémoire ancestrale. Dali ou le surréalisme même. »

Hallier est lui aussi un *hidalgo* d'exception qui se sentait investi d'une triple mission : défendre la langue française, redonner à la littérature et à l'art la place qui leur revient, la première... et redorer le blason parisien afin que son prestige soit de nouveau à nul autre pareil. Comme au cœur du XIXe siècle, quand la culture ne se concevait qu'en français et que Paris, cette cité polyglotte où il était possible de lire et d'acheter des livres dans toutes les langues du monde, était la capitale de la république mondiale des lettres. Trop peu parmi ses contemporains en ont eu pleinement conscience, mais Jean-Edern Hallier a sans doute été l'ultime sursaut avant que la France ne soit dissoute, au tournant du siècle, en tant qu'Etat souverain et qu'elle ne devienne simple zone administrative et consumériste eurolandienne, à vocation scolaire, médicale ou touristique. Peut-être apparaît-il davantage encore aujourd'hui comme un don Quichotte, quelque peu égaré à la fin du siècle dernier, sans son Sancho mais relié, par des références communes, à un petit cercle empathique et amical dont ont fait partie, passagèrement ou non, des personnages comme René Huyghe, ce grand philosophe et historien de l'art, si estimable comme homme et si savant comme écrivain, François-Bernard et Edith Huyghe, ces brillants auteurs transdisciplinaires d'ouvrages remarquables et pourtant méconnus, Jean Dutourd et Jean d'Ormesson, ces amis spirituels et fidèles ? Peut-être le recul du temps est-il venu renforcer la dose d'« inconscience » et de naïveté que la démarche d'Hallier comportait ? Qu'importe en vérité puisque le rôle a été tenu et qu'il a laissé des traces écrites. Que certaines d'entre elles soient plus importantes que d'autres, c'est une évidence. Tel livre d'entretiens, d'intérêt très secondaire de surcroît, ne saurait être une œuvre. En aucune façon. Tel roman, comme *L'Enlèvement*, est un ouvrage de circonstance, quelque peu bâclé... Mais tous les poèmes de Byron ne se valent pas, et toutes les œuvres de Barbey d'Aurevilly pas davantage. Si *Un prêtre marié* est l'un des livre-monuments du XIXe siècle, *Une vieille maîtresse* a des défauts qui, s'ils peuvent avoir du charme auprès de certains lecteurs ou lectrices, n'en restent pas moins des points faibles. Enfin, sur plus de 1 600 toiles peintes par Dali, certaines sont majeures, d'autres moins... Et tous les textes ne sont pas nécessairement du même acabit.

Dans le legs des grands artistes, il y a toujours des « scories » et des œuvres, pour des raisons diverses, plus ou moins manquantes... Si Byron avait vécu quelques années de plus, il est probable — considération aussi classique que stérile — qu'il aurait laissé un ou plusieurs chefs d'œuvre supplémentaires. Barbey aurait peut-être pu, lui, pactiser avec le diable pour concocter quelques nouvelles d'enfer complémentaires et Dieu seul sait quel parti aurait tiré Dali du multimédia ou d'Internet ! De son côté, Hallier fait d'autant moins exception à la règle qu'il connaissait pertinemment les limites de sa propre bibliographie et s'en préoccupait. « Courage, petit homme ! écrivait-il comme pour se stimuler dans son *Journal outre-tombe*. Il faut encore faire une grande œuvre — et ne pas se contenter de celle qui est déjà accomplie.» A la vérité, l'auteur du *Bréviaire pour une jeunesse déracinée* n'est pas — et ne sera jamais — Claude Simon ni Michel Butor. Tant mieux. D'abord parce qu'il a le mérite d'être autre et de s'appeler Jean-Edern Hallier. Ensuite parce que, au regard de la postérité, il sera probablement gagnant sur tous les tableaux. Sauvé au moins autant par son personnage et son parcours d'animateur de la vie littéraire que par son œuvre. De toute façon.

Alors, Barbey-Byron-Dali-Hallier, extraordinaire Carré d'Art ? Chacun est libre d'en convenir ou d'en douter. De même qu'il est permis à tout le monde de ne pas apprécier le Carré d'Art de Nîmes, bâtiment de verre et d'acier conçu au milieu des années 1980 par sir Norman Foster, le grand architecte anglais (2).

(2) Pair du Royaume-Uni depuis qu'il est devenu, en 1999, baron Foster of Thames Bank, of Reddish in the County of Greater Manchester, Norman Foster a reçu la même année le Prix Pritzker, le Nobel de l'architecture (cf. Bibliographie). *Il participe avec Philippe Starck aux projets de Virgin Galactic, la compagnie du Virgin Group de Richard Branson spécialisée dans les vols suborbitaux. En septembre 2007, son agence, Foster & Partners, a dévoilé ses plans pour le premier spaceport touristique du monde, qui hébergera la flotte de Virgin Galactic et dont la construction devrait être achevée en 2009.*

Pour avoir retenu l'attention lors de son achèvement en 1993, ce musée d'art contemporain-bibliothèque n'en explique pas moins le titre de cet ouvrage. Implanté dans le centre-ville historique, non loin des arènes romaines, de la Maison carrée, temple également romain, dédié par Auguste aux princes de la jeunesse, et des jardins de la fontaine, qui, eux, datent du XVIIIe siècle, il était un véritable défi. Architectural et esthétique. Une fois réalisé, ce lieu de culture et de dialogue avec le passé — qui fut contemporain en son temps — est apparu comme digne d'éloges. Classique et moderne. Représentatif de l'époque de sa construction, adapté à ses missions, soucieux de fonctionnalité, mais respectueux des joyaux de l'architecture locale. D'emblée un intéressant monument historique...

Chacun de leur côté, Barbey, Byron, Dali et Hallier ont eux aussi réussi leur pari. Artistique s'entend, puisque, au bout du compte, aucun d'entre eux ne s'est financièrement enrichi pour autant. Certes, Salvador Dali a, tout au long de sa vie, gagné des sommes fabuleuses et apparaît comme le seul membre du quatuor dans ce cas. Mais il en a dilapidé d'autres, au moins aussi considérables. Avec Gala, il a surtout été le bienfaiteur de « secrétaires » successifs... Bien qu'il ait légué au roi Juan Carlos et à l'Etat espagnol un héritage d'envergure et tout en couleurs sous forme de collections de tableaux, il est mort dans une relative pauvreté. Ses liquidités sur des comptes américains, suisses et ibériques avaient, semble-t-il, en grande partie, fondu. Byron a dû se séparer de Newstead Abbey, cette grandiose demeure qui, aujourd'hui, mérite deux fois plutôt qu'une la visite, et est mort passablement désargenté par son financement de la « cause » grecque. Se contentant de deux-pièces pour se loger et bénéficiant de rentrées financières à la fois restreintes et irrégulières, à une époque où la Sécurité sociale n'avait évidemment pas cours, Barbey a fini ses jours en menant un modeste train de vie.

Enfin, Hallier a pour dernier domicile un bel appartement avenue de la Grande-Armée, près de l'Arc de Triomphe, et si ses ultimes semestres d'existence se traduisirent, après de sévères difficultés, par une amélioration de sa situation matérielle et des facilités peu communes, il n'est pas mort riche. Tant s'en faut, au sens où l'entendent ceux qui le sont.

Mais Barbey, Byron, Dali et Hallier ont laissé trace. Autrement qu'en faisant, comme les politiciens parmi les plus corrompus ou les plus légitimement inquiets d'être oubliés sitôt enterrés, graver leur nom, aux frais des contribuables, sur des plaques de marbre dans le hall ou aux abords de « réalisations » qui, le plus souvent, ne leur doivent rien ou si peu... Barbey, Byron, Dali et Hallier ont engendré. Créé. *A priori*, leurs textes ne sont qu'une succession de signes qui s'amoncellent et s'alignent. Etrange conglomérat de l'alpha à l'oméga en passant par le bêta, très bêta parfois... Mais *a posteriori*, depuis Cocteau, chacun sait bien qu'« il n'est pas d'œuvre sérieuse qui ne s'exprime par hiéroglyphes, par l'entreprise d'une langue vivante et morte, nécessitant d'être déchiffrée ».

Qui dit déchiffrage implique toujours un certain tâtonnement, des incertitudes dans l'interprétation. Or, loin d'avoir livré tous leurs secrets, les textes de Barbey, Byron, Dali et Hallier recèlent précisément de nombreux motifs de surprise pour le lecteur-explorateur. Ils sont toujours riches de méandres, d'allusions, de références, de sous-entendus aussi, de non-dits ou plus exactement de non-écrits... Prêtant à confusion et à mauvaise interprétation, ils répondent à ce critère défini par Robert Escarpit : « Est littéraire une œuvre qui possède une aptitude à la trahison » (3).

(3) Le littéraire et le social

Réunir Barbey, Byron, Dali et Hallier dans ce livre, c'était tenter une approche, à la fois singulière et plurielle, par les quatre côtés d'un même carré. Se lancer dans un jeu de piste. S'amuser à faire appel à l'intuition et à l'observation... Tout simplement l'enfance de l'art ! Cette magnifique expression, si chère à Jean-Edern Hallier qui, dans *L'Evangile du fou*, soulignait en parfaite connaissance de cause : « L'enfance de l'art, ce que d'aucuns appellent le génie littéraire, c'est de savoir retomber en enfance quand il le faut. »

Aurevilly

Dali

Hallier

d'Aurevilly

Byron

on

Dali

allier

Barbey d'A

Lignes parallèles

Des lignes parallèles, il faudrait sans doute faire un éloge appuyé. D'abord parce qu'elles peuvent conduire loin, très loin... Ensuite parce que, curieusement, elles permettent souvent d'aborder un thème, un aspect comme une idée, de biais ou par un chemin détourné. Enfin, parce qu'une pluralité de regards les anime et que les bibliophiles savent que c'est parfois grâce à elles que les livres doivent la pérennité de l'intérêt qu'ils suscitent.

Pourtant, le territoire français a beau être hautement spécialisé dans les contributions directes ou indirectes : ces lignes parallèles y sont curieusement rares et, semble-t-il, plutôt mal vues. Comme si elles étaient un élément superflu ou relevaient d'une époque révolue où se cultivait une honnête ociosité...

Pour évoquer tant le septième art et la complexité de l'adaptation romanesque, avec la sortie du film Une vieille maîtresse *réalisé par Catherine Breillat, que l'art de vivre et la gastronomie, la comédienne Anne-Elisabeth Blateau et le journaliste François Roboth ont accepté de se prêter à cet exercice délicat de lignes ou plutôt de barres parallèles. Nul doute qu'au ciel, Barbey, Byron, Dali et Hallier, ces virtuoses de la pirouette comme du mot périlleux, leur en savent gré et brûlent d'impatience de leur faire signe !*

Cinéma : *Une vieille maîtresse* sans Breillat

Barbcy d'Aurevilly fait-il partie des auteurs impossibles à adapter au cinéma ? Plus de cinquante ans après Alexandre Astruc qui avait réalisé *Le Rideau cramoisi*, d'après l'un des *Diaboliques* (*cf.* Filmographie), Catherine Breillat a eu l'audace rare de se lancer dans l'aventure. Elle a porté au grand écran *Une vieille maîtresse*. Avec une importante distribution, où Asia Argento, Roxane Mesquida et Fu'ad Ait Aattou figurent aux côtés de Claude Sarraute, Yolande Moreau et Michaël Lonsdale. Son film a bénéficié d'une prestigieuse distinction puisqu'il a fait partie de la sélection officielle du Festival de Cannes 2007 (1). Mais, par-delà toute considération d'ordre commercial ou financier sur l'éventuel succès de l'entreprise, il n'a manifestement pas suscité l'enthousiasme de la critique ni la franche adhésion du public. Il semble même avoir beaucoup déçu. A la fois les admirateurs de la réalisatrice et les passionnés de Barbey d'Aurevilly qui tablaient sur cette œuvre cinématographique pour que soient favorisés à la fois une redécouverte de l'écrivain et un élargissement de son lectorat.

Que s'est-il donc passé ? Parmi les nombreuses raisons qui peuvent sans doute être invoquées pour tenter d'expliquer ce rendez-vous manqué, il en est au moins une relevant de la communication et de sa cohérence. Comment comprendre en effet que Barbey d'Aurevilly n'ait pas fait l'objet de la moindre mention dans le cadre de la campagne d'affichage de ce film ? Que son nom ait été jugé commercialement peu « porteur », c'était admissible. Mais de là à le faire disparaître, c'était pour le moins contestable.

(1)   Une vieille maîtresse fut de surcroît l'un des trois films français à avoir été retenus par cette sélection officielle.

Dès lors que Breillat était seule à être mise en avant, le spectateur potentiel avait tout lieu de s'attendre à voir, sinon un film 100 % Breillat, du moins *Une vieille maîtresse* version Breillat. Malheureusement, il y avait à admirer de fort beaux costumes, de remarquables décors d'intérieur, un Michaël Lonsdale magistral... dans un rôle trop intermittent pour pouvoir à lui seul empêcher le « ratage ». Rien d'autre de mémorable. Un film qui aurait pu être tourné par un technicien lambda, abonné des plus soporifiques et vieillottes reconstitutions historiques. Catherine Breillat n'a donc pas fait « son » cinéma. Peut-être a-t-elle succombé au charme envoûtant de la prose aurevillienne et s'est-elle laissée prendre à l'éblouissant mirage d'un verbe prodigieux ? Peut-être a-t-elle cru sincèrement que forte de ses intuitions et de son renom, elle parviendrait à fixer certaines visions fulgurantes de scènes magnifiquement évoquées par Barbey ? Peut-être n'a-t-elle pas perçu qu'au moindre faux pas ou à la plus petite erreur dans le choix ou le jeu des acteurs, la séquence la plus émouvante risquait fort de tomber complètement à plat ?

Voici en tout cas un commentaire par une jeune et talentueuse comédienne, qui apporte un précieux éclairage sur les difficultés rencontrées par la cinéaste et les acteurs et sur le défi « haut en couleur» représenté par l'adaptation réussie d'un roman de Barbey d'Aurevilly.

Peut-on jouer Barbey ?

Par Anne-Elisabeth Blateau (*)

« Tu passeras sur le cœur de la jeune fille que tu épouses pour me revenir ! » prophétise la Vellini à son amant Ryno, quand il lui annonce son mariage avec une autre. Prenez donc votre courage à deux mains et lisez à voix haute cette répartie extraite d'*Une vieille maîtresse*. Jouez-la plusieurs fois en vous demandant si ça sonne « vrai »...

Bravo ! Vous venez de vous frotter au travail de l'acteur, quand il est tout seul, chez lui, en train d'apprendre son texte, de le « mâcher » jusqu'à ce que les mots lui appartiennent. Dans notre jargon, c'est ce qu'on appelle « respirer un texte ».

(*) *Formée à l'Ecole d'art dramatique Jean Périmony et diplômée de l'IEP-Institut d'études politiques de Paris, Anne-Elisabeth Blateau est une jeune comédienne et auteure de théâtre française. En 2004, elle a joué au Festival d'Avignon et au théâtre d'Edgar dans* Les feux de l'amour ça brûle, *une pièce qu'elle a écrite. Après s'être produite dans un « one woman show »,* La Petite Vadrouille, *elle a été associée à plusieurs tournées théâtrales et collaboré — comme auteure — à des émissions de télévision (dont* Burger Quiz, *avec Alain Chabat). Intégrée dans la troupe de comédiens repérés par Pierre Palmade, elle a également participé à l'émission d'humour* Made in Palmade, *diffusée le dimanche soir de septembre à décembre 2007 sur France 3. En 2008, on peut la retrouver notamment dans* Les Fées Cloches, *une mini-série sur TF1 qu'elle a créée avec Coralie Fargeat.*

Le plus difficile pour le comédien, ce n'est pas la mémoire. Combien de spectateurs extasiés m'ont lancé : « Mais comment faites-vous pour retenir tout ça ! » ? Non, la mémoire, ce n'est presque rien, ce n'est qu'un muscle à entretenir. En revanche, trouver la respiration du personnage en s'appropriant ses mots, c'est déjà le créer.

Plus un texte est littéraire, plus il est difficile de le respirer. Car, et on peut le regretter, on ne parle plus aujourd'hui comme dans les œuvres de Barbey. Le style de cet écrivain s'élève comme un barrage, un obstacle à franchir pour l'acteur et pour le metteur en scène.

De même que lire l'un de ses romans demande plus d'efforts que d'ouvrir un bon polar, jouer les personnages aurevilliens implique une exigence supplémentaire.

Faut-il y voir une relation de cause à effet, mais l'œuvre de Barbey n'inspire pas beaucoup le cinéma. Catherine Breillat, qui s'est courageusement lancée dans l'adaptation d'*Une vieille maîtresse*, n'y a-t-elle pas brûlé ses ailes ? Le film a déçu. Barbey est-il difficile au point d'être impossible à adapter et à jouer ? Mais, alors, comment expliquer le chef-d'œuvre de Stephen Frears, *Les Liaisons dangereuses*, adaptation du roman épistolaire de Choderlos de Laclos, qui n'avait rien d'évident non plus ?

Le moins que l'on puisse dire, c'est que le couple Barbey/Breillat n'a pas fait d'étincelles avec *Une vieille maîtresse*. La faute à qui ? A Barbey ? Ou à Breillat ?

Certes, on aurait pu s'attendre à une mise en scène plus audacieuse de la part de Catherine Breillat. Mais les acteurs, quel que soit le metteur en scène, restent responsables de leur rôle. Un acteur n'est pas un pantin. Il est, au contraire, le fruit de son travail et de sa propre histoire. Et si 50 % du travail du metteur en scène c'est le choix des acteurs, on comprend mieux, à mon sens, l'échec du film.

A Breillat, il faut rendre hommage pour avoir respecté la contrainte du langage de Barbey. Dans le scénario, on retrouve mot pour mot les dialogues qui figurent dans le roman. Mais les acteurs qui ont été choisis ne sont pas à la hauteur du texte. Le style de Barbey est plus fort qu'eux, trop fort pour eux. Perdus dans une langue étrangère, ils disent les dialogues comme on marche sur des œufs. Ils sont « enfermés dans le texte ».

Une situation inextricable. Si un comédien ne se « libère » pas du texte, il ne peut pas jouer... Or, « jouer une scène, c'est d'abord la dire. Le personnage est d'abord un texte », comme le martelait Louis Jouvet à ses élèves du Conservatoire. L'ivresse du jeu ne vient, au mieux, qu'après cet apprentissage du verbe.

Si cette exigence est valable pour tous les rôles, elle est « incontournable » pour les textes classiques ou littéraires. Quand un acteur ne maîtrise pas son texte, son personnage lui échappe. Forcément. La seule façon pour lui de s'en sortir est de dire le texte platement, sans nuance et sans rupture. Il joue le moins possible afin d'éviter que ça sonne faux. Il joue « petit ». Le malheur précisément, c'est que les personnages de Barbey sont grands. Leur dimension shakespearienne ne pardonne pas. Les acteurs doivent être exceptionnels pour les incarner, sinon ils sont écrasés.

Bien sûr, jouer, c'est s'amuser. Comme un enfant. Dès lors que l'on ne s'amuse plus, on arrête de jouer. Mais, comme l'enfant à qui ses parents demandent de faire ses devoirs avant d'aller jouer, le comédien, avant de s'amuser, doit travailler !

Asia Argento, physiquement intéressante pour le rôle de Vellini, marmonne un français laborieux teinté d'un accent si fort qu'on ne comprend pas la moitié de ce qu'elle dit. Soit, le personnage est censé avoir un accent espagnol, mais c'est tout au plus un « voile sonore » ! Qui imaginerait de voir un acteur français jouer en anglais un rôle principal dans Shakespeare avec un accent détruisant toute la poésie du texte ?

Fu'ad Ait Aattou, l'interprète de Ryno de Marigny, se débat moins contre sa maîtresse que contre son manque d'expérience d'acteur. C'est un jeune premier. Or son personnage à la Valmont demande plus de maturité, physiquement et moralement. On est loin du charisme d'un John Malkovich.

Roxane Mesquida campe une Hermangarde de Polastron sans noblesse.

Or, tous ces personnages sont des aristocrates ! Ce qui est impossible à imaginer quand on découvre à l'écran Yolande Moreau et Claude Sarraute dont on se demande bien ce qu'elle fait là.

Seul Michaël Lonsdale, dans le rôle du sournois vicomte de Prosny, est crédible. Et, comme par hasard, son parcours, atypique il est vrai, est parsemé de grands textes, de grande littérature. Il fait partie de ces acteurs, comme Dussolier ou Lucchini, qui sont amoureux des mots. Il prête d'ailleurs sa voix incomparable à l'enregistrement de livres audio, faisant vivre des textes de Beckett, Nietzsche, Montaigne ou encore *L'Iliade et l'Odyssée* et *L'Apocalypse de Saint-Jean*. Alors, pour lui, la langue de Barbey, c'est une langue natale. Dans le film, lui seul s'amuse dans son personnage. Car lui seul maîtrise les mots.

Finalement, la mise en scène de Catherine Breillat est, hélas, à l'image de presque tous ses acteurs : monotone et sans passion. Quel dommage ! Car tous les ingrédients étaient là pour inspirer un grand film romantique. Tout est d'une puissance visuelle étonnante dans le roman. Les salons parisiens, les voyages de Ryno et de Vellini en Italie et au Tyrol, le paysage sauvage du port de Carteret au bord de la falaise. Tout y est romanesque et cinématographique. La scène du mariage, le duel, le sang, la mort brutale d'un enfant, un bûcher qu'on élève dans la nuit sur une plage déserte, les retrouvailles des amants, la femme légitime qui les surprend dans une nuit de neige à travers la fente d'un volet. Quant au thème de la passion amoureuse et de ses ravages, il est universel et intemporel. Enfin, le roman offre à une comédienne l'un des rôles les plus grands qui soient. Le rôle d'une vie.

« Vellini était petite et maigre. Sa peau […] était d'un ton presque aussi foncé que le vin extrait du raisin brûlé de son pays. Son front, projeté durement en avant, paraissait d'autant plus bombé que le nez se creusait un peu à la racine ; une bouche trop grande, estompée d'un duvet noir bleu, qui, avec la poitrine extrêmement plate de la señora, lui donnait fort un air de jeune garçon déguisé. »

Quel portrait ! Quel monstre de femme ! Voilà une femme laide, poilue, moustachue même, au teint jaune, sèche comme une allumette, qui, du haut de ses trente-six ans (et pour l'époque c'est tout dire…), fait tourner la tête des hommes jusqu'à les rendre fous ! Par quel miracle ? Ou plutôt par quelle sorcellerie ?

Mais regardez bien, car voici qu'elle se lève dans une robe noire… et soudain, « des éclairs partirent de cette épine dorsale qui vibrait comme celle d'une panthère, nerveuse et souple, et je compris par un frisson singulier, la puissance électrique de l'être qui marchait ainsi devant moi. […] elle n'était pas belle, non, jamais ! mais elle était vivante, et la vie, chez elle, valait la beauté des autres ! […] Elle avait je ne sais quoi de sauvage, de bohémien, d'étrange. »

Quelle comédienne n'aurait pas le fantasme de jouer un tel personnage ! D'incarner cette femme qui en cache une autre, cette « reine du mouvement » ! Chercher la manière dont elle bouge est une quête passionnante. C'est l'équivalent pour une comédienne d'un rôle principal dans *Othello* ou de *Richard III* à travailler ! Outre son pouvoir d'attraction quasi animal, la Vellini est une femme violente, libre, lucide et magique. Violente, elle

« *La révolution russe,*

c'est la révolution française

qui arrive en retard,

à cause du froid. »

Dali

a le sang d'un toréador qui coule dans ses veines et ses accès de rage sont foudroyants. Un peu sorcière, elle croit au « talisman du sang bu ensemble ». Sa liberté est sans compromis. Par amour, elle quitte son mari d'un coup sec et jette avec orgueil à la face de la société aristocrate bien-pensante : « J'étais la femme légitime d'un baronnet anglais. Je ne suis plus que Vellini la Malagaise, la maîtresse publique de Ryno de Marigny. » Un rôle de femme d'une telle puissance est rare au théâtre comme au cinéma. En général, ce sont les hommes qui mènent l'intrigue. Ici, la Vellini est maître à bord. « A qui — si ce n'est à elle-même — avait-elle jamais obéi ? » Elle ne subit pas le destin comme beaucoup d'héroïnes classiques. Elle va le chercher. Et notre don Juan, Ryno de Marigny, l'homme qui tue les femmes, se retrouve sans volonté face à sa vieille maîtresse.

A l'exact opposé du diable incarné par Vellini, Hermangarde de Polastron est parfaitement pure, parfaitement belle, parfaitement amoureuse, parfaitement respectable. Le rôle est lisse et plus conventionnel. Il rappelle celui de Desdémone. Cette femme, c'est le paradis et... l'ennui ! A mon avis, c'est moins excitant à jouer que l'infernale Vellini !

Je me rappelle mes cours à l'école d'art dramatique Jean Périmony à Paris. La majorité des élèves voulaient travailler des scènes contemporaines. Périmony, lui, ne ratait pas l'occasion de jouer les cassandres et s'exclamait : « Profitez d'être ici pour travailler les classiques ! Quand vous aurez deux phrases mal foutues à jouer dans un épisode de Julie Lescaut, vous regretterez Shakespeare et Molière ! »

Barbey n'est pas un auteur de théâtre. Mais m'en voudra-t-on de l'associer à ces grands noms ? Et d'espérer qu'un jour, un metteur en scène et des acteurs dignes de lui s'emparent d'*Une vieille maîtresse*. Avec, dans le rôle de la Vellini...

Art de vivre...
avec Barbey, Byron, Dali et Hallier

L'art de vivre a ceci de commun avec l'art qu'il suppose une initiation et un minimum de fréquentation. Sinon il est mort-né ou bien se meurt... Immanquablement. Cet art de vivre, Barbey, Byron, Dali et Hallier l'ont cultivé. Avec appétit. Avec passion. Au-delà de toute raison parfois. Les deux premiers ont connu une époque où, à Paris, l'heure sacrée des rendez-vous mondains s'établissait à onze heures du matin et où le soir, après le théâtre — qui avait alors tout son lustre — et jusque tard dans la nuit, certains établissements recevaient la clientèle la plus remarquable et la plus remarquée. Aristocrates, demi-mondaines, courtisanes de haut vol, gens d'esprit très à la mode... Une élite de la culture parisienne de ce XIXe siècle où les arts de la table triomphaient en deçà et au-delà de la Manche. Pionniers dans l'usage de la petite assiette placée à gauche de la grande afin que le pain ne traîne pas sur la nappe au milieu de ses miettes, les Anglais n'avaient jamais fondu leur argenterie et les *Frenchies* savaient faire de la bonne cuisine. Avant de passer à table qui était un lieu privilégié de rencontre et d'échange, il convenait d'affûter sa tenue et son sens de la répartie.

Dali et Hallier ont vécu, eux, au siècle suivant et, surtout, après la fracture abyssale qu'a représentée la Première Guerre mondiale. Les Anglais ont continué à ne rien faire comme tout le monde. A avoir des chiens bien dressés, de méchantes automobiles qui, en dépit de leur caractère de nos jours résolument asiatique, roulent à gauche, de la bonne bière qu'il leur arrive de boire tiède et de la monnaie toujours *darling* valant son *pound* de livre sterling.

A Paris, les inconditionnels d'un certain art de vivre ont dû faire de la résistance. Opérer des replis stratégiques dans des bastions en voie de raréfaction. Salvador Dali et Jean-Edern Hallier n'en ont pas moins eu leurs habitudes et leurs lieux de prédilection. Mais, aujourd'hui, après que le nombre des restaurants français traditionnels a crû à Londres autant qu'il a diminué à Paris, à l'heure où l'internationale de la nourriture molle semble étendre triomphalement ses tentacules ointes de Ketchup et où les foies gras ne sont pas tous des poèmes, que feraient et où se rendraient ces personnages s'ils faisaient encore partie des « bons vivants » ?

C'est cette question à laquelle a bien voulu répondre un observateur de la vie parisienne qui a croisé aussi bien Dali que Hallier et qui, depuis des décennies, côtoie « metteurs en scène » et animateurs, grands et petits chefs de l'art de vivre, maîtres du « piano », adjoints et grouillots, arpente vitrines et coulisses, couloirs et recoins. Un connaisseur doublé d'un démystificateur comme il n'est pas certain, depuis la disparition de Paul Chambrillon (1924-2000), l'éloignement de Jacqueline Cartier et le retrait de quelques autres acteurs ou grands témoins de la vie des arts et des spectacles, qu'il s'en compte encore sur les doigts d'une main dans l'univers parisien...

« *L'audiovisuel,*

c'est Lascaux plus les grottes

de l'Homo Sapiens en Chine

saisis de logorrhée. »

Bréviaire pour une jeunesse déracinée
Hallier

Tour de table

Par François Roboth (*)

Barbey d'Aurevilly

De retour parmi nous, descendant de son tilbury, précieux pour échapper au stationnement payant, le connétable des lettres aurait la désagréable surprise de constater que ses cafés parisiens préférés, rendez-vous au XIXᵉ siècle des dandys et de toute une jeunesse dorée qui se ruinait pour se faire remarquer, n'existent plus. Cas, rue Mazarine près du carrefour Buci, du *café d'Orsay*, voisin du plus ancien café de Paris, le *Procope*, l'un des lieux de prédilection de Voltaire, qui, lui, a toujours belle allure avec son petit balcon et son traditionnel banc d'huîtres en saison et où, en ce cadre historique, les nourritures sont bien contemporaines... Cas également, sur les grands boulevards, du café du chef Tortoni, qui, comme Vatel, se suicida (mais, lui, en se brûlant la cervelle). Cas enfin, au Palais-Royal, de *La Régence* et du pourtant fameux *Corazza*, dont Barbey déclarait déjà : « J'aime ce café, Monsieur, il meurt noblement »... Tous ont progressivement disparu.

(*) François Roboth est un journaliste bien connu pour avoir un goût prononcé pour le bon, le beau, le vrai... Ancien rédacteur en chef du Maxiguide Hachette France, *coauteur de 22, un album pittoresque sur les événements de mai 68 en France, avec Jean-Pierre Mogui, et de plusieurs ouvrages de la célèbre collection des « Guides bleus » (Caen et ses environs, Rouen et ses environs, Saint Malo et ses environs...), il a également publié à la fin des années 1990 un* Guide des bonnes tables du terroir, *préfacé par Pierre Perret. Sur France 3, François Roboth fut enfin l'animateur, pendant cinq ans, de « Quand c'est bon ? Il n'y a pas meilleur ! », seule émission culinaire en direct à la télévision.*

Cependant, l'auteur du *Chevalier Des Touches* aurait la plaisante surprise de s'apercevoir que, parfaitement entretenus, malgré quelques sculptures abstraites et les colonnes de Buren en piteux état, les jardins du Palais-Royal et la Comédie-Française ont conservé leur lustre d'antan. Même si, envahi par les agences de voyages, les boutiques de mode, les parfumeries et autres *duty-free* de l'avenue de l'Opéra, ce quartier de Paris a, selon l'expression consacrée, beaucoup changé.

Pour se restaurer, il devrait se plier à la mode et sacrifier à l'une des cuisines « tendance » du nouveau millénaire, en dégustant, avec ou sans baguettes, des sushis, makis, grillades au feu de bois et autres sashimis, dans la myriade de restaurants japonais du quartier. Une chance, dans ce Ginza-sur-Seine, ils sont préparés traditionnellement, par d'authentiques fils du pays du Soleil-Levant.

Afin de rester fidèle à une certaine nostalgie de la monarchie, sur la place du Palais-Royal, la fréquentation du *Dauphin* lui serait agréable, car ce restaurant au nom prédestiné propose et dispense une opulente cuisine des Landes, où foies gras, magrets, confits et armagnacs hors d'âge remplacent la crème fraîche et le beurre en baratte de sa Normandie natale. Justifiant ainsi son amour des belles et bonnes choses indispensables pour entretenir la réputation justifiée de son solide et historique coup de fourchette.

Lord Byron

Si l'adresse postale du grand cuisinier stéphanois Pierre Gagnaire est officiellement dans le VIIIᵉ arrondissement de Paris, au 6 de la rue Balzac, personne ne sait, sauf certains chauffeurs de taxi de la vieille école parisienne, que son restaurant fait également l'angle de la rue Lord-Byron. Monté il y a quelques années conquérir les gourmets et les médias de la capitale et de l'Hexagone, avec trois étoiles, Pierre Gagnaire est au firmament.

Son restaurant, classé lui aussi depuis deux années consécutives parmi les meilleurs du monde, l'est probablement pour sa cuisine innovante, voire moléculaire, imaginée en duo avec le chimiste Hervé This. Chez lui, Gagnaire fait du Gagnaire... Il y a les pour, mais aussi les contre – Quoi de neuf ? Hernani — Attention ! : « Quand on aime... Mais aussi quand on n'aime pas... On ne compte pas ! »

Etre implanté à l'angle de la rue Lord-Byron n'a rien d'une prémonition. C'est d'abord un hommage perpétuel de la Ville de Paris et de la nation, à ce légendaire dandy, remarquable écrivain anglais : « Egoïste généreux, sceptique passionné, pessimiste allègre, grand seigneur nonchalant qui fut un révolutionnaire actif... pédéraste couvert de femmes, mais aussi, ce disciple d'Épicure qu'habitait la peur de l'enfer chrétien, mais, surtout, ce gourmand frugal... ». Comme le décrit admirablement Gabriel Matzneff dans son livre *La Diététique de lord Byron*.

Fi de cette diététique, une pratique ancestrale, sans cesse réactualisée, car ce diktat génère d'importants revenus pour d'opportunistes et perpétuels « gourous... de la maigritude ». Heureusement, pour Byron, ce fut aussi, toujours selon Gabriel Matzneff, la philosophie de son existence, de son art de vivre, de son comportement face à l'amour, la création littéraire, la société, Dieu... « Un poète à la réputation sulfureuse au cœur pur ».

Le lord s'enorgueillissait d'avoir un « train de maison » exemplaire (cuisiniers, maître d'hôtel, serveurs, employés de maison...) à la hauteur de ses exigences et digne de son siècle. En fidèle et fervent disciple d'Epicure — comme aujourd'hui, certaines « fines fourchettes » le sont. Pour n'en citer que quelques-unes, accros de la cuisine, du « Primat des gueules », le médiatique chef lyonnais, Paul Bocuse, à celle des Troisgros à Roanne, ou, au cœur des Landes gourmandes, à celle du « roi de la cuisine minceur », le normand Michel Guérard, qui, dans ses Prés et Sources d'Eugénie-les-Bains, fait saliver, tout en réussissant souvent l'exploit, de faire perdre quelques kilos superflus à de fidèles curistes satisfaits... Et parfois même, remboursés par la Sécurité sociale !

Byron, cet esthète préoccupé par l'ovale juvénile de son beau visage qui s'empâtait légèrement à cause de ses excès quotidiens de bonne chère, se serait donc délecté de la cuisine légère de bon nombre d'endroits à la mode, où, comme le résume souvent dans son théâtre montmartrois des *Deux Anes*, le chansonnier Jacques Mailhot : « Aujourd'hui, au restaurant il n'y a plus grand-chose dans les assiettes... Mais tout sur l'addition !»

Salvador Dali

Interrogé sur les moyens utilisés pour avoir du succès, l'enfant de Figueras était très à l'aise pour répondre : « Offrir du bon miel à la bonne mouche au bon moment et au bon endroit. »
Puisque nous savons tous qu'« on n'attrape pas les mouches... avec du vinaigre ! », c'est sûrement l'explication du maître pour raconter son amour des belles, mais aussi des bonnes choses. Ne fut-il pas, comme le prétend la légende, l'homme de toutes les folies et d'un seul amour ?
Avec son épouse Gala, il fut résident parisien privilégié du *Meurice* où, réalisés en « pâte à pain » par le regretté et créatif boulanger Lionel Poilâne, le lit, la commode et la cage à oiseaux de leur suite restent des œuvres d'art de la panification, étranges et inoubliables... Salvateurs même, en cas de fringales nocturnes.
Propriété avec le *Plaza Athénée* du richissime — un pléonasme ! — sultan de Bruneï, ce palace parisien de la rue de Rivoli ouvert en 1907, actuellement rénové de manière somptueuse, revendique d'être, grâce au talent du jeune chef de cuisine Yannick Alleno

et de sa tout aussi juvénile et excellente brigade, une des meilleures grandes tables prestigieuses et justifiées de la capitale. Dans ce magnifique décor inchangé, le maître apprécierait cette « Diiiiivine !!! et Géniaaaaale !!! Cuisine » où, entre autres, les subtiles gelées diaphanes sont... reines ct, frais pêchés, sardines et maquereaux... rois !

À deux pas, rue Royale la bien nommée, propriété du grand couturier Pierre Cardin — contre vents et marées, ignorant les critiques gastronomiques et leurs guides aussi obsolètes que confidentiels — dans un décor et une cuisine inchangés, voire figés, le célèbre restaurant *Maxim's* de Paris essaye de résister aux irréversibles outrages du temps. *In situ*, le musée consacré à la collection de meubles 1900, se visite individuellement. Une exposition que le maître apprécierait.

Toujours à deux pas, place de la Madeleine, célèbre pour son église, l'historique restaurant *Lucas Carton*, que Salvador fréquentait pour son décor classé en bois de citronnier signé Majorelle, mais aussi, en saison, pour déguster les sublimes et rares « diamants noirs » proposés dans leur rustique panier d'osier... D'incomparables, odorantes et même paraît-il aphrodisiaques truffes noires, de vraies, d'uniques *tubermelanosporums,* dites « du Périgord ».

Aujourd'hui, le maître aurait commenté « la médiatique et divine !!! façon » dont son propriétaire, l'excellent cuisinier Alain Senderens, a rendu sa « troisième et inaccessible étoile » au redoutable guide Michelin, transformant ce lieu séculaire de la grande cuisine, en brasserie de haute gastronomie (*sic*). Vu les impressionnantes retombées médiatiques, Bibendum n'en espérait pas tant... Senderens non plus.

L'artiste de Catalogne opterait-il pour ce nouveau décor avec verres et appliques gravés et plafond bleuté ? Rien n'est moins sûr. En revanche, il adorerait les plats d'anthologie de la carte, comme le remarquable canard Apicius, au miel et aux épices, divinement accompagné d'un verre du vin qui convient. Après avoir sacrifié à cette dégustation, il aurait sûrement souhaité l'immortaliser.

Fin palais, Dali appréciait aussi la cuisine au sommet du truculent et regretté Raymond Oliver qui, dans son *Grand Véfour*, avec son incomparable accent bordelais déclarait souvent à propos des volailles et des palmipèdes : « Bien cuits... Ils ne sont pas morts pour rien ! »

Chaque année, en Espagne à Gérone, pour fêter le centenaire de la naissance du maître, une trentaine d'artistes et de restaurateurs locaux proposent à leurs clients leurs œuvres et des menus « daliniens» à base de produits locaux, auxquels le maître fait allusion dans ses livres *Vie secrète* ou *Les Dîners de Gala*.

Actuellement installé sur la Costa Brava à Rosés, il paraît que, chantre et pionnier de la révolutionnaire « cuisine moléculaire » dans son restaurant *El Bulli* (réservations obligatoires au minimum six mois à l'avance), classé pour la deuxième année consécutive par le *Figaro* et la revue anglaise *The Restaurant*, le meilleur cuisinier du monde est l'espagnol Ferran Adria. Merci, monsieur Dali d'avoir aussi influencé ce voisin : « Qui sait déguster ne boit plus jamais de vin, mais goûte des secrets. »

Jean-Edern Hallier

« *Si des généraux prenaient le pouvoir à Moscou, ils feraient la guerre, mais si c'était des pâtissiers, ils transformeraient le Kremlin en pièce montée. Chacun aurait sa part du gâteau.* »

(*L'honneur perdu de François Mitterrand*. Rocher/Belles-lettres. 1996).

Inconnu au bataillon des écrivains sirupeux, alors que le sucre, star de la pub depuis les années 1950 — J.-E. H. avait 14 ans —, n'en finit pas de nous saupoudrer les bienfaits de ses précieux cristaux, vantés par les inconditionnels thuriféraires des médias, annuelle semaine du goût à l'appui, Jean-Edern Hallier, fougueux adepte du « Vélo Lib » avant la mode, a trouvé la mort à Deauville, le 12 janvier 1997, dans une chute étrangement stupide. Il pédalait sur un classique et solide vélo, offert par un fabricant hollandais. A l'époque, sur les Champs-Élysées il fréquentait le Cercle Ledoyen (aujourd'hui fermé) pour animer en direct du bar, son émission de radio quotidienne. Son ami, le restaurateur Jean-Paul Arabian assurait la direction de l'établissement où son épouse Ghislaine régnait en cuisine.

Réputé pour ses pamphlets et ses polémiques épiques, Hallier l'était aussi pour son solide « coup de fourchette » qui s'exprimait souvent en ville avec des nourritures simples, dégustées dans ses endroits préférés.

Selon ses habitudes parisiennes, malgré des prix légèrement revus à la hausse, euro oblige, aujourd'hui, il persévérerait à fréquenter, en alternance, selon ses rendez-vous, près de chez lui aux Ternes, le *Poncelet* devenu *Chez Dada*, un petit troquet du trépidant marché Bayen-Poncelet, souvent en compagnie de son voisin et ami Jean-Pierre Camard, expert en art moderne, puis, pour le standing, le *Café de Flore*, à Saint-Germain des Prés. Et le soir, juste en face, pour dîner ou souper, chez *Lipp*, l'institution où les fumeurs de pipes furent interdits... bien avant la loi.

Pour voir et être vu, polémiquer et déjeuner avec de nombreux interlocuteurs, la légendaire et médiatique *Closerie des lilas* avait et conserverait sa préférence. Au menu, invariablement, à l'apéritif un *Bloody Mary*, pour suivre un tartare-frites, arrosé d'un grand bordeaux, le tout accompagné d'un énorme cigare. Un repas rapide et léger, de préférence, « sans livre d'or et sans

« *Que de jeunes filles qui,*
dans la vie, rampent sur le sol
comme des guirlandes tombées,
et qui, plus tard, s'élancent
et se tordent autour du tronc aimé
et prennent alors leur vraie beauté
de lianes ou de guirlandes... »

Une histoire sans nom (II)
Barbey

addition », pour tenter, au café, avec ses interlocuteurs... de refaire le monde.

Dans ce quartier branché, aujourd'hui, il pourrait également s'arrêter, même à bicyclette, fringale oblige, rue de Chevreuse, au *Caméléon*. Un très bon et ancien restaurant de Montparnasse, également réputé à la fin du siècle dernier pour ses clients connus et son insolite collection de pots de chambre d'époque, et récemment repris par son ami, l'excellent restaurateur Jean-Paul Arabian (deux fois « meilleur bistrot de l'année » en 2007). Ici, tranché épais, le foie de veau de lait est un plat d'anthologie et, parmi les entrées, les poireaux simplement vinaigrette valent le détour. Aux murs, en hommage à leur amitié, mais aussi au football, une de leurs passions communes, plusieurs des œuvres de Jean-Edern, immortalisant sobrement le ballon rond et ses joueurs, auraient flatté l'écrivain-artiste.

Pour ses déjeuners du samedi, habituels et prolongés avec ses copains antiquaires et son chauffeur Omar, il continuerait de fréquenter *Chez Serge*. « A *little french* bistrot » comme l'a si justement écrit un journaliste américain. Un authentique, pittoresque et bon bistrot à vins de Saint-Ouen, où Jean-Edern appréciait, le jambon persillé «maison» et la terrine de foie gras d'oie cru, au Sauternes (également «maison»)... en dégustant, de préférence en pichet, petit ou grand, des crus de nos terroirs.

Annexes

Un portrait de Barbey d'Aurevilly ^(*)

« Il est grand et svelte : d'un port d'*hidalgo*, le pas délibéré et frappant du talon, le nez au vent, roidement campé sur les jambes, il regarde les gens par-dessus la tête et les soldats par-dessus la baïonnette ; tout le monde le remarque ; il ne remarque personne ; mais, de temps à autre, il examine le visage des femmes ou leurs bottines. Enserré dans sa redingote-tunique, d'un goût qui n'est qu'à lui seul ; crocheté, sanglé, coupé en deux à la taille comme un officier belge ; la poitrine enflée, boutonnée, plastronnée ; les bras forcés dans des manches étroites, ouvertes sur le côté à la hussarde, moins les galons : on ne devinerait jamais qui il est, qui il pourrait être.

Il porte des gants blancs, couturés en noir, couleur aurore ou mi-partie ; des manchettes en entonnoir de gantelet, tenues à force d'empois à la raideur du cuir verni ; son pantalon collant à sous-pieds et carrelé blanc, rouge, noir et vert à l'écossaise ; parfois zébré ou écaillé comme une peau de tigre ou de serpent.

On lui voit assez souvent en pardessus un ample sac de mérinos noir, à manches de caraco de femme, sans collet, emboîtant le cou comme l'échancrure d'un plat à barbe, et longé, de haut en bas, de deux rangées de brandebourgs qui ressemblent à des macarons noirs collés le long de son buste et emmêlés de cordonnets. Le chapeau sur l'oreille, à la casseur d'assiettes, il tient de la main droite une canne et de la main gauche un petit miroir dans lequel il vérifie, de cinq minutes en cinq minutes, son identité.

L'hiver, il se drape d'un manteau fait d'une capote de charretier, rayée, sur fond blanc, de bleu, de noir, de chocolat, et doublée de velours noir ; s'il la met au rebours, c'est Edgar, l'amant de Lucie de Lammermoor ; s'il la met à l'endroit, c'est un roulier gentilhomme, un homme

(*)   Signé de Théophile Sylvestre et paru dans Le Figaro *du 25 juin 1861*

impossible. La nuit, les rayures s'effaçant et le blanc paraissant seul, c'est un officier autrichien. Un ivrogne de la rue de Sèvres, zigzaguant le long des murs, le prit un beau soir pour l'empereur d'Autriche lui-même, venant espionner l'empereur des Français.

N'oublions pas un cache-nez dont le fond en damier se compose de toutes les couleurs du prisme.

J'ai rencontré dernièrement messire Barbey d'Aurevilly, tunique déboutonnée pour la première fois peut-être depuis six ou sept ans, c'est-à-dire depuis que j'ai l'honneur et le plaisir de le connaître. Sa poitrine était couverte d'une chemise rouge — non qu'il soit fou de Garibaldi, au contraire — et il semblait heureux dans ce vêtement couleur d'amour, de guerre et de puissance. Oh ! le beau rouge ! c'était « la pourpre trois fois teinte des triomphateurs », pour emprunter une expression de M. Granier de Cassagnac.

Et les traits du visage de Barbey d'Aurevilly ?

Voici :

Nez aquilin, aux narines vigoureusement remuantes ; front un peu en fuite, pas grand, mais plein et très exalté ; moustache de léopard ; œil d'orateur, et non sans violence ; deux rides en coup de sabre, qui vont des ailes du nez au coin de la bouche, laquelle est assez hautaine, travaillée par l'ironie, néanmoins pleine de bonté, et froissée par l'habitude ardente de la parole, comme une bouche à feu est fatiguée par le tir. Je note chez lui quelques airs de tête héroïques qui rappellent le buste si connu de Rotrou.

Son geste est noble, impérieux, souvent exagéré, toujours expressif, jamais cynique et rarement familier, même dans les moindres choses. En les enflant pour les relever, ces moindres choses, il les dénature parfois. Il a une façon de tendre l'index assez altière, et une autre, fort insolente, de chasser au loin la main qu'on lui tend et qu'il ne veut pas serrer. Il s'excite lui-même à tout propos à l'énergie et s'entoure autant que possible d'objets dont la seule vue entretient la vaillance et se repaît des souvenirs les plus capables de l'exalter. Il doit avoir, même en dormant, la tête pleine de tambours, de trompettes, de canons et un laurier planté dans l'imagination. Le crucifix attaché au chevet de son lit le garde et l'apaise, s'il est vrai qu'il puisse être jamais apaisé complètement ; Il a été « terrassé par le chemin de Damas » ; il a beaucoup rêvé de la vie éternelle, sur le bord de la mer ; mais on dirait que le vieil homme regimbe encore en lui.

Il est un de ceux-là qui usent plus de bottes que de souliers ; il coucherait avec ses bottes sur une planche, ainsi que Charles XII ; mais il les ôterait bien pour mademoiselle de Koenigsmarck.

Il lui arrive d'avoir des emphases de l'ordre le plus plaisant pour des riens. Etonné, en le visitant un matin, de le voir passant dans ses cheveux une espèce d'outil métallique :

« — Eh quoi ! lui dis-je, vous avez donc un peigne de fer ?

— Oui, me répondit-il d'une voix tonnante, oui, j'ai un peigne de fer, comme un vieux druide. Tout est en fer ici, — sans nous compter !»

N'ayez pas peur qu'il fasse quoi que ce soit comme le commun des mortels : tout jusqu'à sa signature, sa plume, son papier, son encre lui est un moyen d'excentricité, de jovialité. Sa terrible carte de visite paraphée, serpentée en rouge, *méduse* pour ainsi dire les gens à qui elle est montrée. Il faut avoir un fier aplomb pour oser seulement la déposer chez quelqu'un. Le nom de Nadar, écrit sur les murs, et dont l'initiale simule un faisceau de trois lames de yatagan, est un caprice timide à côté de l'ultra-audacieuse signature de d'Aurevilly.

Il va bien, celui-là ; je m'y fie ! et il faut que l'on marche avec lui bon train, fût-on directeur des postes. Recevez une lettre de lui, où il n'ait écrit et souligné trois fois à l'encre rouge : Pressée !

Vous vous servez d'encre noire de la petite vertu. Il ne l'aime pas. Il a devant lui sept couleurs d'encre, l'arc-en-ciel en bouteilles ; il trempe dans l'une ou dans l'autre, selon l'impression du moment, quelquefois dans toutes, au même quart d'heure : il ne touche presque jamais au noir.

Il est très gai ; il rit toujours de tout, de tous et de lui-même. Il rirait sur le gril du prince Guatimozin, qui se bornait à ne pas gémir lui-même pour faire taire les autres grillant et gémissant à ses côtés. Barbey d'Aurevilly est un Hamlet rieur. Le rire est la double fanfare sonnée par la santé de son corps et par celle de son esprit.

L'esprit ! Il a un esprit qui en vaut quatre et plus, et qui ne vaut pas encore son cœur — un cœur d'or. Il n'attend pas qu'un bon mot lui vienne comme ces méchants pitres de salon, qui en attrapent un tout petit par mois. Ses saillies sont innombrables et pétillantes comme les étincelles électriques qui sortent la nuit du dos d'un chat.

« Barbey d'Aurevilly — a dit Louis Veuillot — est un volcan dans la lune. »

Baudelaire à d'Aurevilly :

« Vous me fracassez de votre éclat ; il faut vous louer comme *soleil* à l'artificier Ruggieri. »

Réplique :

« Mon ami, quand vous reviendrez me voir, je vous donnerai une visière verte. »

Disons de Barbey d'Aurevilly ce que Mme Necker disait de Diderot :

« Il ne serait pas si naturel s'il n'était pas si exagéré. »

Tout ce qui est dans son tempérament, son éducation et ses habitudes éclate dans la moindre des choses qu'il dit ou qu'il écrit : la passion du beau et du grand l'excite et l'affole ; son fougueux talent, qui hennit à la Vérité comme le coursier de Danrieux hennissait au Soleil, porte au vent, bondit, écarte, pointe, prend le mors aux dents en se couvrant d'écume, et ne s'abat jamais, grâce à des reins et à des jarrets d'acier. Ce n'est pas aux genoux qu'il aura des couronnes. Tantôt cet étalon de lettres se renverse en se cabrant, tantôt il mord au poitrail les hongres jaloux du journalisme et donne du pied à de tristes rosses d'Académie, qui sentent Montfaucon... »

« *Mais les mots sont des choses,*

et une petite goutte d'encre

Tombant comme la rosée sur une pensée, produit

Ce qui fait penser des mille, peut-être des

millions. »

Don Juan, Chant III
Byron

Le Premier Baiser de l'amour [*]

par Lord Byron

Arrière les fictions de vos romans imbéciles,
Ces trames de mensonges tissues par la Folie !
Donnez-moi le doux rayon d'un regard qui vient du cœur,
Ou le transport que l'on éprouve au premier baiser de l'amour.

Rimeurs, qui ne brûlez que du feu de l'imagination,
Dont les passions pastorales sont faites pour le bocage,
De quelle heureuse source d'inspiration couleraient vos sonnets,
Si vous aviez savouré ce premier baiser de l'amour !

Si Apollon vous refuse son aide,
Si les neuf sœurs paraissent vouloir s'éloigner de vous,
Ne les invoquez plus, dites adieu à la muse,
Et essayez de l'effet que produira le premier baiser de l'amour.

Je vous hais, froides compositions de l'art.
Dussent les prudes me condamner et les bigots me désapprouver,
Je recherche les inspirations d'un cœur
Qui bat de volupté au premier baiser de l'amour.

Vos bergers, vos moutons, tous ces sujets fantastiques
Peuvent amuser parfois, mais ne pourront jamais émouvoir.
L'Arcadie n'est, après tout, qu'un pays de fictions ;
Que sont ces visions-là, comparées au premier baiser de l'amour ?

(*) *Œuvres complètes de lord Byron. Poésies diverses. Traduction de Benjamin Laroche, Paris, V. Lecou, 1847.*

Oh ! ne dites pas que l'homme, depuis sa naissance,
Depuis Adam jusqu'à nos jours, a été soumis à la loi du malheur ;
Il y a encore sur la terre quelque chose du paradis,
Et l'Eden revit dans le premier baiser de l'amour.
Quand l'âge aura glacé notre sang, quand nos plaisirs auront disparu,
Car les années pour s'enfuir ont les ailes de la colombe,
Le souvenir le plus cher et qui survivra à tous les autres,
Celui que notre mémoire aimera le plus à se rappeler,
C'est le premier baiser de l'amour.

23 décembre 1806

The First Kiss of Love

Ha barbitos de chordais
Er ota mounon aechei.—Anacreon *(Ode 1)*

Away with your fictions of flimsy romance,
    Those tissues of falsehood which Folly has wove;
Give me the mild beam of the soul-breathing glance,
    Or the rapture which dwells on the first kiss of love.

Ye rhymers, whose bosoms with fantasy glow,
    Whose pastoral passions are made for the grove;
From what blest inspiration your sonnets would flow,
    Could you ever have tasted the first kiss of love.

If Apollo should e'er his assistance refuse,
    Or the Nine be dispos'd from your service to rove,
Invoke them no more, bid adieu to the Muse,
    And try the effect, of the first kiss of love.

I hate you, ye cold compositions of art,
  Though prudes may condemn me, and bigots reprove;
I court the effusions that spring from the heart,
  Which throbs, with delight, to the first kiss of love.

Your shepherds, your flocks, those fantastical themes,
  Perhaps may amuse, yet they never can move :
Arcadia displays but a region of dreams;
  What are visions like these, to the first kiss of love ?

Oh! cease to affirm that man, since his birth,
  From Adam, till now, has with wretchedness strove;
Some portion of Paradise still is on earth,
  And Eden revives, in the first kiss of love.

When age chills the blood, when our pleasures are past—
  For years fleet away with the wings of the dove—
The dearest remembrance will still be the last,
  Our sweetest memorial, the first kiss of love.

Abécédaire dalirant

ou

pensées follement détachées

De Salvador Dali sont connus essentiellement les peintures, les dessins et, dans une moindre mesure, les sculptures. Mais l'artiste plasticien était aussi un auteur prolifique, dont les textes restent parfois à découvrir et toujours à relire, tant ils peuvent éclairer le cheminement de son activité créatrice ou surprendre, voire choquer, par leur caractère sulfureux... En voici quelques-uns, extraits de sources diverses (*Journal d'un génie, La Vie secrète de Salvador Dali, Métamorphoses érotiques, Manifeste mystique, Les Cocus du vieil art moderne, La Conquête de l'irrationnel, Métamorphose de Narcisse, 50 secrets magiques*, avant-propos de catalogue d'exposition, discours d'entrée à l'Académie des beaux-arts...).

A

Apocalypse
« *L'Apocalypse, ça se mange fait à point, comme un bon fromage.* »

Argent
« *Les gens très riches m'ont toujours fait de l'effet. Comme les gens pauvres de Port Lligat aussi. Seuls, les gens moyens m'ont laissé sans réaction.* »

« *Mon éthique personnelle est infaillible. J'habite là où il y a le plus d'argent.* »

« *Cinq minutes consacrées au chocolat [spot Lanvin] me permettent de travailler trois ans sur le même tableau avec un maximum de luxe. En général, les gens travaillent pour gagner de l'argent. Moi je gagne de l'argent pour pouvoir travailler.* »

B

Beauté

« *La beauté sera comestible ou ne sera pas.* »

Bêtise

« *Dieu que les hommes peuvent être bêtes !* »

C

Catalogne

« *La Catalogne compte trois grands génies, à savoir Raymond de Sebonde, auteur de* La Théologie naturelle, *Gaudi, créateur du gothique méditerranéen, et Salvador Dali, inventeur de la nouvelle mystique paranoïaque-critique et sauveur, comme son nom propre l'indique, de la peinture moderne.* »

Christ

« *Le Christ, c'est du fromage, mieux encore des montagnes de fromage.* »

Ciel

« *Le Ciel, voilà ce que mon âme éprise d'absolu a cherché tout au long d'une vie qui a pu paraître à certains confuse et, pour tout dire parfumée au soufre du démon. Le Ciel ! Malheur à celui qui ne comprendra pas cela. Quand j'ai vu pour la première fois l'aisselle épilée d'une femme, j'ai cherché le Ciel ; quand j'ai remué avec ma béquille le tas putréfié et grouillant de vers de mon hérisson crevé, j'ai cherché le Ciel. Et qu'est-ce que le Ciel ? Gala est déjà réalité ! Le Ciel ne se trouve ni en haut, ni en bas, ni à droite, ni à gauche, le Ciel est exactement au centre de la poitine de l'homme qui a la Foi.*
P-S : A cette heure je n'ai pas encore la Foi et je crains de mourir sans Ciel. »

« *J'affirme hautement que le ciel se trouve au centre de la poitrine de l'homme qui a la foi, car ma mystique n'est pas seulement religieuse mais nucléaire, hallucinogène ; et dans l'or, dans la peinture des montres molles ou dans mes visions de la gare de Perpignan, je découvre la même vérité. Je crois aussi à la magie et à mon destin. »*

D

Dali

« *Chaque matin au réveil, j'expérimente un plaisir suprême : celui d'être Salvador Dali...* »

« *L'unique différence entre un fou et moi, c'est que moi je ne suis pas fou.* »

« *O Salvador, tu le sais maintenant, si tu joues au génie, tu le deviens !* »

« *Que l'on creuse sur mon front le labyrinthe des rides avec le fer rouge de ma vie, que mes cheveux blanchissent et que mon pas vacille, pourvu que je sauve l'intelligence de mon âme, pourvu que j'apprenne tout ce que les autres ne peuvent m'enseigner, ce que seule la vie sera capable de marquer en moi !* »

Dieu

« *Si Dieu a créé le monde en six jours, je peux bien ne prendre que deux minutes pour parler de lui.* »

« *Dieu est à peine plus grand que le bout de ma canne.* »

« *Dieu est une montagne de camembert.* »

E

Erotisme

« *L'érotisme est une voie royale de l'âme de Dieu.* »

« *J'amène les plus belles femmes à se dévêtir. Je dis toujours que par le cul les plus grands mystères deviennent sondables et je suis même parvenu à découvrir une analogie profonde entre les fesses d'une de mes invitées à Port Lligat que j'ai fait se dévêtir et le* continuum *universel que j'ai nommé le Continuum à quatre fesses. J'imagine les positions les plus superbes et les plus folles pour me maintenir dans un état d'érection paroxysmique et mon bonheur est total quand je parviens à assister à une sodomisation réussie. L'essentiel pour moi passe par l'œil. Je parviens à persuader une jeune Espagnole de se laisser sodomiser par un garçon de mon entourage qui la courtisait. Accompagnée d'une amie — car les témoins sont importants dans mon théâtre et servent de comptables — nous nous installâmes dans la chambre sur un divan. Les deux partenaires font leur entrée par deux portes différentes ; elle, nue sous son peignoir, lui sans un voile et le sexe dressé. Tout de suite, il la retourne et sans attendre s'occupe à la pénétrer. Il y réussit si vite que je me lève pour vérifier qu'il ne s'agit pas d'un simulacre. J'ai horreur d'être dupé. Elle s'écrie alors d'une voix extatique : « C'est pour Dali, c'est pour le Divin ! ». Cette affirmation m'énerve car j'en analyse instantanément le mal-fondé, d'autant que le jeune mâle s'affaire ardemment dans le fondement de la jeune Espagnole qui râle d'aise. J'insiste : « Avouez que vous l'aimez celui-là qui est dans votre cul ? » Sa comédie cesse alors sans plus de dissimulation. « Oui, crie-t-elle, je l'adore ! » Et je vis alors la plus étonnante chose qui se puisse rêver comme expression d'une phénoménale beauté : la jeune femme tenue solidement par les hanches et vissée à l'homme redressa ses deux bras qu'elle lança en arrière, faisant se dresser sa poitrine superbe. Cependant que sa tête se renversait et que ses lèvres allaient effleurer celles de l'homme qui la faisait jouir dans la souffrance. Une sorte de perfection du geste qui transformait ce couple en une liane végétale et communiquait une vision angélique. Je n'ai jamais raconté cette histoire sans éprouver chaque fois la sensation merveilleuse d'avoir violé le secret de la beauté parfaite. »*

« La peinture, comme l'amour, rentre par les yeux et coule par les poils du pinceau. Mon délire érotique me conduit à exalter jusqu'au paroxysme mes tendances sodomisatrices. »

« Il m'arrive à cette époque de dépenser des sommes considérables en dîners, en cadeaux, en costumes, en sorties pour parvenir à mes fins et subjuguer, fasciner mes acteurs. Les préparatifs durent quelquefois

des mois et j'ajuste soigneusement toutes les pièces de mon puzzle. J'invente les perversions les plus savantes, impose mes caprices les plus extrêmes, décide chacun des participants aux actes les plus fous, obtiens les aveux les plus complets... Je n'ai que l'embarras du choix, puisant dans le vivier de New York ou de Paris où cent femmes du monde en mal d'érotomanie sont prêtes à se plier à mes caprices. Sans compter bien sûr les professionnelles de qualité que je nomme les « danièles » et que j'utilise quelquefois pour régler mes numéros... L'érotisme, comme les drogues hallucinogènes comme les sciences de l'atome, comme l'architecture gothique de Gaudi, comme mon amour de l'or, se ramène à un commun dénominateur : Dieu est présent en tout. Il y a la même magie au cœur des choses et tous les chemins conduisent à la même révélation : nous sommes les fils de Dieu et tout l'univers tend à la perfection de l'être humain. »

« Peut-être et sans peut-être, la plus grande différence existant entre l'érotisme et la pornographie, c'est que l'érotisme est divin et apporte la chance alors que la pornographie est infrahumaine et porte la mauvaise chance. Les Romains le savaient, dont la langue donne au mot obscenus *la signification de mauvais augure. L'érotisme est du côté de ceux qui portent cravate, les riches. C'est le côté des dieux, des aigles ! Le pornographe, lui, est pauvre ; il ne porte pas de cravate, son misérable destin ressemble à celui des tortues à écraser. A-t-on jamais vu une tortue riche, à l'exception de celle de Joris-Karl Huysmans, et elle en creva !... Le pornographe au visage prématurément vieilli de tortue, obscène manchot impudiquement chauve et chaud, vous offre au coin des rues les cartes postales sales avec sa petite patte de tortue qu'il ose à peine sortir de son veston carapacé de crasse. Eros, le dieu de l'amour, au contraire, se tient debout et lève le bras dans le ciel pour brandir sa cravate microgramétique, carquois qu'il porte pendu à son cou d'albâtre incorruptible. Ce carquois en tortue, anti-tortue, avec ses dards spermatiques est le plus glorieux et le plus impérial des attributs mystiques de l'ange des aigles des religions écraseuses des crasseuses tortues ; les Ganymèdes « anti-godemichèdes ». »*

« Pour moi, l'érotisme doit toujours être laid, l'esthétique divine et la mort belle. »

« Son corps avait une complexion enfantine, ses omoplates et ses lombaires cette tension un peu brusque des adolescents. En revanche, le creux du dos était extrêmement féminin et liait avec grâce le torse énergique et fier aux fesses très fines que la taille de guêpe rendait encore plus désirable. »

Espagne

« L'Espagne n'est pas un jardin, ni l'Espagnol un jardinier. L'Espagne est une planète où les roses sont des ânes pourris. »

Esprit

« La culture de l'esprit s'identifiera à la culture du désir. »

« Mon esprit s'est pressé d'être le premier de tous, même s'il devait payer ses extraordinaires découvertes du prix de ma sueur la plus intense, de ma passion la plus exaltée. »

Exagération

« L'unique chose dont le monde n'aura jamais assez, c'est l'exagération. »

F

Femme

« La femme deviendra spectacle par la désarticulation et la déformation de son anatomie. Le « corps démontable » est l'aspiration et la vérification algide de l'exhibitionnisme féminin, lequel deviendra furieusement analytique, permettant de montrer chaque pièce séparément, d'isoler pour les donner à manger à part, des anatomies montées sur griffes, atmosphériques et spectrales comme celle montée sur griffes et spectrale de la mante religieuse. »

Femme à barbe

« Dans le spectacle grandiosement consternant de la femme à barbe, se reproduit l'aussi grandiose et nostalgique mécanisme de la « déception

esthétique », laquelle dans notre philosophie occidentale s'appelle « principe de causalité ». Ce principe de causalité n'est pas autre que le dépaysement sublime du poil biologique, du poil terrible, du poil hallucinant car tout se passe comme si, dans l'assiette d'or dans laquelle on vous servirait les plus hautes hiérarchies supergélatineuses, des structures molles et divines de « l'éternel féminin », vous trouveriez non seulement un poil, mais une véritable barbe truculente collée antigéodésiquement à tout ce délire nutritif et venu de je ne sais où. »

Folie

« Le clown, ce n'est pas moi, mais cette société monstrueusement cynique et si naïvement inconsciente qui joue au jeu du sérieux pour mieux cacher sa folie. Car, moi — je ne le répéterai jamais assez —, je ne suis pas fou. »

France

« A peine arrivé dans ma Rolls bourrée de choux-fleurs, salué par les milliers de flashes des photographes, j'ai pris la parole dans le grand amphithéâtre de la Sorbonne. L'assistance frémissante attendait des paroles décisives. Elle les a eues. J'avais décidé de faire connaître la communication la plus délirante de ma vie à Paris parce que la France est le pays le plus intelligent du monde, le pays le plus rationnel du monde. Tandis que moi, Salvador Dali, je viens de l'Espagne qui est le pays le plus irrationnel et le plus mystique du monde... Des applaudissements frénétiques ont accueilli ces premiers mots, personne n'étant plus sensible que les Français aux compliments. »

G

Gala

« Gala m'a apporté au sens vrai du terme la structure qui manquait à ma vie. Je n'existais que dans un sac plein de trous, mou et flou, toujours à la recherche d'une béquille. En me collant à Gala j'ai trouvé une colonne vertébrale et en faisant l'amour avec elle j'ai rempli ma peau. Mon sperme, jusqu'ici, se perdait par la masturbation, comme jeté dans le néant ; avec Gala je l'ai récupéré et m'en suis vivifié. Je croyais d'abord qu'elle allait me dévorer ; mais, au contraire, elle m'a

appris à manger le réel. En signant mes tableaux Gala-Dalí, je n'ai fait
que donner un nom à une vérité existentielle puisque sans mon jumeau
Gala je n'existerais plus. »

Gare de Perpignan

« *Le 19 septembre 1963, j'ai eu à la gare de Perpignan une espèce d'extase*
cosmogonique : la vision exacte de la constitution de l'univers. »

« *Le moment le plus rassurant de toute l'histoire de la peinture eut lieu*
le 17 novembre 1964 au centre de la gare de Perpignan, où je découvris
la possibilité de peindre à l'huile la véritable troisième dimension
stéréoscopique. »

« *C'est toujours à la gare de Perpignan, au moment où Gala fait*
enregistrer les tableaux qui nous suivent en train, que me viennent les
idées les plus géniales de ma vie. Quelques kilomètres avant déjà, au
Boulou, mon cerveau commence à se mettre en branle, mais l'arrivée
à la gare de Perpignan est l'occasion d'une véritable éjaculation
mentale qui atteint alors sa plus grande et sublime hauteur spéculative.
Je reste longtemps à cette altitude et vous me verrez toujours les yeux
blancs pendant cette éjaculation. Vers Lyon, toutefois, cette tension
commence à diminuer, et j'arrive à Paris apaisé par les phantasmes
gastronomiques de la route, Pic à Valence et M. Dumaine à Saulieu.
Mon cerveau redevient normal quoique toujours génial comme mon
lecteur voudra bien s'en souvenir. Eh bien, ce 19 septembre, j'ai eu à la
gare de Perpignan une espèce d'extase cosmogonique plus forte que les
précédentes. J'ai eu une vision exacte de la constitution de l'univers.
L'Univers qui est l'une des choses les plus limitées qui existe serait,
toutes proportions gardées, semblable par sa structure à la gare de
Perpignan... »

« *La gare de Perpignan est le centre de gravité de notre univers...C'est*
à cet endroit précis que l'Espagne a pivoté au moment de la dérive des
continents et de la formation de la Biscaye. Si ce phénomène ne s'était
pas passé, nous aurions dérivé comme ça jusqu'en Australie et nous
vivrions maintenant parmi les kangourous, ce qui serait la chose la plus

horrible du monde... En terminant, pour ne pas être trop long, je vais dire comme mon ami Michel de Montaigne : il faut toujours rendre tout ce qui est ultra-local universel et c'est pourquoi je finis toujours mes discours en disant dès maintenant vive la Gare de Perpignan et vive Figueras. »

« Les idées géniales ne viennent pas devant le Parthénon, la Vénus de Milo, la baie de Naples ou les chutes du Niagara, mais jaillissent en des lieux anodins, un boulevard, le tramway, la salle de bains... Chacun de nous a sa gare de Perpignan. »

« Et voilà que dans cette salle des pas perdus, cerné par des regards, désœuvré, je découvre, immobile, le plaisir. Un plaisir absolu, une apothéose, accompagnée d'une torrentielle éjaculation d'idées. Et, brusquement, avec une acuité colossale, le tableau que j'aurais dû peindre m'apparaît. J'ai trouvé ce que j'ai cherché tout l'été, avec une profusion de détails évidents... »

Génie
« Les génies devraient vivre cent mille ans et les crétins mourir jeunes. »

Gloire
« La gloire, c'est une chose brillante, pointue et coupante comme des ciseaux ouverts. »

Guerre civile espagnole
« Autour de moi, la hyène de l'opinion publique hurlait et voulait que je me prononce : hitlérien ou stalinien ? Non, cent fois non. J'étais dalinien, rien que dalinien ! Et cela jusqu'à ma mort ! Je ne croyais à aucune révolution ? Je ne croyais qu'à la qualité suprême de la tradition. Si la révolution servait à quelque chose, c'était, par spasmes convulsifs, à retrouver les éléments perdus d'une tradition. A travers la guerre civile, on allait retrouver l'authentique tradition catholique propre à l'Espagne. Tous se battirent avec le courage et l'orgueil de la Foi, aussi bien les athées que les croyants, les saints que les criminels, les déterreurs que les enterreurs, les bourreaux que les martyrs. Car tous

étaient espagnols, de cette race qui est l'aristocratie des peuples. »

H

Hasard

« *L'activité paranoïaque critique est une force organisatrice et productrice de hasard objectif.* »

Hitler

« *J'étais fasciné par le dos tendre et dodu d'Hitler toujours si bien sanglé dans son uniforme. Chaque fois que je commençais à peindre la bretelle de cuir qui, partant de sa ceinture, passait sur son épaule opposée, la mollesse de cette chair hitlérienne comprimée sous la tunique militaire créait en moi un état d'extase gustatif, laiteux, nutritif et wagnérien qui faisait violemment battre mon cœur, émotion très rare que je n'éprouvais même pas en faisant l'amour... De plus je considérais Hitler comme un masochiste intégral possédé par l'idée fixe de déclencher une guerre pour la perdre ensuite héroïquement. En somme, il s'apprêtait à faire un de ces actes gratuits très appréciés alors par notre groupe. Mon insistance à envisager la mystique hitlérienne du point de vue surréaliste, de même que mon insistance à donner un sens religieux au contenu sadique du surréalisme, l'une et l'autre aggravées par les développements de ma méthode d'analyse paranoïaque-critique qui tendait à ruiner l'automatisme et son narcissisme inhérent, aboutirent à une série de ruptures et de brouilles intermittentes avec Breton et ses amis.* » (...)

« *Si Hitler conquérait l'Europe, il en profiterait pour faire passer de vie à trépas tous les hystériques de mon espèce comme on l'avait déjà fait en Allemagne en les traitant de dégénérés. Enfin, le rôle féminin et irrésistiblement loufoque que j'attribuais à la personnalité d'Hitler aurait suffi à me faire qualifier d'iconoclaste par les nazis. De même que mon fanatisme exacerbé par Freud et Einstein, l'un et l'autre chassés d'Allemagne par Hitler, montrait bien que ce dernier ne m'intéressait qu'en tant qu'objet de mon délire et parce qu'il m'apparaissait d'une valeur catastrophique incomparable.* »

L

La Tour (Georges de)
— *Quelle opinion avez-vous de Georges de La Tour (...) ?*
— *Vous voulez dire celui qui peint des bougies ?*

M

Magie
« *Notre époque surmécanisée sous-estime les propriétés de l'imagination irrationnelle, qui n'apparaît pas comme pratique, mais n'en est pas moins à la base de toutes les découvertes... La «Guerre de production» donne le ton de la réalité pour aujourd'hui et pour demain. Mais, dans notre monde, la magie a toujours un rôle à jouer.* »

Malveillants
« *L'activité des malveillants quand elle souffle est une force capable à elle seule de faire voguer le bateau de votre victoire.* »

Mort
« *Pas une seule minute dans ma vie ne se passe sans que le spectre sublime catholique, apostolique et romain de la mort ne m'accompagne dans la moindre de mes plus subtiles et capricieuses fantaisies.* »

Mysticisme
« *L'explosion atomique du 6 août 1945 m'avait sismiquement ébranlé. Désormais l'atome était mon sujet de réflexion préféré. Bien des paysages peints durant cette période expriment la grande peur que j'éprouvais à l'annonce de cette explosion, j'appliquais ma méthode paranoïaque-critique à l'exploration de ce monde. Je veux voir et comprendre la force et les lois cachées des choses pour m'en rendre maître évidemment. Pour pénétrer au cœur de la réalité, j'ai l'intuition géniale que je dispose d'une arme extraordinaire : le mysticisme, c'est-à-dire l'intuition profonde de ce qui est, la communication immédiate avec le tout, la vision absolue par la grâce de la vérité, par la grâce divine. Plus fort que les cyclotrons et les ordinateurs cybernétiques, je peux en un instant pénétrer les secrets du réel... A moi l'extase !* »

m'écriai-je. L'extase de Dieu et de l'homme. A moi la perfection, la beauté, que je puisse la regarder dans les yeux. Mort à l'académisme, aux formules bureaucratiques de l'art, au plagiat décoratif, aux aberrations débiles de l'art africain. A moi, sainte Thérèse d'Avila !... C'est dans cet état de prophétisme intense que je compris que les moyens d'expression picturaux ont été inventés une fois pour toutes et avec le maximum de perfection et d'efficacité à la Renaissance et que la décadence de la peinture moderne vient du scepticisme et du manque de croyance, conséquences du matérialisme mécaniste. Moi, Dali, réactualisant le mysticisme espagnol, je vais prouver par mon œuvre l'unité de l'univers en montrant la spiritualité de toute substance. »

O

Olfaction

« Des cinq sens, l'olfaction est sans conteste celui qui donne le mieux l'idée de l'immortalité. »

Oreille

« L'oreille est le symbole de la paix parce que son but n'est que de recevoir, alors que l'œil représente la guerre parce qu'il transperce. »

P

Peinture

« Peintres, ne craignez pas la perfection. Vous n'y parviendrez jamais ! Si vous êtes médiocres, et que vous fassiez des efforts pour peindre très, très mal, on verra toujours que vous êtes médiocres. »

« Quand vous peignez, pensez toujours à autre chose. »

« L'œuvre d'art pure, c'est la peinture parce que la peinture, ça rentre par l'œil et ça sort par la main du peintre, celui qui fait le tableau, il n'y a pas d'intermédiaires. Si vous faites de la merde, c'est votre propre merde ! »

« Les jeunes peintres modernes ne croient à peu près à rien ; et il est tout à fait normal que quand on ne croit à rien on finisse par peindre à peu près rien. »

« Peintre, si tu veux t'assurer une place prédominante dans la société, il faut que, dès ta première jeunesse, tu lui donnes un terrible coup de pied dans la jambe droite. »

« Les deux choses les plus heureuses qui puissent arriver à un peintre contemporain sont : primo, *être espagnol, et* secundo, *s'appeler Dali. Elles me sont arrivées toutes les deux.* »

Picasso

« Picasso, merci ! Avec ton génie ibérique anarchique intégral tu as tué la laideur de la peinture moderne : sans toi, avec la prudence et la mesure qui caractérisent et font l'honneur de l'art français, on risquait d'avoir cent ans de peinture de plus en plus laide, jusqu'à arriver progressivement à tes sublimes « Esperantos abateslos » de la série Dora Mar. Toi, d'un seul coup d'épée catégorique tu as abattu le taureau de l'ignominie, et aussi et surtout celui encore plus noir du matérialisme tout entier. Maintenant la nouvelle époque de la peinture mystique commence avec moi. »

« Il est bon et nécessaire que, de temps en temps, des Espagnols comme Picasso et moi, nous venions à Paris pour mettre sous les yeux des Français un morceau cru et saignant de vérité. »

Poète

« Le poète doit, avant qui que ce soit, prouver ce qu'il dit. »

Public

« Toute idée profondément originale qui ose se présenter sans «antécédents connus» est systématiquement rejetée, diminuée, mutilée, mâchée, crachée, détruite et, pire encore, réduite à la plus monstrueuse des médiocrités. L'alibi donné est toujours la vulgarité de la grande majorité du public ; or, j'insiste : ceci est absolument faux car le

public est infiniment supérieur aux ordures dont on l'abreuve chaque jour. Les masses savent depuis toujours où trouver la poésie véritable. L'incompréhension s'est répandue par la faute de ces «hommes moyens de la culture» qui, avec leurs airs hautains et leur caquetage prétentieux, s'interposent entre le créateur et le public. »

« Les foules défilent et défileront devant mes tableaux, parce que leur instinct soupçonne obscurément et avec éblouissement que mes œuvres cachent des trésors aveuglant d'authenticité que personne n'a jamais aperçus. Trésors extra-artistiques qui le seront de plus en plus. »

« Le public n'a pas besoin de grande peinture, mais de meilleures moustaches. »

R

Raphaël

« Si je me tourne vers le passé, des hommes comme Raphaël m'apparaissent comme de vrais dieux. Je suis, sans doute, le seul à saisir pourquoi, aujourd'hui, il est impossible d'approcher, même de loin, la perfection des formes raphaélites. Ma propre œuvre m'apparaît comme un grand désastre. J'ai tant désiré vivre à une époque où il n'y aurait rien à sauver ! Mais si je me tourne cette fois vers le présent, et bien que je ne sous-estime pas les intelligences spécialisées très supérieures à la mienne, je ne voudrais pour rien au monde échanger ma personnalité avec celle d'un de mes contemporains. »

« De tous les peintres contemporains, je suis le seul à pouvoir faire «le plus» ce que je veux, et ce n'est pas dit qu'un jour, tout en rigolant, je ne serai pas considéré comme le Raphaël de notre époque ! ».

« On comprendra un jour que Raphaël et Vermeer avaient déjà tout découvert en peinture. C'est pourquoi au lieu de persister fastidieusement à théoriser pour tenter de redécouvrir la peinture... Peignons ! »

S

Saints

« *On connaît plus de cinquante saints qui sont morts en «odeur de sainteté» — ce qui n'est pas une expression toute faite, mais une réalité objective. Certains corps de saints ont la propriété après la mort de distiller des baumes et des huiles odorantes, possédant d'infinies vertus, on les appelle des myroblytes. Le cas le plus célèbre est celui de Thérèse d'Avila...* ».

Sculpture

« *Le moins que l'on puisse demander à une sculpture, c'est qu'elle ne bouge pas.* »

Sommeil

« *J'ai souvent imaginé et représenté le monstre du sommeil comme une lourde tête géante avec un corps filiforme soutenu en équilibre par les béquilles de la réalité. Lorsque ces béquilles se brisent, nous avons la sensation de «tomber». La plupart de mes lecteurs ont expérimenté cette sensation de tomber brusquement dans le vide, juste à la minute où le sommeil va les gagner complètement. Réveillés en sursaut, le cœur agité par un tremblement convulsif, vous ne vous doutez pas toujours que cette sensation est une réminiscence de l'expulsion de l'accouchement.* »

Surréalistes

« *Les surréalistes sont involontairement les médiums d'un monde inconnu. Moi-même, peintre surréaliste, je n'ai jamais eu la moindre idée de ce que signifiaient mes tableaux. Je transcris simplement mes pensées et essaie de concrétiser mes visions les plus exacerbées et les plus fugitives, tout ce qui est mystérieux, incompréhensible, personnel, unique, susceptible de me passer par la tête. Les moyens picturaux ne permettent qu'une approximation de l'idéal «photographique instantané en couleurs» que doit devenir la peinture pour présenter de la façon la plus extra-artistique tous les incroyables et imminents délires de l'exactitude obsessionnelle qui constitue la terre d'élection de la pensée inconsciente et irrationnelle. Un nouveau monde reste à découvrir, un monde de la «connaissance irrationnelle de l'univers».* »

« *La différence entre les surréalistes et moi, c'est que moi je suis surréaliste.* »

Système « chie et mange »

Invention d' « el sistem caja y menja », c'est-à-dire « le système chie et mange » selon Dali :

« *Voici, comme l'aurait voulu Stendhal, des détails exacts : les tours de l'Immortalité — chaque ville devait en posséder une — étaient imaginées d'après* La Tour de Babel *de Bruegel. Chaque habitant voulant déféquer le faisait directement et hiérarchiquement sur l'habitant de l'étage inférieur désirant se nourrir. L'être humain, par des méthodes de perfectionnement spirituel et alimentaire, produisait une défécation semi-liquide en tout comparable au miel des abeilles. Les uns recevaient dans la bouche la défécation des autres et ceux-là chiaient à leur tour... ce qui assurait du point de vue social un équilibre parfait ; en outre, tout le monde était alimenté sans avoir besoin de travailler...* »

Dali trouve dans l'actualité l'application de sa théorie : « *Maintenant , alors que justement on érige de nouveau des tours de lancement d'engins vers l'espace, nous apprenons la vertibilité de l'urine humaine et des excréments puisque les astronautes boivent leur propre pipi et qu'ils chient dans des petits containers où poussent de façon monstrueuse des algues et des champignons qu'ils peuvent manger et donc rechier...* »

T

Trou du cul

« *Je dis que la principale zone d'hibernation du corps est le trou du cul, puisque la première chose que font les animaux qui hibernent, c'est de se boucher le cul avec une pâte faite de boue et de merde afin de conserver leur métabolisme, et c'est aussi une garantie d'intimité !* »

V

Vermeer de Delft

« *Van Gogh était fou et se coupa inconditionnellement, généreusement et gratuitement l'oreille gauche avec un rasoir. Moi non plus, je ne suis pas fou et, malgré tout, je serais tout à fait capable de me laisser incontinent couper la main gauche, mais cela de la façon la plus positivement intéressée du monde, c'est-à-dire à condition qu'il me soit possible d'observer pendant dix minutes Vermeer de Delft assis devant son chevalet en train de peindre. Je serais capable de bien plus encore, car, aussitôt et sans hésiter, je serais prêt à me laisser arracher l'oreille droite et même les deux oreilles à la fois, pourvu que je puisse savoir la formule exacte de la mixture qui compose le « jus précieux » dans lequel ce même Vermeer, unique entre les uniques (et que je n'appelle pas divin, parce qu'il est le plus humain de tous les peintres), trempe son rarissime pinceau... On pourrait croire une fois encore à une exagération dalinienne typique et pourtant c'est un fait rigoureusement objectif : en 1948, quelques personnes au monde savent comment fabriquer une bombe atomique, mais il n'en existe pas une seule sur le globe qui sache aujourd'hui quelle était la composition du jus mystérieux, du médium dans lequel les frères Van Eyck ou Vermeer de Delft trempaient leurs pinceaux. Personne ne le sait — pas même moi !... Il n'y a ombre de folie à prétendre, comme je le fais, que si l'on posait sur l'un des plateaux de la balance de la justice picturale une seule goutte de médium avec lequel peignait Vermeer de Delft, il ne faudrait pas hésiter une seconde à jeter sur l'autre plateau de cette balance l'oreille gauche de Van Gogh, la main gauche de Salvador Dali et encore une quantité impressionnante de viscères de toutes sortes, même les plus intimes, arrachés un peu au hasard parmi les anatomies les plus désorganisées de nos peintres modernes. Et si toute cette chair crue fraîchement coupée n'arrivait pas — comme je le soupçonne fort — à faire le poids, il faudrait alors sans hésiter ajouter encore, pour la bonne mesure, les deux mains si pesantes de l'émouvant Paul Cézanne car le pauvre, malgré ses merveilleuses et si respectables ambitions de «faire du Poussin d'après nature», et par conséquent de devenir le maître et le plus grand architecte de la nature, ne parvient qu'à être une espèce de maître maçon néo-platonicien.* »

Vie

« *Que l'on creuse sur mon front le labyrinthe des rides avec le fer rouge de ma vie, que mes cheveux blanchissent et que mon pas vacille, pourvu que je sauve l'intelligence de mon âme, pourvu que j'apprenne tout ce que les autres ne peuvent m'enseigner, ce que seule la vie sera capable de marquer en moi !* »

Vision binoculaire

« *La vision binoculaire, c'est la trinité de la perception physique transcendante. Le Père, l'œil droit, le Fils, l'œil gauche et le Saint-Esprit, le cerveau, le miracle de la langue de feu, l'image lumineuse virtuelle devenue incorruptible, pur esprit, Saint-Esprit.* »

« *La plus sûre manière de paralyser l'individu est de lui faire croire qu'il peut embrasser l'univers d'un clin d'œil.* »

Chaque matin qui se lève est une leçon de courage
Hallier

Un déjeuner avec Hallier [*]

Ce n'était pas raisonnable : je n'aurais jamais dû me laisser aller à déjeuner avec Jean-Edern Hallier. Moi l'adepte du château la pompe et du régime biologique avec pain complet, je me suis retrouvé devant un verre que vous auriez décrit comme un vase, rempli d'un château potin — pas Félix Potin, nuance — à vous enflammer pour de bon les amygdales et à vous décaper agréablement les tuyaux.

Lui, Jean-Edern Hallier, je n'ai pas su ce qu'il avait dans son assiette et je ne suis pas certain qu'il l'ait su lui-même. Tout ce que j'ai compris, c'est qu'il dévorait à plein râtelier des crabes qui serraient fortement des pinces autour d'une singulière bestiole, une cagouille, ou plutôt un des rares spécimens de l'espèce des cagoulards, le « mythe errant » je crois. C'est qu'il tubulure sec, le Jean-Edern. Faut suivre. Il parle comme il écrit. C'est tout dire. Même quand il mange. Et son plat du jour, il avait l'œil dessus. « Plus on maintient en place des ministres discrédités, qu'il m'a dit, des Lang, des Defferre, des Cheysson ou des Fillioud, plus les conseillers de l'Elysée sont puissants. » « Je plains beaucoup le président, qu'il a ajouté ce diable : il perd ses contreforts institutionnels... » Nom d'un pétard ! La formule est forte. Il va y en avoir de plus jolies. Car mon interlocuteur commence à dégoiser : « La situation devient extrêmement dangereuse pour Mitterrand, qu'il me fait. Il devient urgent de sauver Mitterrand... » Un rire saccadé le secoue. Les spaghettis s'entortillent. Je mets les pieds dans le plat. « Et Gential dans tout çà ? ». Alors c'est la grande aventure en puzzle, le récit en technisonor servi à chaud : « Aujourd'hui, le pouvoir se débarrasse de ses meilleurs hommes : j'en suis consterné. Il y a eu un *mano a mano* entre Gential et moi au moment de ma libération... C'est vrai qu'avant mon séjour en Suisse j'ai sablé le champagne avec la brigade criminelle. C'est vrai aussi que c'est à la suite d'une conversation téléphonique avec Gential que j'ai renoncé à occuper l'ambassade de Roumanie : il m'a prévenu que, contrairement à ce qu'estimait Mitterrand, l'affaire Tanase était «bidon»...

(*) *Texte griffonné « pour mémoire » au milieu des années 1980 par l'auteur de cet ouvrage, aussitôt après un déjeuner faussement rustique avec Jean-Edern Hallier, dans un petit restaurant rue de Birague à Paris.*

C'est vrai enfin que Gential m'a prévenu — comme six ou sept autres personnes — que j'étais mis sur écoutes officielles...» Si ça continue, je vais en avoir plein la théière. Mes esgourdes vibraphonent. Et le pire, c'est qu'il y a un « Angel » qui pointe de temps en temps. Vous savez, le fameux « Angel » de *L'Enlèvement*. Drôle de personnage apparemment, ce terroriste au long cours. Tout se tient pourtant. Histoires de cabines téléphoniques, de phalangistes, de guérilla au Nicaragua, de séjour au Honduras ou de note salée dans un palace étoilé de Marbella... Et, tout d'un coup, une phrase : « Gential, c'est sûr, m'a sauvé la vie : il m'a évité de me faire descendre. » Silence grave. Mais on ne s'appesantit pas : « Vous savez, la guerre des polices est vraiment imbécile. Je me suis proposé d'organiser un dîner entre Gential, qui est un flic profondément démocrate, et Barril, hier encore le second de ce corps d'élite qu'est le Groupement d'intervention de la Gendarmerie nationale. Par trois fois, le dîner a été décommandé... Mais Gential et Barril ne m'ont jamais rien dit sur ce qui se passe à l'Elysée. N'importe quel conseiller de l'Elysée parle cinq cent fois plus que les policiers ou les gendarmes. C'est de leurs propres bavardages que ces messieurs les conseillers ont à se plaindre. » Et toc, une phrase concoctée avec préméditation on dirait : « L'Elysée est une volière dont les gazouillis parasitent la tranquillité de la France... » Et il enchaîne le bougre : « Je suis imprévisible et de parole. Ils sont prévisibles et sans parole... Ils devraient prendre des cours du soir du sens de l'Etat. » Finalement, on y arrive : « C'est vrai que le supérieur hiérarchique de Gential ne pouvait pas supporter son subordonné. Mais la mutation de Gential, c'est l'aboutissement du rapport de la transparence démocratique que ce policier incarne et la paranoïa du secret de la société secrète qui veut gouverner. »

Ça y est, tout se tient. Gential est « tombé » sur un « système d'écoutes ». Revanche des gendarmes contre les policiers avec l'alliance du conseiller à l'Elysée, Gilles Ménage, le bien nommé, particulièrement « nul » selon Hallier, et de François de Grossouvre, le « paniqué de Larnaca » toujours selon Hallier. Aux oubliettes Defferre et Badinter ! Et Mitterrand dans un fauteuil à roulettes ! Prochain épisode : la mutation du juge Grellier, celui-là même qui a instruit l'affaire de l'enlèvement... « La remise en question de mon non-lieu, l'élimination de Gential, autant de preuves, conclut Hallier, qu'il n'y a pas de négociations en cours avec le pouvoir au sujet de la parution de mon pamphlet *L'Honneur perdu de François Mitterrand*. Seule une réconciliation politique est envisageable. Je n'ai rien à dire à l'Etat-voyou ! »

Après avoir parcouru, comme le narrateur de *L'Enlèvement*, « un temple de mots, cimenté syntaxiquement, avec ses vastes couloirs de relatives, ses escaliers de gérondifs, de désinences basculant dans les futurs antérieurs, dérapant sur les propositions causales », j'ai, moi aussi, traversé de « vastes couloirs de verbes auxiliaires », je suis passé « sous des voûtes grammaticales » et « sous des arcs-boutants de conjonctifs de subordination », j'ai lapé deux ultimes gorgées de château potin et j'en suis resté tout confit jusqu'aux oreilles...

« *Ma vie entière a été déterminée*

par deux idées antagonistes :

le sommet et le fond. »

Dali

Barbey d

Byron

Barbey d'Aurev

Barbey

Dali

Byro

H

Hallier

Repères

Il n'y a pas de parcours, et *a fortiori* de bon parcours, sans repères. Il suffit, c'est bien connu, de les avoir perdus pour souvent s'apercevoir combien ils sont nécessaires... Pour le lecteur comme pour l'auteur, ils peuvent avoir beaucoup de vertus. Sous réserve qu'ils soient répertoriés, recoupés et reliés afin de constituer un ensemble de « vecteurs » capables d'apporter des informations précises, de piquer la curiosité et d'inciter, pourquoi pas, au prolongement et à la transhumance de la réflexion.

Avec Barbey, Byron, Dali et Hallier, les repères s'inscrivent à la fois dans le temps et dans l'espace. Avec les classiques aspects biographiques, mais aussi les nombreuses données d'ordre bibliographique, filmographique et internetien, ils n'ont pas pour ambition de former un quelconque « système » de références : ils visent plutôt à rassembler une panoplie d'« outils », à une quadruple échelle. Quitte à ce qu'ils soient perçus comme insolites ou extravagants, à une époque qui semble souvent prendre un vif intérêt ou un malin plaisir à cultiver, en tout et pour tout, l'illusion de leur présence ou la consécration de leur absence.

« La moralité de l'artiste est dans la force et la vérité de sa peinture. En peignant la réalité, en lui infiltrant, en lui insufflant la vie, il a été assez moral : il a été vrai. »

Une vieille maîtresse (Introduction)
Barbey

Les années Barbey

1808
Naissance, le 2 novembre, de Jules-Amédée Barbey à Saint-Sauveur-le-Vicomte, dans une famille de récente noblesse et très royaliste.

1824
Il écrit et publie sa première œuvre, un poème, *Aux Héros des Thermopyles.*

1827-1829
Il achève ses études au collège Stanislas à Paris.

1829-1833
Etudes de droit à Caen, alors qu'il était tenté, contre la volonté de son père, par une carrière militaire. Il rencontre Guillaume-Stanislas Trébutien, alors libraire à Caen, qui devient un ami intime. Il écrit également deux nouvelles, *Le Cachet d'Onyx* (qui ne sera publié qu'en 1919), puis *Léa.*

1833
Installation à Paris.

1835
Il écrit un premier roman, *Germaine ou La Pitié*, qui deviendra *Ce qui ne meurt pas* et ne sera publié qu'en 1883.

1836
Commencement du premier *Memorandum*. Rupture avec sa famille.

1838
Barbey débute sa carrière de journaliste.

1840
Il fréquente le salon de Mme de Maistre et achève *L'Amour impossible*, son premier roman, publié l'année suivante et dédié à la marquise

Armance du Vallon. Un livre qu'il jugera plus tard « parisien de mœurs, de langage, de corruption raffinée et nauséabonde, d'ennui et de préciosité ».

1845

Il publie *Du Dandysme et de George Brummell* et commence à écrire *Une vieille maîtresse.*

1846

Fondation de la « Société catholique », avec des amis rencontrés dans le salon de Mme de Maistre, et début de sa conversion à un catholicisme rigoriste (mais il ne deviendra catholique pratiquant qu'à partir de 1855).

1850

Rédaction de *L'Ensorcelée.*

1851

Il rencontre, chez Mme de Maistre, la baronne de Bouglon, celle qu'il surnommera « l'Ange blanc », sa future « fiancée » (le mariage sera projeté, mais n'a jamais eu lieu, au grand regret de Barbey qui fut très épris de cette femme).

Parution d'*Une vieille maîtresse* qui connaît un certain succès, essentiellement de scandale.

1852

Il devient critique littéraire au *Pays* et commence *Le Chevalier Des Touches.*

1856

Retrouvailles avec ses parents et voyage en Normandie (il passe notamment plusieurs jours à Caen auprès de Trébutien).

1858

Mort de sa mère et rupture définitive avec Trébutien.

1860

A Paris, il quitte la rue Oudinot pour s'installer au 25, rue Rousselet, après un court séjour au n° 29, et résider ainsi, jusqu'à sa mort, dans un logement relativement modeste qu'il appelle son « tourne-bride». Il fait paraître le premier volume de *Œuvres et les Hommes*.

1863

Parution en feuilleton, du 18 juillet au 2 septembre dans *Le Nain jaune*, du *Chevalier Des Touches*, dont la rédaction s'est étalée sux plus de dix ans. Le roman fait l'objet d'une édition en volume l'année suivante.

1865

Edition d'*Un prêtre marié,* livre-monument qui contribuera à faire figurer Barbey parmi les plus grands noms de la littérature.

1866-1871

Début et achèvement des *Diaboliques*. Mort de son père et de Trébutien. Barbey a l'habitude de réunir chaque dimanche chez lui, au 25, rue Rousselet à Paris, quelques auteurs débutants : Bloy (qui fait sa connaissance en 1867 à l'âge de vingt et un ans et se convertit au catholicisme en 1869 sous son influence), Coppée, Huysmans, Péladan, Richepin ou Bourget.

1874

Publication des *Diaboliques*. Sur un tirage de 2 200 exemplaires, 480 sont saisis et détruits à la suite des poursuites engagées par le parquet de la Seine, certains passages étant jugés d'une grande crudité ou trop licencieux. Gambetta assure la défense de Barbey, mais la procédure ne tourne court qu'en raison du retrait de l'ouvrage de la vente.

1876

Mort de son frère Léon.

1879

Il rencontre Louise Read, qui sera l'amie et la confidente des dernières années de sa vie.

1880-1881

Une histoire sans nom.

1889

Décès le 23 avril au matin.

Les années Byron

1788

Naissance le 22 janvier de George Gordon Byron à Londres. Atteint de la déformation congénitale d'un pied, il restera boiteux toute sa vie et en éprouvera une grande souffrance morale. Son père John Byron, surnommé Mad Jack (Jeannot le Fou), est l'aîné du second fils du quatrième lord Byron ; sa mère, Catherine Gordon, est la fille du douzième laird de Gight et prétend descendre du roi Jacques Ier d'Ecosse.

1791

Décès de son père, criblé de dettes, en France, à Valenciennes.

Jusqu'à l'âge de dix ans, Byron va être élevé à Aberdeen, sur les bruyères de l'Ecosse, au bord de la mer. Une période qui va, à tous égards, se révéler déterminante.

1796

Son éveil affectif précoce l'aurait, à l'en croire, rendu amoureux de sa cousine Mary Duff.

1798

A la mort de son grand-oncle, George Gordon Byron devient, le 21 mai, le sixième lord Byron of Rochdale. En août, sa mère quitte l'Ecosse avec lui pour s'installer à Newstead Abbey, propriété ancestrale des Byron dans le Nottinghamshire. Mais devant l'état plutôt délabré des lieux, elle devra renoncer et résider à proximité, dans la demeure de Burgage Manor, à Southwell.
Byron écrit son premier poème.

1801-1805

Scolarité à Harrow, aristocratique établissement par excellence. Brillant élève en sport, tout particulièrement en natation, il est un admirateur de Bonaparte dont il conserve un buste dans son pupitre. D'août à octobre 1803, il éprouve une passion pour Mary Chaworth qui le dédaigne. En 1804, il fait connaissance de sa demi-sœur Augusta, âgée d'à peine quinze ans.

1805-1808

Etudes à Cambridge, Trinity College. Mais Byron séjourne souvent à Londres. Parution en juin 1807 de *Poems on Various Occasions*, puis en juin de cette même année, de *Hours of Idleness* (*Heures d'oisiveté*). En septembre 1808, il s'installe à Newstead.

1809

En janvier, Byron fête sa majorité. En mars, il siège, pour la première fois, à la Chambre des lords où il va choquer en se tenant à gauche du trône, avec l'opposition. Parution de la première édition des *English Bards and Scotch Reviewers* (*Bardes anglais et Critiques écossais*). Le 19 mai, Byron quitte Londres pour Falmouth, en compagnie de son ami de Cambridge, John Cam Hobhouse. L'accompagnent aussi son valet de chambre, William Fletcher, et son page, Robert Rushton. Le 2 juillet, le navire *Princess Elisabeth* quitte Falmouth pour Lisbonne. Du 6 au 17 juillet, visite du Portugal (Lisbonne et Cintra). Du 18 juillet au 3 août, visite de l'Andalousie (Séville et Cadix). Du 4 au 14 août, séjour à Gibraltar (Byron renvoie Robert Rushton en Angleterre). 15 août : départ de Gibraltar. Du 30 août au 18 septembre, escale à Malte (La Valette), liaison avec Constance Spencer Smith, fille de l'ambassadeur d'Autriche à Constantinople, épouse d'un Anglais naguère ministre plénipotentiaire auprès de la Porte. Le 19 septembre, départ de Malte sur l'aviso *HMS Spider* qui escorte des navires marchands britanniques, escale à Patras. Le 20 septembre, débarquement à Prevesa. Du 30 septembre au 7 novembre, voyage en Epire-Albanie (Ioanina, Zitsa, Tepelenë). Le 30 octobre, Byron commence un poème rapportant les aventures et réflexions de Childe Burun, en utilisant la strophe de Spenser (huit décasyllabes et un alexandrin). Le 7 novembre, Byron et son groupe reprennent un bateau à Prevesa. Le 20 novembre, après avoir essuyé une tempête, ils atteignent Missolonghi, puis rejoignent Patras, avant de traverser le golfe de Corinthe et de monter à Castri, site de l'ancienne Delphes. A partir du 25 décembre (et jusqu'au 5 mars), Byron arrivé à Athènes par la voie terrestre, effectue son premier séjour dans cette ville et en profite pour entreprendre des excursions à Eleusis, au mont Hymette, au cap Sounion et à Marathon. Il loge dans la maison de Mme Tarsia Macri, veuve d'un Grec qui avait été vice-consul d'Angleterre, mère de trois filles.

1810

En mars, Byron, qui a quitté la Grèce au cap Sounion, séjourne à Smyrne et visite Ephèse. Le 28 mars, il termine le deuxième chant de son poème et range le manuscrit dans ses bagages. Le 11 avril, départ de Smyrne sur la frégate *HMS Salsette*. Le 14 avril, le navire jette l'ancre au large du cap Janissaire devant l'entrée du détroit des Dardanelles (L'Hellespont). Le 3 mai, Byron traverse le détroit à la nage en compagnie du lieutenant Ekenhead. Le 14 mai, arrivée à Istanbul après la traversée de la mer de Marmara. Le 10 juillet, Byron assiste à l'audience donnée à l'ambassadeur d'Angleterre, Robert Adair, par le sultan Mahmud II. Le 14 juillet, il quitte Istanbul, la frégate « HMS Salsette» rentre en Angleterre avec Adair et Hobhouse. Le 18 juillet, il débarque du navire au cap Sounion et gagne aussitôt Athènes. A partir du 18 juillet (et jusqu'au 22 avril 1811), deuxième séjour à Athènes ; Byron visite dans le Péloponnèse Vostitza, Patras, Tripolitza, Corinthe, Olympie ; il réside à Athènes au monastère des Capucins, au pied de l'Acropole, près du monument de Lysicrate ; il rédige les notes de *Childe Harold' s Pilgrimage.*

1811

Le 25 janvier, Byron reçoit le laissez-passer qu'il avait demandé pour visiter la Syrie et l'Egypte, mais le manque d'argent l'oblige à renoncer à ce voyage. Le 22 avril, le navire sur lequel il embarque au Pirée appareille. En juin, escale à Malte. Le 14 juillet, arrivée à Sheerness, Byron gagne Londres aussitôt. Le 1er août, mort de sa mère Catherine Gordon. Le 2 août, prévenu la veille de l'état de santé de sa mère,

Byron arrive à Newstead Abbey, mais n'a pas la force d'assister aux obsèques.

1812

En février, premier discours à la Chambre des lords, pour la défense des Luddites. En mars, parution des deux premiers chants de *Childe Harold's Pilgrimage* (*le Pèlerinage du chevalier Harold*), qui rencontre un succès à la fois immense et immédiat. Le 25 mars, il rencontre Annabella Milbanke et Caroline Lamb lors d'un bal. Le 27 mars, il reçoit la première lettre d'amour de Caroline Lamb. Début d'une liaison qui lui valut une réputation de don Juan briseur de ménage. En octobre, Annabella Milbanke rejette sa demande en mariage. En novembre, il séjourne chez lady Oxford qu'il courtise bien qu'elle soit de vingt ans son aînée. Le 9 novembre 1812, il envoie une lettre de rupture à Caroline Lamb.

1813

En janvier, nouveau séjour chez lady Oxford. En mai, parution de la première édition de *The Giaour*. En juin, troisième et dernier discours à la Chambre des lords, en faveur de la réforme parlementaire ; départ de lady Oxford pour le continent, ce qui met fin à leur liaison ; rencontre avec Mme de Staël, exilée par Napoléon ; arrivée à Londres d'Augusta, épouse malheureuse du colonel Leigh, qui lui demande l'hospitalité... En août, parution de la troisième édition de *The Giaour*. En septembre-octobre, il courtise lady France Wedderburn Webster. En décembre, parution de *The Bride of Abydos*.

1814

A partir du 17 janvier, il passe plusieurs semaines à Newstead avec Augusta. En février, parution de *The Corsair* et de *Lara*. Ce qui lui vaut d'être admiré par les étudiants de Cambridge et de faire la connaissance de Walter Scott. Le 10 avril, il écrit *Ode à Napoléon Bonaparte*. Le 15 avril, Augusta donne naissance à Medora Leigh dont il est probablement le père. Le 19 septembre, il se fiance avec Annabella Milbanke, jeune héritière connue pour son amour des mathématiques.

« *Je ne vois rien à déplorer dans la vie humaine,*

si ce n'est d'être malgré soi classé parmi les

créatures, triste anneau d'une scène charnelle

quand l'âme pourrait s'envoler

et se confondre avec le ciel,

les pics sublimes, les étoiles

et la plaine mobile de l'océan. »

Byron, *Le pèlerinage de Childe Harold,*
III, 72, trad. E. Cathelineau

1815

Le 2 janvier, mariage avec Annabella Milbanke. Le 28 mars, installation du couple à Piccadilly Terrace, à Londres. En avril, parution de *A Selection of Hebrew Melodies (Mélodies hébraïques)* et séjour d'Augusta avec les Byron jusqu'en juin. Le 15 novembre, Augusta revient habiter chez les Byron (jusqu'à la mi-mars 1816). Le 10 décembre, naissance de la fille de Byron, Augusta Ada, qui deviendra la comtesse Lovelace en se mariant avec William King et mourra en 1852. Connue de nos jours pour avoir contribué à décrire la machine analytique de Charles Baggage, ancêtre mécanique de l'ordinateur, la seule fille légitime de Byron est souvent considérée par les informaticiens comme la première programmeuse de l'histoire et son portrait figure sur les hologrammes d'authentification des produits de la marque Microsoft.

1816

Le 6 janvier, il écrit à son épouse pour la prier d'abandonner le domicile conjugal. Le 15 janvier, Annabella, qui soupçonne l'inceste avec Augusta, quitte Londres avec sa fille âgée d'un mois. En février, parution de *The Siege of Corinth*. Le 25 avril, en raison du scandale provoqué par sa rupture avec son épouse et sa probable liaison avec sa demi-sœur, Byron quitte l'Angleterre pour ne plus jamais y revenir. Il se rend à Ostende, visite le champ de bataille de Waterloo et descend la vallée du Rhin. De mai à septembre, séjour en Suisse, où il rencontre Shelley, son épouse Mary Godwin et Claire Clairmont, l'une de ses anciennes maîtresses (et demi-sœur de Mary Shelley), ainsi que Mme de Staël. Le 23 octobre, rencontre avec Henri Beyle (Stendhal) à Milan. En novembre, parution du troisième chant de *Childe Harold' s Pilgrimage* et installation à Venise où il fréquente les moines arméniens du monastère de San Lazzaro. Il tombe amoureux de Marianne Segati, femme de son logeur. Tout en publiant *Le Siège de Corinthe*, *Parisina* et *Le Prisonnier de Chillon*.

A Paris, parution de la traduction de *The Bride of Abydos* par Léon Thiessé sous le titre *Zuléïka et Sélim ou la Vierge d'Abydos*.

1817

Le 12 janvier, de son aventure avec Claire Clairmont, naissance d'une fille, Allegra, dont il assume la pleine responsabilité. En avril-mai, séjour à Rome. En août, en remplacement de Marianne Segati, début d'une liaison avec Margarita Cogni, femme de son boulanger qu'il surnomme « la Fornarina ». En septembre, visite de la maison de Pétrarque à Arqua. En novembre, Byron doit vendre son domaine de Newstead Abbey afin de faire face à ses difficultés financières. Le nouveau propriétaire parviendra à sauver cet ensemble monumental d'une ruine totale.

Parution d'articles de la *Bibliothèque universelle des sciences, belles lettres et arts* de Genève, qui signalent aux lecteurs de langue française l'intérêt et le talent du poète anglais.

1818

Le 25 janvier, il fait connaissance avec Teresa Guiccoli, jeune mariée qui va jouer un rôle déterminant dans sa vie. En mars, les Shelley viennent vivre en Italie avec Claire et Allegra. Publication du quatrième chant de *Childe Harold' s Pilgrimage*. A Paris, édition par le libraire-éditeur Galignani des Œuvres de Byron en anglais (il s'agit essentiellement des *Contes orientaux* et du *Pèlerinage de Childe Harold*). En septembre et octobre, cette initiative éditoriale fait l'objet de longs comptes rendus de Malte-Brun dans le *Journal des débats*.

1819

En avril, Byron s'éprend de la comtesse Teresa Guiccioli, née Gamba, et suscite les témoignages d'affection de la famille Gamba ; il séjourne avec Teresa et son mari à Ravenne et à Bologne. Le 28 juin, il publie *Mazeppa*. En juillet, parution des deux premiers chants de *Don Juan*. Première traduction en français des *Œuvres complètes*, par Amédée Pichot et Eusèbe de Salle, éditée chez Ladvocat en dix volumes (dont la parution s'échelonne jusqu'en 1821 ; dans le *Conservateur littéraire*, revue des frères Hugo, Alfred de Vigny publie en décembre 1820 un compte rendu de cette traduction).

1820

En mars, parution à Paris du recueil des *Méditations poétiques* d'Alphonse de Lamartine, dont le deuxième poème, intitulé *L'Homme*, est dédié à lord Byron. En avril, les Gamba enrôlent Byron dans les carbonari. En août, parution des chants III, IV et V de *Don Juan*.

1821

Le 1er mars, la petite Allegra est mise en pension au couvent de Bagnacavallo ; parution de *Marino Faliro, Sardanapale, Les deux Foscari, Caïn* ; en novembre, la famille Gamba et Byron, contraints de fuir la répression, séjournent à Pise.

1822

Le 20 avril, la petite Allegra est emportée par une fièvre. En juin, Leigh Hunt, avec toute sa famille, vient le retrouver à Pise. Le 7 juillet, au cours d'une promenade en mer, Shelley dont l'embarcation est prise dans une tempête se noie. L'inhumation étant interdite par les autorités locales, la crémation sur un bûcher a lieu le 16 août 1822 en présence de Byron. En septembre, installation à Gênes.

1823

Du 31 mars à début juin, Byron fréquente lord et lady Blessington accompagnés du comte d'Orsay. Le 16 juillet, après avoir été élu fin avril président du comité anglais de libération de la Grèce, il embarque sur le voilier *Hercule* en direction de ce pays. Le 3 août, arrivée à Céphalonie. Quatrième édition de la traduction en français des *Œuvres complètes* par Amédée Pichot (1795-1877), en huit volumes, chez Ladvocat (la parution s'échelonne jusqu'en 1825). Le tome I contient une « notice sur lord Byron» par Charles Nodier. Le tome VIII donne une traduction des *Conversations de lord Byron avec le capitaine Medwin*.

1824

Le 3 janvier, Byron rejoint les troupes grecques commandées par le prince Alexandre Mavrokordatos, président de la première assemblée nationale grecque, à Missolonghi, ville assiégée par les Turcs. Le 28 février, après le décès de lady Noël dont il reprend le nom et les armes familiales, il se met à signer N.B. comme Noël Byron... ou Napoléon Bonaparte. Le 19 avril, il meurt d'une fièvre rhumatismale, compliquée par de stupides saignées qu'il subit à son corps défendant. La Grèce insurgée lui fait des funérailles nationales et décrète un deuil de vingt et un jours. Le 17 mai, les *Mémoires* de Byron sont brûlés dans le bureau de John Murray, en présence de Thomas Moore et de John Cam Hobhouse. Le 16 juillet, après une autopsie plutôt sauvage, transfert — contre sa volonté — de ses restes en Grande-Bretagne et refus du doyen de Westminster de les inhumer dans la prestigieuse abbaye en raison de sa vie scandaleuse, l'enterrement a lieu dans l'église de Hucknall Torkard, village voisin de Newstead.

En France, parution en deux tomes de l'ouvrage de Louise Swanton-Belloc intitulé *Lord Byron*, chez Antoine-Augustin Renouard et publication, en juin, dans la *Muse française*, d'un article de Victor Hugo intitulé « Sur George Gordon lord Byron ».

1825

En mai, parution du *Dernier Chant du pèlerinage d'Harold* de Lamartine (écrit durant l'hiver 1824-1825).

1827

A Paris, le *Don Juan* puis les *Œuvres complètes* font l'objet d'une nouvelle traduction par Paulin Paris (1800-1881).

1836-1837

A Paris, François-René de Chateaubriand publie son *Essai sur la littérature anglaise et Considérations sur le génie des temps, des hommes et des révolutions*. Les *Œuvres complètes* de Byron font l'objet d'une nouvelle traduction par Benjamin Laroche.

1924

En dépit de l'intervention de Thomas Hardy, de Rudyard Kipling et de trois anciens Premiers ministres britanniques, Balfour, Asquith et Lloyd George, le doyen de Westminster s'oppose à l'admission de Byron dans le « coin des poètes » de la prestigieuse abbaye, à l'occasion de la commémoration du centenaire de sa disparition.

1969

Près d'un siècle et demi après sa mort, après quatre requêtes officielles, Byron finit par être accepté dans le « coin des poètes » à Westminster Abbey, où une plaque commémorative est apposée.

Les années Dali

1904

Naissance, le 11 mai, à Figueras, en Espagne, de Salvador Domingo Felipe Jacinto Dali Doménech, qui sera connu sous le nom Salvador Dali. Son père, don Salvador Dali y Cusi, le notaire de la commune, est un homme autoritaire et un notable.

1908

Naissance de sa sœur Ana-Maria.

1914

Découverte de la peinture impressionniste et entrée au lycée privé de Figueras.

1918

Cours de dessin du professeur Juan Núñez à l'école municipale des beaux-arts de Figueras. Première exposition au théâtre de Figueras. Premières critiques.

1919

Publication d'un recueil de poèmes, sous le titre *Quand les bruits s'endorment*, et de plusieurs textes dans de petites revues locales sur les grands maîtres de la peinture.

1921

Décès, le 6 février, de la mère de Dali. Entrée, en octobre, à l'Académie royale des beaux-arts San Fernando, à Madrid. Début des relations amicales avec Federico Garcia Lorca et Luis Buñuel.

1923

Incarcération durant trente-cinq jours à Gérone pour avoir pris la tête d'une manifestation étudiante. Exclusion pour un an de l'académie San Fernando pour avoir contesté la légitimité de ses professeurs et provoqué des troubles dans l'établissement. Exécution d'un *Autoportrait* cubiste.

1925

Première exposition personnelle à la galerie Damau de Barcelone. Vacances à Cadaquès avec Federico Garcia Lorca.

1926

Premier voyage, en avril, à Paris où il rencontre Picasso. Exclusion définitive en octobre de l'académie San Fernando.

1927

Service militaire. *Parution de Saint Sébastien*.

1928

Deuxième voyage à Paris où il rencontre les surréalistes. Présentation de trois tableaux à l'exposition internationale de peinture. Rédaction, avec Luís Montañyá et Sebastiá Gasch du *Manifeste jaune*, attaque en règle de l'art conventionnel connue également comme le « manifeste antiartistique catalan ».

1929

Achèvement du *Jeu lugubre*, du *Grand Masturbateur* et du *Portrait de Paul Eluard*. Réalisation avec Buñuel du film *Un chien andalou* et première projection. Fréquentations à Paris avec les surréalistes, Miró, Tristan Tzara et Paul Eluard. Rencontre avec Helena Devulina Diakanoff (ou Helena Dmitrievna Diakonova), née en 1894 et surnommée Gala, fille d'un fonctionnaire de Moscou et alors épouse d'Eluard, à Cadaquès. Rupture des relations avec son père qui condamne la vocation de son artiste de fils et ne voit en Gala qu'une vile aventurière.

1930

Début de la liaison amoureuse avec Gala et de la « méthode paranoïaque-critique ». Achat d'une cabane de pêcheur à Port Lligat, près de Cadaquès. Tournage avec Buñuel du film *L'Age d'or*, interdit dès la première projection (qui se solda par une destruction de la salle de cinéma). Parution de *La Femme visible*.

1931

Création des premiers objets surréalistes. Exécution d'*Hallucination partielle. Six apparitions de Lénine sur un piano* et de *Persistance de la mémoire* qui, avec ses célèbres montres molles, illustre la théorie du « dur » et du « mou », chère à Dalí. Parution de *L'Amour et la Mémoire*.

1932

Envoi de toiles à New York à l'occasion de la première rétrospective surréaliste. Rédaction du scénario d'un film qui restera toujours à l'état de projet (*Babouo*). Constitution d'un groupe de collectionneurs, baptisé « le Zodiaque » par le couple Dalí et achetant régulièrement des œuvres.

1933

Première exposition à New York, qui connaît un vif succès. Illustration des *Chants de Maldoror* de Lautréamont. Exécution de *Portrait de Gala avec deux côtelettes d'agneau en équilibre sur l'épaule* et *L'énigme de Guillaume Tell*. Parution dans la revue *Le Minotaure* d'un article intitulé « Interprétation paranoïaque-critique de l'image obsédante *L'Angélus de Millet* », suivi d'un autre article, « De la beauté terrifiante et comestible de l'architecture Modern Style », qui relance l'intérêt pour l'esthétique des années 1900.

1934

Exclusion du groupe surréaliste à la suite de divergences politiques et artistiques. Premier voyage aux Etats-Unis. Parution du manifeste *New York salutes me* et conférence au Museum of Modern Art sur le thème « Peintures surréalistes et images paranoïaques ». Rencontre avec

Reynolds Morse, un industriel de Cleveland qui devient l'un des grands collectionneurs de sa peinture.

1935

Parution de *La Conquête de l'irrationnel*.

1936

Participation à l'exposition « Fantastic Art Dada and Surrealism » au Museum of Modern Art à New York. Apparition en couverture de la revue *Time*. Incident à l'occasion d'une conférence lors d'une exposition surréaliste à Londres (revêtu d'un scaphandre pour illustrer ses propos sur le thème des abîmes du subconscient explorés par sa peinture, il manqua de s'étouffer...).

1937

Ecriture d'un scénario pour les Marx Brothers et rencontre avec Harpo à Hollywood. Exécution — et rédaction en parallèle — de la *Métamorphose de Narcisse*. Application intégrale de la « méthode paranoïaque-critique ». Exil en Italie, en raison de la guerre civile. Création de modèles pour Schiaparelli. Déclarations à propos d'Hitler jugées intempestives par André Breton.

1938

Rencontre avec Sigmund Freud dont il dessine une série de portraits. Participation à l'Exposition internationale du surréalisme à Paris. Départ d'Italie à la suite de la crise de Munich.

1939

Rupture définitive des relations avec le groupe surréaliste et avec André Breton qui utilise l'anagramme de son nom pour le surnommer « Avida Dollars ». Déplacement à Bordeaux. Première exposition à New York et représentation de *Bacchanale* (livret et décor de Dalí, chorégraphie de Massine) au Metropolitan Opera. Parution d'une « Déclaration de l'indépendance de l'imagination et des Droits de l'homme à sa propre folie ».

1940

Après un séjour à Arcachon et un voyage au Portugal via l'Espagne, début d'un exil à New York, en compagnie de Gala, qui durera jusqu'en 1948. Avec Mondrian, Léger, Chagall, Lipchitz, Zadkine, Tanguy, Ernst, Seligman, Masson et Breton, il va contribuer pendant sept ans à faire de New York la nouvelle Babel des arts et à conférer à cette ville une incontestable prééminence internationale. Périodes dites « classique» et « Renaissance ». Réconciliation avec son père.

1941

Rétrospective Joan Miró et Salvador Dali au Museum of Modern Art de New York.

1942

Parution en anglais du livre *La Vie secrète de Salvador Dalí* (la version française, en collaboration avec Michel Déon, sera publiée en 1952).

1944

Il peint *Rêve causé par le vol d'une abeille autour d'une pomme-grenade, une seconde avant l'éveil*. Parution en anglais du roman *Les Visages cachés* (la version française sera publiée en 1973).

1945

Initiation à la physique nucléaire, à la suite de l'explosion de la bombe atomique à Hiroshima et Nagasaki.

1946

Achèvement de *La Tentation de saint Antoine*. Projet de dessin animé avec Walt Disney (élaboration de maquettes) et réalisation de décors pour le film *La Maison du docteur Edwards* d'Alfred Hitchcock.

1948

Retour en Europe et retrouvailles avec son père. Parution en anglais du livre *50 secrets magiques* (la version française sera publiée en 1974).

« Je n'aime dire

que ce que je ne comprends pas.

Ne comprenant pas,

je peux imaginer des multiples interprétations. »

Dali

1949

Début de la période dite « mystique ». Il peint la *Madone de Port Lligat* en deux versions et *Leda atomisa*. Tableaux en trois dimensions. Réalisation de décors et de costumes pour Peter Brook (*Salomé* de Richard Strauss) et Luchino Visconti (*As you like it,* de Shakespeare).

1951

Il peint le *Christ de saint Jean de la croix*. Parution du *Manifeste mystique*. Début de la période dite « corpusculaire ». Illustration de *La Divine Comédie de Dante* (pour l'éditeur Joseph Foret).

1953

Conférence retentissante, en décembre, à Paris, à la Sorbonne, sur « Les aspects phénoménologiques de la méthode paranoïaque-critique ».

1954

Début de tournage du film *L'Histoire prodigieuse de la dentellière et du rhinocéros*, réalisé par Robert Descharnes. Parution de *Dalí' s moustache* (en collaboration avec Philippe Halsman).

1955

Illustration du *Don Quichotte*, de Cervantes, publié en 1957 par Joseph Foret (Dali réalise des lithographies pour la première fois de sa carrière artistique et utilise pour ce livre les nouvelles techniques du procédé lithographique, sur des « schistes calcaires », des pierres qui ont plus de 135 millions d'années). Conférence à Paris, au grand amphithéâtre de la Sorbonne, en arrivant dans une Rolls-Royce bourrée par Georges Mathieu d'une centaine de choux-fleurs.

1956

Exposition à la National Gallery, à Washington. Parution du livre *Les Cocus du vieil art moderne*.

1958

Mariage religieux avec Gala. Présentation au pape de la *Madone de Port Lligat*. Début d'une série de peintures historiques monumentales.

« Happening » à Paris, le 12 mai, au théâtre de l'Etoile, avec un pain de quinze mètres de long.

1959

Achèvement de *La Découverte de l'Amérique par Christophe Colomb*. Présentation à Paris de l'« Ovocipède», invention dalinienne, « moyen de locomotion fondé sur les phantasmes intra-utérins paradisiaques ». Nouvelle parution de *La Divine Comédie de Dante* par les Heures Claires-Bleron, Rivière, Estrade et Bartoux éditeurs.

1960

Exécution de plusieurs grandes toiles mystiques (dont *Le Concile oecuménique*). Parution, à l'initiative de l'éditeur Joseph Foret, de l'exemplaire unique et géant de l'*Apocalypse de saint Jean*, un ouvrage pesant plus de 200 kilos et dont la couverture, en bronze bosselé, est enrichie de pierres précieuses et de fourchettes.

1961

Présentation du *Ballet de Gala* à Venise (décors et livret de Dali, chorégraphie de Maurice Béjart ; dansé par Ludmilla Tcherina au théâtre de la Fenice le 22 août). Conférence en France, à l'Ecole polytechnique, sur le mythe de Castor et Pollux.

1962

Il peint *La Bataille de Tétouan*.

1963

Parution du *Mythe tragique de « l'Angélus de Millet»* (dont le manuscrit disparaît pendant plus de trente ans). Manifestation d'un intérêt particulier pour la génétique moléculaire. Début de la glorification de la gare de Perpignan pour son rôle essentiel dans la constitution de l'univers.

1964

Parution du *Journal d'un génie*. Rétrospective au musée Seibu, à Tokyo. Obtention de la Grande Croix d'Isabelle la Catholique (la plus haute distinction espagnole).

1965

Il peint *La Gare de Perpignan*.

1966-1970

Deux toiles majeures : *La Pêche au thon* (1966-1967) et *Le Torero hallucinogène* (1969-1970). Parution de *Lettre ouverte à Salvador Dali* (1966), de *Dali illustre Casanova* (1967), des *Passions selon Dali* (avec la collaboration de Louis Pauwels, 1968), et des *Métamorphoses érotiques* (1969) qui marquent l'application à l'érotisme de la « méthode paranoïaque-critique ». Illustration pour *Alice au pays des merveilles*, de Lewis Carrol, publié par Maecenas Press à New York (1967-1968). Assemblage du *Christ aux déchets* (1969), sculpture géante réalisée dans l'oliveraie de la maison de Port Lligat et abondamment photographiée, à partir d'une vieille barque, de branchages, de tuiles, de pots de chambre et de morceaux de caoutchouc...

1970

Don par Dali du château de Pùbol, en Espagne, à Gala qui y fera de nombreux séjours. Première rétrospective de l'ensemble de l'œuvre en Europe, au musée Boijmans Van Beuningen de Rotterdam. Première présentation des plans pour la réalisation d'un musée Dali à Figueras. Début d'une exécution de tableaux qui témoignent de la passion de l'artiste pour le cheval (*Cheval aveugle mordant un téléphone*, *Cavaliers de l'Apocalypse*, *La tentation de saint Antoine*...) et d'une série de lithographies flamboyantes connue sous l'appellation « Les chevaux de Dali ».

1971

Ouverture du musée Dali aux Etats-Unis, à Cleveland, dans l'Ohio (collection Eleanor et Reynold Morse). L'établissement sera transféré en Floride, à Saint-Pétersbourg, en 1982. Réalisation de la couverture du numéro du cinquantenaire de la revue *Vogue* (devenu pièce de collection).

1972

Dali de dos peignant Gala de dos, éternisée par six cornées virtuelles provisoirement réfléchies par six vrais miroirs (œuvre stéréoscopique en deux éléments, œil gauche, œil droit, inachevée).

1973

Parution de *Comment on devient Dali* (entretiens avec André Parinaud), de *Dix recettes d'immortalité* et des *Dîners de Gala*.

1974

Ouverture de son propre musée, le Teatre-Museu Gala-Salvador Dali, à Figueras.

1977

Importantes œuvres stéréoscopiques : *La main de Dali retirant une toison d'or en forme de nuages pour montrer à Gala l'aurore toute nue très, très loin derrière le soleil* et *Dali soulevant la peau de la Méditerranée pour montrer à Gala la naissance de Vénus*. Parution des *Vins de Gala et du Divin*.

1978

Election à l'Académie des beaux-arts de l'Institut de France comme membre étranger. Présentation par Dali et Gala au roi et à la reine d'Espagne du musée de Figueras. Exposition de peintures hyperstéréoscopiques au musée Guggenheim. Découverte des travaux du mathématicien René Thom (1923-2002), qui a mis au point la théorie des catastrophes.

1979

Rétrospective au Centre Georges-Pompidou, à Paris, puis à la Tate Gallery, à Londres. Mise en vente d'un timbre à l'effigie de Marianne (dessiné en 1978 pour les Postes françaises).

1982

Décès, le 10 juin, de Gala, au château de Pùbol. Lorsqu'il apprend la nouvelle, Dali déclare : « Elle n'est pas morte, elle ne mourra jamais. » Le 26 juillet, il est fait marquis de Dali de Puból par le roi Juan Carlos Iᵉʳ et réside dans le château qu'il avait offert à Gala.

1983

Création des parfums Dali, pour homme et femme, avec des flaconnages en forme de lèvres et de testicules (inspirés du nez, de la bouche et du menton de l'*Apparition du visage de l'Aphrodite de Cnide dans un paysage)*. Achèvement, en mai, d'une ultime toile, *La Queue d'aronde*. Fonte de diverses sculptures, dont un *Newton* monumental pour la place Dali à Madrid et des *Vénus aux tiroirs*. Rétrospective à Madrid, puis à Barcelone.

1984

Incendie de sa chambre du château de Puból (Dali est gravement brûlé et trouve refuge par la suite à la Torre Galatea, une aile du Teatre-Museu qui porte son nom à Figueras). Rétrospective en Italie, au Palazzo del Diamanti, à Ferrare.

1989

Décès le 23 janvier, à Figueras, à la Torre Galatea, à l'issue d'une défaillance cardiaque et dans une relative pauvreté (ses liquidités sur des comptes américains, suisses et ibériques avaient, semble-t-il, en grande partie, fondu). Embaumement, conformément à sa volonté, pour que son corps reste intact au moins trois cents ans, revêtu d'une tunique frappée de la couronne de marquis et brodée d'une frise représentant la double spirale de son code génétique ADN. Puis enterrement dans la crypte du Teatre-Museu de Figueras (le lieu de sa sépulture est indiqué par une simple pierre). Legs par testament de l'ensemble de ses biens et de ses œuvres au roi Juan Carlos et à l'Etat espagnol, et non à la Catalogne (parce qu'il considérait qu'elle lui avait « manqué »). Rétrospective en Allemagne, à la Staatsgalerie de Stuttgart, puis en Suisse au Kunsthaus de Zurich.

2004

Année Dali, à l'occasion du centenaire de la naissance de l'artiste (déclarée ouverte le 6 octobre 2003 par le roi d'Espagne). Restauration de la maison natale à Figueras. Baptême d'un avion Airbus au nom de Salvador Dali. Nombreuses expositions et grande fête organisée le 11 mai en Espagne. Diverses manifestations aux Etats-Unis, en Russie, aux Pays-Bas, en Italie... En France, expositions à la galerie d'art Elysées et à l'espace Miromesnil à Paris ; parution du livre *Dali, le dur et le mou*, de Robert et Nicolas Descharnes ; exposition-anniversaire de Gray, dans la Haute-Saône, sur plusieurs sites, à l'initiative de Jean Amiot ; défilé-concours de mode organisé en présence de nombreuses personnalités au lycée Henri IV à Paris (avec le soutien des Parfums Salvador Dali et le concours de deux lycées professionnels, Turquetil et Octave-Feuillet) ; exposition à l'espace Montmartre autour de Dali et de Lionel Poilâne, le maître boulanger.

Les années Hallier

1936

Naissance le 1er mars à Saint-Germain-en-Laye de Jean-Edern Hallier. D'ascendance bretonne par son père, André Hallier, militaire et diplomate, qui fait partie des héros de la Première Guerre mondiale, mais « alsacienne et juive », à en croire l'écrivain lui-même, par sa mère, Marguerite Leleu.

1958

Naissance de Béatrice Szapiro, issue de sa liaison avec Bernadette Szapiro, fille de l'écrivaine belge Béatrix Beck.

1960

Fondateur et directeur de la revue *Tel Quel*.

1962

Il quitte *Tel Quel* pour travailler chez Plon et collaborer à son « premier grand projet économique », le livre de poche *10/18*, avec Michel-Claude

Jallard. Pour lui, « *il s'agit de mettre la littérature vivante à bas prix, et entre toutes les mains* ».

1963

Parution de son premier roman, *Les Aventures d'une jeune fille*.

1967

Le Grand écrivain.

Il se marie avec Anna Devoto-Falk. Une union qui a donné naissance à une fille, Ariane Hallier.

1968

Corédacteur en chef du quotidien *Action*. Codirecteur, avec Dominique de Roux, du livre de poche *10/18* et des *Cahiers de l'Herne*.

1969

Fondateur et directeur de *L'Idiot international* (sur une idée lancée initialement par Jean-Paul Sartre et Simone de Beauvoir).

1972

La Cause des peuples.
Arrêt de la parution de *L'Idiot international*

1973

Voyage au Chili après le coup d'Etat.
Il est accusé d'avoir détourné de l'argent de la résistance chilienne.

1974

Chagrin d'amour.
Fondateur des éditions Hallier (qui deviendront les éditions J.-E.Hallier en 1980).

1976

Il prend le contrôle de la librairie Maspero.

« L'avenir de l'homme est illimité, il faut profiter de toutes les peurs millénaristes pour rappeler ceci : l'homme est enraciné par la tête. Aux racines du ciel, il est un arbre qui marche et qui pense. Seul ce qui vient d'en haut est susceptible d'imprimer une marque ici-bas. Loin des attaches célestes, humains, nous sommes les nouveaux déracinés de la terre, cette petite pomme aigre, et rongée par les vers. »

Bréviaire pour une jeunesse déracinée
Hallier

1977

Le premier qui dort réveille l'autre. Un livre qui connaît un réel retentissement au sein d'un large public.

Jean-Edern Hallier fonde avec Antoine Lefebure « Radio Verte ». Cette station qui se situe dans la mouvance écologiste et est l'une des premièrcs radios libres pirates en France, n'émet que deux jours et est la première manifestation retentissante de ce qui deviendra, au début des années 1980, un phénomène médiatique majeur, celui des « radios libres ».

Au seuil du domicile de Françoise Mallet-Joris, alors juré Goncourt, il aurait également commandité un « mini-attentat », symbolique, afin de protester contre les trucages des prix littéraires.

Second mariage le 25 mai avec Marie-Christine Capelle. Une union qui a donné naissance à un garçon, Frédéric-Charles Hallier.

1978

Chaque matin qui se lève est une leçon de courage.

1979

En juin, il est tête de liste du mouvement régionaliste « Régions Europe-Bretagne » lors des premières élections européennes. Mais c'est surtout la parution du pamphlet *Lettre ouverte au colin froid* qui le fait connaître d'un large public.

1980

Fin de siècle.

Il devient conseiller littéraire aux éditions Albin Michel.

1982

Bréviaire pour une jeunesse déracinée.

Il est soupçonné d'avoir simulé un faux enlèvement et également commandité un attentat — qui ne fit pas de victime — dans l'immeuble de Régis Debray.

1983

L'Enlèvement.

Il collabore au quotidien *Le Matin de Paris.*

1984

Brève reparution de *L'Idiot international.*

1985

Le Mauvais Esprit et *Mon programme n'est pas de ce monde.*

1986

L'Evangile du fou. Un livre qui consacre sa renommée littéraire.

1987

Il devient directeur littéraire à la revue *L'Eventail.*

1988

Carnets impudiques.

1989

Reparution de *L'Idiot international* (94 numéros vont être publiés jusqu'en février 1994). Jean-Edern Hallier et son journal sont condamnés à payer de très lourds dommages et intérêts à M. Tapie, député, pour « *propos diffamatoires, injurieux, et attentatoires à sa vie privée* », puis à M. Lang, ministre, et à son épouse, pour « *diffamation et injures publiques* », à M. Bourgois, éditeur, pour « *propos injurieux et atteinte à la vie privée* », et à Mᵉ Kiejman, avocat, pour « *injures, diffamation et atteinte à la vie privée* ».

1990

Fidel Castro, conversations au clair de lune.

1991

L'Idiot international est l'un des très rares journaux français à prendre position contre la guerre du Golfe. L'un de ses éditoriaux parus durant le conflit fait l'objet d'une condamnation pour « *provocation à la haine raciale* ».

Séjour en Irak.

La revue *National Hebdo* annonce le ralliement de Jean-Edern Hallier au Front national, le parti de Jean-Marie Le Pen. Ce que l'écrivain dément formellement, tout en précisant dans un entretien accordé au journal *Le Monde* que « *Le Pen représente beaucoup de Français de la France profonde* ».

1992

La Force d'âme et *Je rends heureux.*

En octobre, un accident vasculaire le rend quasi aveugle.

De lui, sont alors essentiellement connus ses textes. Mais sous la contrainte des événements et avec les encouragements de quelques relations, l'auteur devient aussi un dessinateur dont de nombreuses esquisses et gouaches restent aujourd'hui à découvrir.

1993

Il publie le casier judiciaire de M. Tapie dans *L'Idiot international.*

1994

Il présente une émission littéraire hebdomadaire, le « Jean-Edern's Club », pour la chaîne câblée Paris Première (il y aura une soixantaine de numéros).

1995

En octobre, il anime la première émission mensuelle d'« A l'Ouest d'Edern», sur M6.

1996

Parution en février de *L'Honneur perdu de François Mitterrand* dont il se vend 250 000 exemplaires en dix jours, puis des *Puissances du mal.*

1997

Mort le 12 janvier en Normandie, à Deauville. Officiellement à la suite d'une chute de bicyclette. L'hypothèse d'un assassinat a été émise par certains proches.

Parution à titre posthume de *Journal d'outre-tombe.*

1998

Son frère Laurent, qu'il affectionnait beaucoup et présentait à ses interlocuteurs comme « juriste » au début des années 1980, lance un « Collectif des amis de Jean-Edern ».

« Il faut en prendre son parti ; le discours

de nos origines ne sera jamais qu'un bricolage

sublime de la mémoire, une pure reconstitution

mentale. Et quand bien même les progrès de

l'archéologie ou de l'investigation scientifique

combleraient ces manques,

il en resterait toujours d'autres,

à nos pertes irréparables,

or toute reconnaissance commence

par l'imagination du passé. »

Bréviaire pour une jeunesse déracinée
Hallier

Bibliographie

D'emblée, cette bibliographie a au moins quatre dimensions, puisqu'elle concerne aussi bien Barbey et Byron que Dali et Hallier. Mais son caractère pluriel prend nécessairement une allure un peu singulière, dès lors que, de ces artistes, elle recense à la fois les œuvres qui leur sont propres, les ouvrages qui leur ont été, en partie ou en totalité, consacrés, et d'autres ouvrages, généraux ou particuliers, dont le contenu s'est révélé utile à l'élaboration de ce livre ou peut présenter un intérêt pour le lecteur désireux d'approfondir ses recherches sur tel ou tel aspect. Sachant que de nombreux admirateurs de Barbey, Byron, Dali et Hallier, sont des bibliophiles passionnés.

Volumineuse, cette bibliographie l'est d'autant plus résolument qu'elle témoigne d'un double parti pris — le respect de la culture et de ses rites, le souci du détail — et d'une conviction : il n'est pas de vrai livre sans les livres. Les uns expliquent et justifient l'existence des autres, y compris celle du nouveau venu... Dans le cadre d'une lente maturation et d'une tradition séculaire. Ainsi, sans prétendre à l'exhaustivité, la recension entend-elle, d'une part, inciter à la curiosité et au plaisir de la lecture et, d'autre part, rendre hommage à des travaux intellectuels, parfois ignorés ou méconnus, souvent remarquables et toujours appréciables.

Afin qu'à l'époque du jetable, du portable et du bibliodégradable, bibliographie rime plus que jamais avec courtoisie.

Œuvres de Barbey d'Aurevilly

Œuvres romanesques complètes — *Le Cachet d'onyx* (1831), *Léa* (1832), *L'Amour impossible* (1841), *La Bague d'Annibal* (1842), *Une vieille maîtresse* (1851), *L'Ensorcelée* (1854), *Le Chevalier Des Touches* (1864), *Un prêtre marié* (1865), *Les Diaboliques* (Le rideau cramoisi, Le plus bel amour de Don Juan, Le bonheur dans le crime, Le dessous de cartes d'une partie de whist, A un dîner d'athées, La vengeance d'une femme) (1874), *Une histoire sans nom* (1882), *Une page d'histoire* (1882), *Ce qui ne meurt pas* (1883), *Du dandysme et de George Brummell* (1845), *Memoranda* (la rédaction du premier *Memorandum* remonte à 1836, celle du cinquième s'achève en 1864 ; les troisième et quatrième *Memoranda* ont fait l'objet d'une publication en 1883), *Poèmes, Pensées détachées* — Textes présentés, établis et annotés par Jacques Petit, Paris, Bibliothèque de la Pléiade, Editions Gallimard, tome I, 1964, tome II, 1966 (rééd. 2002-2003)

Œuvres critiques, tomes I et II (parus en 2006 ; 7 autres volumes à paraître), édition de Pierre Glaudes et Catherine Mayaux, Paris, Les Belles Lettres, 2006. Parmi ces œuvres critiques figurent *Les Prophètes du passé* (1851, 1860, 1880), *Les Œuvres et les Hommes* (1860-1889, 11 volumes) et *Les Quarante Médaillons de l'Académie* (1863)

Lettres à Trébutien, Paris, Bernouard, 1927, 4 volumes

Barbey d'Aurevilly a également préfacé des ouvrages, dont plusieurs livres de Léon Bloy et Joséphin Péladan.

Œuvres de Byron

Poems on various occasions (1807)
Hours of Idleness (1807)
Childe Harold's Pilgrimage (1812-1818)
The Giaour (1813)
The Bride of Abydos (1813)
The Corsair (1814)
A Selection of hebrew melodies (1815)
The Siege of Corinth (1816)
Don Juan (1818-1819)

The Works of Lord Byron — with His Letters and Journals and His Life by Thomas Moore, 17 vol., Londres, J. Murray, 1823-1833

Première traduction française des *Œuvres complètes* par Amédée Pichot et Eusèbe de Salle en dix volumes chez Ladvocat, en 1819-1821
La parution en 1824 du livre intitulé *Lord Byron*, traduit par Louise Swanton Belloc, Irlandaise francophone née en 1796 et morte en 1881, a également fait date

Parutions à titre posthume :

Correspondance avec un ami (Robert Charles Dallas) — Souvenirs et observations : le tout formant une histoire de sa vie, de 1808 à 1814, Paris Galignani, 1825 (plusieurs lettres supprimées ou manquantes)

Correspondance, traduction de F. Laroche, John Murray, Paris, Plon, 1924-1928

Mémoires de lord Byron, publiés par Thomas Moore, traduction de Louise Swanton Belloc, 5 vol., Paris, A. Mesnier, 1830. Les *Mémoires* de Byron ont officiellement été brûlés le 17 mai 1824 dans le bureau de John Murray, en présence de Thomas Moore et de John Cam Hobhouse. Poète proche de Byron, Moore a publié, entre autres œuvres, sa propre correspondance avec le célèbre auteur britannique

Parmi les nombreuses initiatives éditoriales récentes :

The major Works, introduction et notes par Jerome John McGann, Oxford, New York, Oxford University Press, 2002

Don Juan, préface et dossier de Marc Porée, traduction nouvelle et notes de Laurent Bury et Marc Porée, Paris, Folio classique, Gallimard, 2006

Œuvres de Salvador Dali

— « Objets surréalistes », *Le Surréalisme au service de la révolution*, n°3, 1931

— « Le grand masturbateur », in *La Femme visible*, Paris, Editions Surréalistes, 1930

— « De la beauté terrifiante et comestible de l'architecture Modern' Style », *Minotaure*, n° 3-4

— *Babaouo* (précédé d'un *Abrégé d'une histoire critique du cinéma*, et suivi de *Guillaume Tell*, Paris, Editions des Cahiers Libres, 1932

— « Aspects des nouveaux objets psycho-atmosphériques-anamorphiques », *Le Surréalisme au service de la révolution*, n°5, 1933

— « Interprétation paranoïaque-critique de l'image obsédante « L'Angélus de Millet» », Minotaure, n°1, juin 1933

— « Les nouvelles couleurs du sex-appeal spectral », *Minotaure*, n°5, 1934

— « Le surréalisme spectral de l'éternel féminin préraphaélite », *Minotaure*, n°8, 1936
— « Première loi morphologique sur les poils dans les structures molles », *Minotaure*, n°9, 1936

— *Manifeste mystique* (textes latins et français, avec des gravures originales et une prière d'insérer de Michel Tapié intitulée « D'une continuité dalinienne »), Paris, Robert J. Godet, 1951

— *La Vie secrète de Salvador Dali*, Paris, Table Ronde, 1952 (adaptée par Michel Déon et préfacée par Armand Lanoux, Club français du livre, 1954) ; *La Vie secrète de Salvador Dali*, en collaboration avec Michel Déon, collection L'Imaginaire, Paris, Gallimard, 2002 ; *La Vie secrète de Salvador Dali* — Suis-je un génie ?, édition critique établie par Frédérique Joseph-Lowery à partir des manuscrits de Gala et Salvador Dali, préface de Jack Spector, Lausanne, L'âge d'homme, 2006)

— *Le Mythe tragique de « L'Angélus de Millet »*, Paris, Jean-Jacques Pauvert, 1963

— *Journal d'un génie* (introduction et notes de Michel Déon), Paris, Editions de la Table Ronde, 1964 (collection Idées, Paris, Gallimard, 1974 ; collection L'Imaginaire, Paris, Gallimard, 1994)

— *Lettre ouverte à Salvador Dali*, Paris, Albin Michel, 1966

— *Hommage à Meissonier*, 38 p., avec 4 lithographies originales en couleurs hors-texte, Paris, Hôtel Meurice, imp. Draeger, 1967

— *Dali* (propos recueillis par Max Gerard, pseudonyme de Maxime Truc), Paris, Soleil noir, imp. Draeger, 1968

— *Les Passions selon Dali* (entretiens avec Louis Pauwels, avec un texte de Louis Marquet intitulé « Perpignan, la mesure de la terre et la définition du mètre »), Paris, Denoël, 1968 (collection Bibliothèque Médiations, Denoël, 2004)

— *Dali par Dali* (préface du Dr Pierre Roumeguère), Montrouge, imp. Draeger, 1970 (Paris, Soleil noir, 1978). Proche de Dali et de Gala, le préfacier de cet ouvrage, psychanalyste et critique d'art, fut le premier époux de l'ethnologue Jacqueline Eberhardt (1927-2006), auteur de plusieurs livres consacrés à l'Afrique

— *Oui* (recueil de textes traduits du catalan, de l'espagnol et de l'anglais, extraits pour la plupart de diverses revues et publications, réunis et présentés par Robert Descharnes, en deux parties : 1. La révolution paranoïaque-critique, 2. L'archangélisme scientifique), collection Médiations, Paris, Denoël-Gonthier, 1971 (nouvelle édition augmentée, 2 vol., 1979 ; 1 vol., Paris, Denoël, 2004)

— *Comment on devient Dali* — Les aveux inavouables de Salvador Dali (en collaboration avec André Parinaud), Paris, Robert Laffont, 1973

— *Visages cachés*, roman, Paris, Stock, 1973

— *Correspondance avec Federico Garcia Lorca (1925-1936)*, notes et chronologie de Rafael Santos Torroella, traduction et adaptation de Sylvie Ponce et Felipe Navarro, Paris, Carrère, 1987 (*Sebastian's Arrows : Letters and Mementos of Salvador Dali and Federico Garcia Lorca*, Chicago, Swan Isle Press, 2004)

Parmi les nombreuses initiatives éditoriales récentes :

— *Dali' s moustache* (en collaboration avec Philippe Halsman), Paris, Flammarion, 1994

— *Pensées et Anecdotes*, sous la direction de Jean-Yves Clément, Paris, Le Cherche-midi éd., 1995

— *The Collected Writings of Salvador Dali*, Haim Finkelstein éditeur et traducteur, Cambridge et New York, Cambridge University Press, 1998

— *Les moustaches radar : 1955-1960* (extrait de *Journal d'un génie*, notes de Michel Déon), Paris, Gallimard, 2004

---

* *Parmi les ouvrages que Salvador Dali a illustrés, figure en bonne place* The autobiographie *of Benvenuto Cellini, dont l'édition originale, particulièrement appréciée des bibliophiles et amateurs d'art, date de 1948 (avec quinze lithos originales). En 1945, alors qu'il vivait aux Etats-Unis, le maître avait en effet été sollicité par l'éditeur Doubleday à New York. Le tirage fut limité à 1 000 exemplaires, aujourd'hui très prisés.*

Œuvres de Jean-Edern Hallier

Les Aventures d'une jeune fille, Paris, Seuil, 1963

Le Grand Ecrivain, Paris, Seuil, 1963

Un rapt de l'imaginaire, contenu dans *Livres des pirates,* de Michel Robic, Paris, Union générale d'éditions, 1964

Que peut la littérature ?, avec Yves Buin, Paris, Union Générale d'Editions, 1965

La Cause des peuples, Paris, Seuil, 1972

Chagrin d'amour, Paris, Editions Libres-Hallier, 1974

Le premier qui dort réveille l'autre, Paris, Editions Le Sagittaire, 1977

Chaque matin qui se lève est une leçon de courage, Paris, Editions Libres-Hallier, 1978

Lettre ouverte au colin froid, Paris, Albin Michel, 1979

Un barbare en Asie du Sud-Est, Paris, NEO-Nouvelles éditions Oswald, 1980

Fin de siècle, Paris, Albin Michel, 1980 (*Fin de sigle*, traduction de Francisco Perea, Mexico, Edivision, 1987)

Bréviaire pour une jeunesse déracinée, Paris, Albin Michel, 1982

Romans, Paris, Albin Michel, 1982 (réédition en un volume de *La Cause des peuples*, *Chagrin d'amour* et *Le premier qui dort réveille l'autre*)

L'Enlèvement, Paris, Jean-Jacques Pauvert, 1983

Le Mauvais Esprit, avec Jean Dutourd, Paris, Olivier Orban, 1985

L'Evangile du fou — Charles de Foucauld le manuscrit de ma mère morte, Paris, Albin Michel, 1986 (*El Evangelio del loco*, traduction de Basilio Losada, Barcelone, Planeta, 1987)

Carnets impudiques — Journal intime : 1986-1987, Paris, Michel Lafon, 1988

Conversation au clair de lune, Paris, Messidor, 1990 (*Fidel Castro Ruiz il Küba Devriminin 32. yilinda 5 Temmuz 1990 ayisiginda söylesi*, Ankara, Dönem, 1991)

Le Dandy de grand chemin (entretiens), Paris, Michel Lafon, 1991

La Force d'âme, suivi de *L'Honneur perdu de François Mitterrand*, Paris, Les Belles Lettres, 1992

Je rends heureux, Paris, Albin Michel, 1992

Les Français – Dessins, Paris, Ramsay, 1993

Le Refus ou la Leçon des ténèbres : 1992-1994, Paris, Hallier/Ramsay, 1994

Fulgurances — Aphorismes, Paris, Michel Lafon, 1996

L'honneur perdu de François Mitterrand, Monaco, Editions du Rocher, Paris, Les Belles Lettres, 1996

Les puissances du mal, Monaco, Editions du Rocher, Paris, Les Belles Lettres, 1996

Parutions à titre posthume :

Journal d'outre-tombe — Journal intime 1992-1997, Paris, Michalon, 1998

Fax d'outre-tombe — Voltaire tous les jours 1992-1996, Paris, Michalon, 2007

Préfaces :

Mille pattes sans tête, de François Coupry (Paris, 1976)
Je rêve petit-bourgeois, de Michel Cejtlin (Paris, Oswald, 1979)
Le droit de parler, de Louis Pauwels (Paris, Albin Michel, 1981)
Paris par Renoux, texte de Bernard Dimey (Paris, André Roussard, Jean Picollec, 1982 (1987))
Les sentiers de la trahison, de Platov (Paris, Albin Michel, 1985)
Les icônes de l'instant, de Patrick Bachellerie (Grenoble, Centre de création littéraire de Grenoble, 1987)
Je défends Barbie, de Jacques Vergès (Paris, J. Picollec, 1988)
Poèmes de sans avoir, de Jean-Claude Balland (Paris, J-C Balland, 1990)

Postface (posthume)

Kidnapping entre l'Elysée et Saint-Caradec — « roman », de Gabriel Enkiri (Paris, Phare-Ouest, 1999)

Jean-Edern Hallier fut également un « peintre du dimanche qui travaille toute la semaine », selon la formule du journaliste Renaud Matignon, disparu à la fin du siècle dernier. Il a laissé plus de six cents dessins, aquarelles ou gouaches : des croquis de voyages, des silhouettes et portraits de personnages, connus ou non, souvent tracés à l'encre de Chine, sous des titres parfois étonnants comme « Gobeuse de balivernes » ou « Arroseur d'idées reçues ».

Ouvrages consacrés à Barbey d'Aurevilly

Pascale Auraix-Jonchière, *L'Unité impossible : essai sur la mythologie de Barbey d'Aurevilly*, Saint-Genouph, A(lfred) G(érard) Nizet, 1997

Patrick Avrane, *Barbey d'Aurevilly*, Pais, Desclée de Brouwer, 2000 ; *Barbey d'Aurevilly : solitaire et singulier*, Paris, Campagne Première, 2005

Barbey d'Aurevilly : 1808-1889 — exposition 21 avril-3 juin 1989, catalogue par Georges Fréchet, avant-propos de Geneviève Dormann, textes de Jean-Paul Avice, Philippe Berthier, Joël Dupont, Georges Fréchet, Pierre Leberruyer, Maurice Lever, Marie-Christine Natta, Jean-Pierre Seguin, Philipp John Yarrow, dessins et peintures de Pat Andrea, Lydie Arickx, Gérard Barthelemy, Vincent Bioulès, Pierre Collin, Leonardo Cremonini, Dado, Hortense Damiron, André François, Moris Gontard, Alexis de Kermoal, Jean Messagier, Kei Mitsuuchi, Olivier O. Olivier, Chantal Petit C., Antonio Segui, Roland Topor, Paris, Bibliothèque de la Ville de Paris, 1989

Barbey d'Aurevilly, cent ans après, 1889-1989 (actes du Colloque international de Paris, 21 et 22 avril 1989 organisé par la Société des études romantiques et dix-neuvièmistes et la Société d'histoire littéraire de la France), sous la direction de Philippe Berthier, textes de Pierre Glaudes, Claudie Bernard, Max Milner, Pierre Traounez, Bruno Tristmans, Nabih Kanbar, Michel Crouzet, Paul Belckmans, Brian G. Rogers, Hermann Hofer, Monique Gosselin, Marie Mignet-Ollagnier, Joseph-Marc Bailbé, Marc Vellini, Antonia Fonyi, Jeanine Jallat, Ruth Amossy, Iris Atar, Bernard Sarrazin, Gérard Peylet, Claude Foucart, Marie-Thérèse Mathet, Pascaline Mourier-Casile, Pierre Rey, Alessandra Pecchioli-Temperani, Norbert Dodille, Genève, Droz, 1990

Barbey d'Aurevilly : ombre et lumière (actes du colloque organisé à l'occasion du centenaire de la mort de Barbey par le Centre d'art, esthétique et littérature de l'université de Haute-Normandie), Mont-Saint-Aignan, 1990

Barbey d'Aurevilly l'ensorcelé du Cotentin, textes de Barbey rassemblés et présentés par Michel et Christiane Lécureur, Paris, Magellan et Cie, 2007

Achille Maffre de Baugé, *Jules Barbey d'Aurevilly*, Toulouse, impr. de Douladoure, 1889

Claudie Bernard, *Le Chouan romanesque : Balzac, Barbey d'Aurevilly, Hugo*, Paris, Presses Universitaires de France, 1989

Philippe Berthier, *Barbey d'Aurevilly et l'imagination*, Genève, Droz (diffusion Honoré Champion), 1978 ; *Stendhal en miroir* – Histoire du stendhalisme en France (1842-2004), collection Romantisme et modernités, Paris, Honoré Champion, 2007

Giovanni Maria Bertin, *Il mito formativo del dandy : Balzac, Baudelaire, Barbey d'Aurevilly*, Turin, Segnalibro, 1995

Roger Bésus (1915-1994), *Barbey d'Aurevilly*, Paris, Editions universitaires, 1958. Remarquable petit ouvrage de référence

Paul Binet, *Barbey d'Aurevilly et les spectres de Valognes*, Paris, 1932

Léon Bloy, *Un brelan d'excommuniés : Jules Barbey d'Aurevilly, Ernest Hello et Paul Verlaine*, Paris, A. Savine, 1889 ; *Fragments inédits sur Barbey d'Aurevilly*, La Rochelle, Ed. des « Cahiers L. Bloy », 1927

Jean-Paul Bonnes, *Le Bonheur du Masque, Petite introduction aux romans de Barbey d'Aurevilly*, préface d'Albert Béguin, Paris, Casterman, 1947. Ouvrage relativement peu connu des amoureux de Barbey, mais particulièrement intéressant, avec une préface dont Roger Bésus se plaisait à souligner le caractère « pénétrant »

Henry Bordeaux, *Barbey d'Aurevilly*, Paris, Plon-Nourrit, 1925

Marthe Borely, *Barbey d'Aurevilly, maître d'amour*, Paris, Les Marges,

Jacques-Henry Bornecque, Françoise Lecapiain, Michel Lecureur, *Paysages extérieurs et monde intérieur dans l'œuvre de Barbey d'Aurevilly*, Caen, Publications de la faculté des lettres et sciences humaines de l'université de Caen, 1968

Catherine Boschian-Campaner, *Barbey d'Aurevilly*, Paris, Librairie Seguier, 1989

Charles Buet, *Jules Barbey d'Aurevilly* — Impressions et souvenirs, Paris, Albert Savine, 1891

Les Cahiers aurevilliens (1935-1939). Dix cahiers, sous la forme de bulletins de la Société Barbey d'Aurevilly, reproduits en 1972, à Genève, en deux volumes, chez Slatkine Reprints. Précieux petits ouvrages qui ont joué un rôle pionnier dans l'approfondissement de la connaissance de l'univers aurevillien et dont la parution s'interrompit au moment de la Seconde Guerre mondiale. Ce n'est qu'à partir de 1966 qu'un premier volume de la *Revue des lettres modernes*, consacré à Barbey et publié sous la direction de Jacques Petit, a pu assurer l'actualité des recherches sur une œuvre et un auteur méconnus

Jean Canu, *Barbey d'Aurevilly*, Paris, Laffont, 1945 (rééd. 1965). Excellent ouvrage de référence, fruit d'un travail impressionnant

Marina Carloni, *La Psychologie dans les romans de Barbey d'Aurevilly*, Lugo (Italie), Tip. Cremonini, 1915

Armand B. Chartier, *Barbey d'Aurevilly*, Boston, Twayne, 1977

Fernand Clerget, *Barbey d'Aurevilly (de sa naissance à 1909)*, Paris, Henri Falque, 1909. Ouvrage d'un littérateur et militant progressiste (1865-1931) qui a notamment pour particularité de comporter un autographe alors inédit de Barbey

Salvador Clotas et Joan Giner, *El Dandismo*, Barcelone, Anagrama,

1974

Pierre Colla, *L'Univers tragique de Barbey d'Aurevilly*, collection La Lettre et l'esprit, Bruxelles, Renaissance du livre, 1965

Gisèle Corbière-Gille, *Barbey d'Aurevilly, critique littéraire*, collection Publication romanes et françaises, Genève, E(ugénie) Droz, Paris, Librairie Minard, 1962 (texte remanié d'un mémoire, université américaine de Columbia, 1956)

Elisabeth Creed, *Le Dandysme de Jules Barbey d'Aurevilly*, Paris, Librairie E(ugénie) Droz, 1938 (texte d'une thèse soutenue à la Sorbonne en 1938)

Salvatore D'Alesio, *Barbey d'Aurevilly*, Turin, Chiantore, c.1952

Norbert Dodille, *Le texte autobiographique de Barbey d'Aurevilly — Correspondances et journaux intimes*, Genève, Droz, 1987

René-Louis Doyon, *Barbey d'Aurevilly amoureux et dupe — Avec des documents inconnus*, Paris, Correa, 1934. Surnommé le « Mandarin », l'auteur était un libraire passionné de Barbey. Il créa sa propre maison d'édition, « La Connaissance », qui fut à l'origine de la première parution en volume à la fin des années 1910 de plusieurs nouvelles aurevilliennes, dont *Le Cachet d'onyx*

Davina L. Eisenberg, The Figure of the Dandy in Barbey d'Aurevilly's Le bonheur dans le crime, New York, Peter Lang, 1996

François-Xavier Eygun, *Barbey d'Aurevilly et le fantastique*, collection Currents in comparative Romance langages and literatures, New York, San Francisco, Paris, Peter Lang, 1996

Antonia Fonyi, « Figures de la mère absente », *in Barbey d'Aurevilly, cent ans après, 1889-1989*, ouvrage collectif sous la direction de Philippe Berthier, Genève, Droz, 1990 ; « Les *vomitoria* de Barbey d'Aurevilly. La sincérité problématique des *Memoranda* et des lettres à Trébutien », *in Ecriture de soi et sincérité*, ouvrage collectif sous la direction de Jean-François Chiantaretto, collection Réflexions du temps présent, Paris, In Press, 1999. Ainsi que divers autres articles, dont « Construction dans l'analyse littéraire. La mère morte dans l'œuvre et la vie de Barbey d'Aurevilly» (*Revue française de psychanalyse*, numéro spécial « Des biographies », 1988/1), « Le Dandy aurevillien dans le miroir de l'histoire aurevillienne » (L'Ecole des lettres, numéro spécial *Les Diaboliques* de Barbey d'Aurevilly, sous la direction de Pierre Traounez, 15 janvier 1991, 82ème année, n°7) et « L'illusion objective dans l'écriture de Barbey d'Aurevilly » (*Cahiers internationaux du symbolisme*, numéro spécial, sous la direction d'Huguette de Broqueville, 1991, n°68-69-70)

Jean Gautier, *Barbey d'Aurevilly, ses amours, son romantisme*, Paris, Téqui, 1961

Sylvie Girard, *Le Parfum du démon : un écrivain nommé Barbey d'Aurevilly*, Paris, Hermé, 1986

Eugène Grelé, *Jules Barbey d'Aurevilly, sa vie et son œuvre d'après sa correspondance inédite et autres documents nouveaux*, avec une préface de Jules Levallois, Caen, Louis Jouan, Paris, Honoré Champion, 1902-1904

Gustave Guiches, *Au banquet de la vie : souvenirs de la vie littéraire —* Barbey d'Aurevilly, Bloy, Huysmans, Verlaine, Villiers de L'Isle-Adam, Tusson, Editions du Lérot, 2006 (Revue de France, Ed. Spes, 1925)

Brigitte Guillouet, *Le Royalisme de Barbey d'Aurevilly*, Maule, Editions de l'Esnèque, 1983 (édition sous la forme d'un petit ouvrage de quelques dizaines de pages d'un mémoire présenté en 1982 à la faculté de droit et de sciences politiques de l'université de Caen)

Jean-Marie Jeanton Lamarche, *Pour un portrait de Jules-Amédée Barbey d'Aurevilly —* Regards sur l'ensemble de son œuvre, témoignages de la critique, études et documents inédits, Paris, L'Harmattan, 2000

Hubert Juin (1926-1987), *Barbey d'Aurevilly*, Paris, Seghers, 1975. Excellent ouvrage de référence

François Laurentie, *Sur Barbey d'Aurevilly* — Etudes et fragments, Emile Paul, 1912

Pierre Leberruyer, *Au Pays de Barbey d'Aurevilly*, préface de Henry Bordeaux, Coutances, Bellée, 1959

Arnould de Liedekerke, *Talon rouge : Barbey d'Aurevilly, le dandy absolu*, Paris, Olivier Orban, 1986

Littérature et Nation, ouvrage du Groupe de recherche interuniversitaire littérature et nation (Tours), avec des contributions de Gisèle Séginger, « La poétique du mystère : Balzac et Barbey d'Aurevilly », et de Catherine Boschian-Campaner, « Le Balzac de Barbey d'Aurevilly ou Portrait d'un penseur », Tours, Presses Universitaires François Rabelais, 1997

Joyce O. Lowrie, *The Violent Mystique : Thematics of Retribution and Expiation in Balzac, Barbey d'Aurevilly, Bloy, Huysmans*, Genève, Librairie Droz, 1974

Aristide Marie, *Le Connétable des lettres Barbey d'Aurevilly*, Paris, Mercure de France, 1939 (c. 1938). Ouvrage de référence, apprécié de nombreux admirateurs de Barbey

René Martineau, *Promenades biographiques : Flaubert, Barbey d'Aurevilly*, Paris, Librairie de France, 1920 ; *Aspects méconnus de Barbey d'Aurevilly*, Paris, Fernand Sorlot, 1938

André Maurois (Emile-Salomon-Wilhelm Herzog, dit), *Discours prononcé pour le cent-cinquantenaire de Barbey d'Aurevilly le 31 mai 1959* (12 p.), Paris, Didot, 1959

« Le romancier est, en effet,

créateur à la manière des poètes.

Il peut être lyrique, dramatique comme le poète,

et même c'est notre dernier poète actuel dans la

prose qui monte, déferle et engloutit tout.

En cet instant de mœurs littéraires

et de civilisation prosaïques,

le romancier pourrait être notre dernier poète épique

s'il avait la langue spéciale

et nécessaire du vers. »

Goethe et Diderot
Barbey

Marie-Françoise Melmoux-Montaubin, *Barbey d'Aurevilly*, collection Bibliographie des écrivains français, Rome, Memini (diff. Presses Universitaires de France), 2001

Jacques Petit, *Barbey d'Aurevilly, journaliste et critique, bibliographie*, avec Philip John Yarrow, Annales littéraires de l'université de Besançon, 1959 ; *Barbey d'Aurevilly, critique*, Annales de littéraires de l'université de Besançon, Les Belles Lettres, 1963 ; *Les Maîtres : Byron, de Maistre, Stendhal, Walter Scott, Balzac, Shakespeare*, Paris, *Revue des lettres modernes*, 1970 ; *Essai de lectures des « Diaboliques» de Barbey*, Paris, Revue des Lettres modernes, 1974. Au travers des ouvrages dont il fut l'auteur ou dont il supervisa la réalisation, Jacques Petit (1928-1982) contribua beaucoup au profond renouvellement des études aurevilliennes

Hedwig Arndtheim Pinthus, *Die Normandie in Barbey d'Aurevillys Romanen, Briefen und Memoraden*, Possneck (Thuringe, Allemagne), Gerold-druck, 1937

Hermann Quéru, *Le Dernier Grand Seigneur, Jules Barbey d'Aurevilly*, préface de Jean de La Varende, introduction par Jean de Beaulieu, Paris, Editions de Flore, 1946. Livre d'un auteur réputé à juste titre pour sa science aurevillienne et son érudition

Revue des lettres modernes (La) : Barbey d'Aurevilly, Paris, Editions Minard. Sous la direction de l'éminent universitaire Jacques Petit (1928-1982), puis de Philippe Berthier, et sous la forme de petits ouvrages, cette série annuelle ou bisannuelle constitue, depuis 1966, « la » référence fondamentale pour qui s'intéresse, de près ou de loin, à l'univers aurevillien

Léon Riotor (1865-1946), *Sur deux monarques des lettres : Jules Barbey d'Aurevilly et Léon Cladel*, Paris, Librairie de la Plume, 1895 ; *Barbey d'Aurevilly : connétable des lettres*, Paris, A. Meissein, 1933

Micelle Risolo, *Barbey d'Aurevilly*, Naples, Francesco Perrella, 1923

Brian G. Rogers, *Proust et Barbey d'Aurevilly : le dessous des cartes*, préface de Philippe Berthier, Paris, Honoré Champion, 2000 ; *The Novels and Stories of Barbey d'Aurevilly*, Genève, Droz, 1967

Susanne Rossbach, *Des Dandys Wort als Waffe — Dandyismus narrative Vertextungsstrategien un Geschlechterdifferenz im Werk Jules Barbey d'Aurevillys*, collection Mimesis : Untersuchungen Zu den romanisent Literaturen der Neuzeit (Recherches sur les littératures romanes depuis la Renaissance), Tübingen, Max Niemeyer, 2002 (édition d'une thèse, Université Libre de Berlin, 1999)

Oda Schaefer, *Der Dandy*, Munich, R. Piper, 1964

Helmut Schwartz, *Idéologie et Art romanesque chez Barbey d'Aurevilly*, Munich, W. Fink, 1971

Jean-Pierre Seguin, *Barbey d'Aurevilly* — Etudes de bibliographie critique, lettre-préface de Jean Pommier, Avranches, 1949 ; *Barbey d'Aurevilly* — Documents iconographiques, Genève, Cailler, 1961

Ernest Seillière, *Barbey d'Aurevilly, ses idées, son œuvre*, Paris, Bloud et Cie, 1910. Ouvrage de référence par un littérateur (1866-1955), journaliste et critique, dont le petit-fils, Ernest-Antoine, est l'un des héritiers des entreprises Wendel (Wendel Investissement) et a été le président du Medef-Mouvement des entreprises de France, de 1997 à 2005.

Jean-Pierre Thiollet, *Barbey d'Aurevilly ou le triomphe de l'écriture*, avec des commentaires de Bruno Bontempelli, Jean-Louis Christ, Eugen Drewermann et Denis Lensel (texte intégral du roman *Un prêtre marié* sur CDRom joint), Paris, H & D, 2006 (1re éd.)

Luis Antonio de Villena, *El dandysmo : Balzac, Baudelaire, Barbey d'Aurevilly*, Madrid, Felmar, 1974

Octave Uzanne, *L'Esprit de Jules Barbey d'Aurevilly* — Dictionnaire de pensées, traits, portraits et jugements tirés de son œuvre critique,

Paris, Mercure de France, 1908. Classique ouvrage de référence par un littérateur et bibliophile réputé (1851-1931)

Johannes Werner, *Die Aristokratische Lebensanschauung von Barbey d'Aurevilly*, Berlin, Michel, 1935

Philip John Yarrow, *La Pensée politique et religieuse de Barbey d'Aurevilly*, collection Publications romanes et françaises, Genève/ Paris, E(ugénie) Droz/Minard, 1960 (texte d'une thèse soutenue à la Sorbonne en 1960)

Ouvrages consacrés à Byron

Blanca Andreu, *Byron ou la Stratégie*, Aix-en-Provence, Détours d'écriture/edisud, 1988 (Paris, Noël Blandin, 1991). Poétesse espagnole née en 1959, Blanc Andreu fut la seconde épouse de l'écrivain Juan Benet (1927-1993)

Shirley Clifford Atchley, *Vios kai drasis tou Byronos en Helladi* (*La Vie et les Efforts de lord Byron en Grèce*), Athènes, 1918

Gérard de Beauregard, *Angelina ou une Idylle de lord Byron*, Genève, J.-H. Jeheber, 1925

Louise Swanton Belloc, *Lord Byron*, Paris, Antoine-Augustin Renouard, 1824

Jules Bertaut et Alphonse Séché, *Lord Byron*, Paris, Louis Michaud, 1909

William Arthur Lewis Bettany, *The Confessions of Lord Byron* — A Collection of his Private Opinions of Men and of Matters, Taken from the New and Enlarged Edition of his Letters ands Journals, Londres, Murray, 1905

Edward Blaquière, *Narrative of a Second Visit to Greece,* including facts connected with the last days of Lord Byron, extracts from correspondence, official documents, etc., Londres, 1825

Lady Blessington (Marguerite Gardiner, comtesse Blessington), *A Journal of the Conversations of lord Byron with the Countess of Blessington,* Londres, 1834 (rééd. en 1894 ; *Conversations de Lord Byron avec la comtesse Blessington,* traduction de Charles Marie Le Tellier, Paris, 1833 ; *Conversations of Lord Byron,* Ernest James Lovell éd., Princeton, Princeton University Press, 1969

Roger Boutet de Monvel, *La Vie de lord Byron,* Paris, Plon-Nourrit et Cie, 1924

Elizabeth Boyd, *Byron's Don Juan. A Critical Study,* New York, Humanities Press, 1958 (texte remanié d'une thèse soutenue à la Rutgers University, New Brunswick, en 1945)

Byron, collection Les Géants de la littérature mondiale, ouvrage collectif, Paris, Périodique Paris Match, Arnoldo Mondadori Ed., 1969. Bon livre de vulgarisation, bien illustré

Richard Andrew Cardwell (sous la direction de), *Lord Byron the European* — Essays from the International Byron Society, Lewinston, E. MEllen Press, 1997 ; *Byron's European Reception,* 2 vol., Londres, Thoemmes Continuum, 2004. Le second ouvrage dresse un bilan détaillé de l'influence de Byron sur la littérature européenne

Maurice Castelain, *Byron,* Paris, H. Didier, 1931

Emilio Castelar, *Vida de lord Byron,* Madrid, 1873

Centenaire de la vie subjective de Byron (19 avril 1824-19 avril 1924) Avec un jugement d'Auguste Comte (1798-1857) sur l'œuvre de Byron, Rio de Janiero, 1924

John Clubbe, *Byron, Sully and the Power of Portraiture*, Burlington (Vermont, Etat-Unis), Aldershot (Hampshire, Royaume-Uni), Ashgate Publishing, 2005

John Clubbe, Ernest Giddey et baron John Cam Hobhouse Broughton, *Byron et la Suisse : deux études*, collection Publications de la faculté des lettres (université de Lausanne), Genève, Droz (diffusion Champion,, Annemasse, Presses de Savoie, 1982

Francisco de los Cobos, *La Murette de lord Byron*, Paris, Charles Schlaeber, 1904

Sigrid Combüchen, *Byron : en roman*, Stockholm, Norstedt, 1988 (paru sous le titre *Byron à la folie*, traduction d'Elena Balzamo, Arles, Actes Sud, 1993)

Louis Crompton, *Byron and Greek Love* — Homophobia in 19th-Century England, Berkeley, University of California Press, 1985 (Swaffham, Gay Men's Press, 1998)

John Crowley, *Lord Byron's Novel : The Evening Land*, New York, William Morrow, 2005. Roman qui évoque la découverte d'un manuscrit perdu par Byron

Révérend Alexander Robert Charles Dallas, *Recollections of the Life of Lord Byron*, chez Charles Knight, 1824 ; *Correspondence of Lord Byron with a Friend*, Paris, 1825

Jacques Deléas, *La Philosophie du destin dans l'œuvre de Byron*, Paris, Taum et Caustan, 1951

Dictionnaire de Byron (choix de textes par Leslie Alexis Marchand, traduction d'Odette Lamolle, préface de Maurice Barrès, avant-propos et notes d'Andrea de Lorris), collection Les Billets de La Bibliothèque, Paris, Ed. La Bibliothèque, 1999

John Drinkwater, *The Pilgrim of Eternity* — Byron, a conflict, Londres, Hodder & Stoughton, New York, George H. Doran Company, 1925 (New York, Kennikat Press, 1969). Par son titre, cet ouvrage fait référence à Shelley qui appela Byron le « Pèlerin de l'Eternité»

Charles Du Bos (1882-1939), *Byron et le Besoin de la fatalité*, Paris, Au sans pareil, 1929 (Buchet-Chastel, Correa, 1957, avec une note de Juliette Charles Du Bos). Important ouvrage de référence, sélectionné par la Société française des études byroniennes, par cet écrivain et littérateur (1882-1939), né d'un père français et d'une mère anglaise

John Wight Duff, *Byron and Aberdeen*, Aberden, Taylor and Henderson, 1902. Plaquette d'une quinzaine de pages d'un littérateur et historien né en 1866 et mort en 1944. L'un des très rares textes à avoir relevé l'importance de la cité écossaise dans la destinée de Byron

Kasimir Edschmid, *Lord Byron*, Berlin, Vienne, Leipzig, Paul Zsolnaz Verlag, 1929 (*The Passionate Rebel, the Life of Lord Byron*, traduction de Whittaker Chambers, New York, A & C Boni, 1930). Un ouvrage qui a fait l'objet de nombreuses rééditions

Richard John Frederick Edgcumbe, *Byron : the Last Phase*, Londres, J. Murray, New York, Charles Scribner' s Sons, 1909

Benita Eisler, *Byron, Child of Passion, Foll of Fame*, New York, Alfred A. Knopf, 1999 (*Byron — Der Held im Kostüm*, Munich, Blessing, 1999)

Karl Elze, *Lord Byron : a biography*, Londres, John Murray, 1872

Claire-Eliane Engel, *Byron et Shelley en Suisse et Savoie, mai-octobre 1816*, Mâcon, Protat, Chambéry, Dardel, 1930

Robert Escarpit, *De quoi vivait Byron ?*, préface d'André Maurois, Paris, Editions des Deux-Rives, 1952 ; *Lord Byron : un tempérament littéraire*, 2 vol., Paris, Le Cercle du livre, 1956-1957 ; *Byron — Etude et choix de textes*, collection Œuvres d'hier et d'aujourd'hui, Paris,

Pierre Seghers, 1965. Ouvrages de référence par cet éminent angliciste et homme de lettres, né en 1918 et mort en 2000

Essai sur le caractère, les mœurs et l'esprit de lord Byron, ouvrage paru sous les initiales N.R., Paris, Persan, 1824

Edmond Estève, *Byron et le Romantisme français* — Essai sur la fortune et l'influence de l'œuvre de Byron en France (1812-1850), Paris, Librairie Hachette et Cie, 1907 (édition d'une thèse, Université de Paris ; Paris, Boivin, 1929 ; Genève, Slatkine, 1973)

Arturo Farinelli, *Byron e il Byronismo : sei discorsi*, Bologne, Nicola Zanichelli, 1924

Anne Fleming, *Byron the Maker : Truth or Masquerade* — A exploration, vol.1 (Byron in England) , Lewes (GB), Book Guild, 2006

William Fletcher, *Lord Byron's Illness and Death, Printed for Private Circulation*, Nottingham, H.C. Roe, 1920

Caroline Franklin, *Byron' s Héroïnes*, Oxford, Clarendon Press, New York, Oxford University Press, 1992 ; *Byron : a Literary Life*, New York, Saint Martin's Press, 2000 (*Byron*, New York, Routledge, 2006)

Claude Moore Fuess, *Lord Byron as a Satiriste in Verse*, New York, Columbia University Press, 1912 (New York, Russell & Russell, 1964)

John Galt, *Life of Byron*, Londres, Henry Colburn et Richard Bentley, 1830

Comte Pietro Gamba, *A Narrative of Lord Byron' s Last Journey to Greece*, Londres, John Murray, 1825 (*Relation de l'expédition de lord Byron en Grèce*, traduction de Jacques-Théodore Parisot, Paris, Peytieux, 1825)

Jerome John McGann, *The Romantic Ideology : a Critical Investigation*, Chicago, University of Chicago Press, 1983 ; *Byron and Romanticism*, Cambridge, Cambridge University Press, 2002

Francis Henry Gribble, *The Love Affairs of Lord Byron*, Londres, Eveleigh Nash, New York, Scribner's Sons, 1910

Phyllis Grosskurth, *Byron, the Flawed Angel*, Boston, Houghton Mifflin, 1997

Comtesse Teresa Guiccioli, *Lord Byron jugé par les témoins de sa vie*, 2 vol., Paris, Amyot, 1868 ; *La Vie de lord Byron en Italie* (introduction et notes de Erwin A. Stürzl), Salzbourg, Institut pour les études anglaises et américaines, université de Salzbourg, 1983 (*Lord Byron's Life in Italy*, Michael Rees, Peter Cochran éd., Newark, Delaware University Press, 2005)

Louise de Broglie de Cléron, comtesse d'Haussonville, *La Jeunesse de lord Byron*, Paris, Michel-Lévy frères, 1872 ; *Les Dernières Années de lord Byron*, Paris, Lévy, 1874

René Herval, *Le Dernier Roman de Byron*, Paris, Peyronnet, 1927

John Cam Hobhouse, baron Broughton de Gyfford, *Napoléon, Byron et leurs contemporains* — Souvenir d'une longue vie, préface de lord Rosebery, traduction, Paris, 1910-1911 ; *Byron's Bulldog, the letters of John Cam Hobhouse to Lord Byron*, avec introduction et notes de P.W. Graham, Columbus, Ohio State University Press, 1984. John Cam Hobhouse (1786-1869) fut l'un des plus fidèles amis de Byron. Après avoir voyagé avec lui en Grèce de juillet 1809 à juillet 1810, il revécut avec lui six ans plus tard en Suisse et en Italie. Leur dernière rencontre eut lieu à Pise en 1822

Francis Hodgson, *Memoirs of Rev Francis Hodgson, Scholar, Poet and Divine with Numerous letters from Lord Byron and Others*, publiés par son fils, Rev. James Thomas Hodgson, Londres, Macmillan, 1878 (New York, AM Press, 1977)

Tom Holland, *Der Vampir*, Munich, Econ-und-List Taschebuch-Verlag, 1998 (Munich, Ullstein, 2003). Roman qui raconte comment Byron devint un vampire au cours de son premier séjour en Grèce... Cette romantique évocation qui s'appuie sur des citations de poèmes et sur des textes de John Cam Hobhouse peut contribuer à expliquer le comportement de l'écrivain envers sa famille et ses amis

The Home and Grave of Lord Byron, Londres, vers 1850. Ouvrage paru anonymement

Victor Hugo, « Sur George Gordon lord Byron » (article paru dans la *Muse française* en juin 1824)

Pierre Humbourg, *Lord Byron et les Femmes*, collection Les amours célèbres, Paris, Gallimard, 1959. Biographie romancée, mais s'appuyant sur un travail de documentation solide et menée avec brio par un professionnel de l'écriture talentueux

Leigh Hunt (James Henry Leigh Hunt, 1784-1859), *Lord Byron and Some of his Contemporaries — with recollections of the author's life, and his visit to Italy*, 2 vol., Londres, Henry Colburn, 1828 (Paris, A & W. Calignani, 1828 ; New York, AMS Press, 1966 ; Hildesheim et New York, collection Anglistica & Americana, G. Olms, 1976)

John Cordy Jeaffreson, *The Real Lord Byron — new views ot the poet's life*, Boston, James B. Osgood and company, 1883

James M. D. Kennedy, *Conversations on Religion, with Lord Byron, Held in Cephalonia*, Londres, John Murray, Paris, A. & W. Galignagni, 1830

« Il y a de la musique dans le soupir du roseau ;

— Il y a de la musique

dans le bouillonnement du ruisseau ;

— Il y a de la musique

en toutes choses,

si les hommes pouvaient l'entendre,

— Leur terre n'est qu'un écho

des astres. »

Don Juan, XV
Byron

George Wilson Knight, *Lord Byron, Christian Virtues*, Londres, Routledge & Kegan Paul, 1952 (Routledge, 2002 ; New York, Oxford University Press, 1953, Barnes & Noble, 1967) ; *Lord Byron's Marriage* — The evidence of asterisks, Londres, Routledge & K. Paul, 1957

Werner Gerhard Krug, *Lord Byron als Dichterische Gestalt in England, Frankreich, Deutschland und Amerika*, Potsdam, R. Schneider, 1932

Alphonse de Lamartine, *Vie de lord Byron*, feuilleton du *Constitutionnel*, 26 septembre-2 décembre 1865 (Paris, Marie-Renée Morin et Janine Wiart éd., Bibliothèque nationale de France, 1989) ; *Cours familier de littérature*, tomes I, II, III, IV, VII, XVI, Paris, Chez l'auteur, 1856-1869

Lady Caroline Lamb, *Glenarvon*, 3 vol., Londres, 1816 (collection The Romantics : women novelists, avec une introduction de Caroline Franklin, Londres, Routledge/Thoemmes Press, 1995). Ecrit par l'une des maîtresses de Byron, mais publié initialement de manière anonyme, ce long et ennuyeux « roman à clés » présente surtout un intérêt historique et documentaire. Il s'appuie sur des racontars et des souvenirs personnels où Glenarvon-Byron apparaît sous un jour plutôt sombre... L'auteur, lady Caroline Lamb (1785-1828), s'y dépeint sous les traits du personnage de Calantha

Raymond Le Bourdellès, *Giacomo Leopardi — lord Byron en Suisse, en Italie et en Grèce — Boccace : L'Arioste* (tome II d'une série de trois intitulée *Etudes littéraires sur les grands classiques italiens et étrangers* et publiée entre 1899 et 1904), Paris, A. Pedone, 1901

Adolphe Mathurin de Lescure, *Lord Byron, histoire d'un homme*, Paris, Achille Faure, 1866

Lord Byron : une vie romantique (catalogue de l'exposition présentée du 27 mai au 2 octobre 1988 à la Maison Renan-Scheffer, Musée de la vie romantique, à Paris), Paris, Editions Paris-Musées, 1988

Lord Byron and Some of his Contemporaries : the Life of George Gordon, 6th Barbon Byron, 1788-1824 — told by himself and by some of those who knew him (textes rassemblés et édités par Joanna Richardson), Londres, Folio Society, 1988

Ralph Milbanke, comte de Lovelace (petit-fils de Byron), *Astarté*, Londres, 1905 (édition augmentée, publiée en 1921 par la comtesse de Lovelace)

Ernest J. Lovell Jr, *His Very Self and Voice*, New York, Macmillan, 1956

Fiona MacCarthy, *Byron* — Life and Legend, Londres, John Murray, New York, Farrar, Straus and Giroux, 2002

Anna Benneson Mac Mahon, *With Byron in Italy*, Chicago, A.C. McClurg & Co, 1906

Charles Mackay, *Medora Leigh, a History and an Autobiography*, Londres, 1869 (New York, AMS Press, 1973)

Leslie Alexis Marchand, *Byron* — A Biographie, 3 vol., New York, Alfred Knopf, 1957 ; *Byron* — A portrait, Londres, The Cresset library, 1971 (paru sous le titre *Byron, portrait d'un homme libre*, traduction d'Odette Lamolle, Paris, Ed. Autrement Littératures, 1999). Importants ouvrages de référence (le plus récent constitue un utile complément, en particulier pour l'évocation de la bisexualité de Byron, sujet qui, dans les années 1950, restait tabou)

Michèle Maréchal-Trudel, *Chabeaubriand, Byron et Venise : un mythe contesté*, Paris, A(fred) G(érard) Nizet, 1978 (édition d'une thèse soutenue en 1976 à la New York City University)

Gilbert Martineau, *Lord Byron* — La malédiction du génie, collection Figures de proue, Paris, Tallandier, 1984. Belle biographie classique, fruit d'un travail d'érudition et de compilation par un ancien consul de France à Sainte-Hélène (son fils, Michel Martineau, également consul honoraire de France, a succédé à son père dans la remarquable préservation du domaine de Longwood où Napoléon vécut de 1816 jusqu'à sa mort, le 5 mai 1821)

Gabriel Matzneff, *La Diététique de lord Byron*, Paris, Editions de La Table ronde, 1984. Ouvrage sélectionné par la Société française des études byroniennes

André Maurois (Emile-Salomon-Wilhelm Herzog, dit), *Ariel ou la Vie de Shelley*, Paris, Bernard Grasset, 1923 (collection Les cahiers rouges, Paris, Grasset et Fasquelle, 2006) ; *Lord Byron et le démon de la tendresse*, collection La Porte étroite, Paris, à l'enseigne de « La Porte étroite », 1925 (paru l'année précédente sous le même titre, mais sous forme d'article dans la Revue de Paris) ; « Lord Byron et le démon de la tendresse », *in Quatre études anglaises*, Paris, L'Artisan du livre, 1927 ; *Byron*, Paris, Bernard Grasset, 1930 (traduction de Hamish Miles, Londres, Jonathan Cape, New York, Dappleton and Company, 1930), et collection Le Livre moderne illustré, avec des illustrations de Clément Serveau, Paris, J. Ferenczi et fils, 1933, puis sous le titre *Don Juan ou la Vie de Byron*, Paris, Grasset, 1952 (dernière éd. 2006). Ouvrages de référence (sélectionnés par la Société française des études byroniennes)

Ethel Colburn Mayne, *Byron*, Londres, 1912

Thomas Medwin, *Conversations of Lord Byron*, Londres, 1824 (repris dans la 6ème édition des « œuvres complètes de lord Byron, traduction d'Amédée Pichot, sous le titre *Les Conversations de lord Byron*, Paris, 1827 ; Princeton, Princeton University Press, Ernest James Lovell éd., 1966). Il s'agit de propos recueillis à Pise en 1822 par cet ami de Byron, également poète (1788-1869)

Thomas Meneghetti, *Lord Byron a Venezia*, Venise, 1910

Barnette Miller, *Leigh Hunt's Relations with Byron*, New York, Columbia University Press, 1910

Julius Millingen, *Memoirs of the Affairs of Greece...with...Anecdotes of Lord Byron*, Londres, J. Rodwell, 1831

John Mitford (Révérend), *The Private Life of Lord Byron Comprising his Voluptuous Amours, Secrets Intrigues...*, Londres, H. Smith, 1836 (*Vie privée et amours secrètes de lord Byron*, Paris, Terry, 1837)

Armand Mondot, *Histoire de la vie et des écrits de lord Byron*, Paris, Durand, 1860

Doris Langley-Levy Moore, *Lord Byron : Accounts Rendered*, New York, Harper & Row, Londres John Murray, 1974 (appendix 2 : « Byron's sexual ambivalence »)

Thomas Moore, *Letters and Journals of Lord Byron* — with notices of his life, Londres, John Murray, 1830

Hartmut Müller, *Lord Byron*, Reinbek (Hambourg), Rowohlt, 1981 (2000)

George Glen Napier et James Ward, *Lord Byron's Lameness* — The correspondence of George Glen Napier and James Ward, James Ward ed., Nottingham, 1915

John Nichol, *Byron*, Londres, Macamillan & Co, 1880

Sir Harold George Nicolson, *Byron, the Last Journey* — April 1823-April 1824, Londres, Constable & Co, 1929

Christopher Nicole, *The Secret Memoirs of Lord Byron*, Philadelphie, Lippincott, 1978 (*Les mémoires secrets de lord Byron*, traduction de Françoise Vernon, Paris, Buchet-Chastel, 1982). Œuvre romanesque s'appuyant sur un travail d'imagination

Charles Nodier, baron Isidore-Justin-Séverin Taylor et Alphonse de Cailloux de Cailleux, *Voyages pittoresques et romantiques dans l'ancienne France (Haute et Basse Normandie)*, 3 tomes en 4 vol., Paris, Pierre Didot, 1820, 1825, 1878. L'un des ouvrages historiques de la lithographie française. Avec des vignettes dessinées par Fragonard, Villeneuve,

Léger, Vauzelle, Athalin, Isabey et Vernet. Le dernier volume, tiré à un très petit nombre d'exemplaires, parut en 1878

Iris Origo, *The Last Attachment : the Story of Byron and Teresa Guiccioli as Told in their Unpublished Letters and Other Family Papers*, Londres, John Murray, New York, C. Scribner's Sons, 1949 (*Le dernier amour de Byron*, préface d'André Maurois, traduction d'Antoine Gentien, Paris, Plon, 1957). Un ouvrage dont l'intérêt est renforcé par les documents fort précieux auxquels Iris Origo (1902-1988), l'épouse d'origine irlando-anglo-américaine du marquis Antonio Origo, put avoir accès. Cet auteur a également consacré un livre à l'un des grands poètes de la littérature romantique italienne, Giocomo Leopardi

William Parry, *The Last Days of Lord Byron*, Londres, Knight and Lacey, 1825

Amédée Pichot, « Essai sur le caractère et le génie de Lord Byron », introduction de la 4ème édition de sa traduction des œuvres de Byron, Paris, 1823 ; *Essai sur le génie et le caractère de lord Byron*, Paris, Camille Ladvocat et Delangle frères, 1827. Premier traducteur des *Œuvres complètes* de Byron, Amédée Pichot (1795 -1877) est également l'auteur de cette monographie et d'un ouvrage intitulé *Voyage historique et littéraire en Angleterre et en Ecosse* (3 vol., Paris, Camille Ladvocat et Charles Gosselin, 1825, Bruxelles, A. Wahlen et Devasme, 1827)

Dr John William Polidori, *The Diary of...Relating to Byron, Shelley, etc.*, William Michael Rossetti ed., Londres, E. Matthews, 1911 (Norwood, Norwood Editions, 1978)

Frederick Prokosch, *The Misolonghi Manuscript*, 1968. Roman qui évoque la découverte d'un manuscrit perdu par lord Byron

Félix Rabbe, *Les maîtresses authentiques de lord Byron*, Paris, Albert Savine, 1890 (Paris, Stock, 1924, nouvelle édition à l'occasion du centenaire de la naissance de Byron)

Herbert Read (1893-1968), *Byron*, Londres, New York, Longmans, Green, 1951

Remarks on the Talents of Lord Byron and the Tendencies of Don Juan, Londres, 1819 (ouvrage paru sous les initiales C.C.C.)

Michel Renzulli, *Lord Byron, la vie passionnée d'un grand pécheur*, Paris, Fernand Sorlot, 1936

Emmanuel Rodocanachi, *Byron, 1788-1824*, Paris, Hachette, 1924

Fred Rosen, *Bentham, Byron and Greece*, Oxford, Clarendon Press, 1992

Carlo Salvo, marquis de Salvo, *Lord Byron en Italie et en Grèce* — ou Aperçu de sa vie et de ses ouvrages d'après des sources authentiques, accompagné de pièces inédites et d'un tableau littéraire et politique de ces deux contrées, Londres, Treuttel et Würtz, Treuttel fils et Richter, Paris et Strasbourg, Treuttel et Würtz, 1825

Sir Walter Scott, *Biographical Memoirs*, Paris, A & W. Galignani, 1830

Jane Stabler, *Palgrave Advance in Byron Studies*, Basingstoke (GB), New York, Palgrave Macmillan, 2007

Leicester Fitzgerald, Charles, Earl Stanhope, *Greece in 1823 and 1824*, Londres, 1824

Stendhal, « Lord Byron en Italie et en France, récit d'un témoin oculaire », 1816, *in Revue de Paris*, mars 1830

Harriet Beecher Stowe, *The True Story of Lord and Lady Byron* — As told by Lord Macaulay, Thomas Moore, Leigh Lunt, Thomas Campbell, the Countess of Blessington, Lord Lindsay, the Countess Guiccioli, Londres, MacMillan's magazine et J.C. Hotten, 1869 (dès l'année suivante, parut chez Hotten *The True Story of Lord and Lady Byron as told by Lord Macaulay and others in answer to Mrs Beecher Harriet Stowe*, mentionnant comme auteurs le Baron Thomas Babington Macaulay, Thomas Moore & Harriet Beecher Stowe) ; *Lady Byron vindicated* — a history of the Byron controversy, from the beginning to the present time, Londres Low, Son, and Marston, Boston, Fields, Osgood & Co, 1870 (New York, Haskell House, 1970). Si son nom reste généralement attaché à *La Case de l'oncle Tom* (1852), ce livre au succès immense dont elle est l'auteur, Harriet Beecher Stowe (1811-1896) n'en est pas moins passée à la postérité pour avoir publié que Byron aurait eu des relations incestueuses avec sa demi-sœur Augusta, devenue mistress Leigh, et qu'ils auraient eu ensemble une fille portant le nom de l'héroïne du poème « Le Corsaire », Medora (née le 14 avril 1814 et morte en 1849). Un secret maintenu pendant plus d'un demi-siècle et confié à Harriet Beecher Stowe en 1856 par lady Byron, cinq ans après le décès d'Augusta Leigh

James David Symon, *Byron in perspective*, Londres, M. Secker, 1924

Giuseppe Tomasi di Lampedusa, *Byron*, traduction de Monique Bacelli Paris, Allia, 1999 (*Leteratura Inglese*, ouvrage posthume, introduction et postface de Gioacchino Lanza Tomasi, Milan, A. Mondadori, 1990-1991). Publié à titre posthume, l'un des textes intéressants de ce prince de Lampedusa et duc de Palma di Montechiaro (1896-1957), qui fut essayiste, nouvelliste et auteur d'un seul roman, fort célèbre il est vrai, *Le Guépard* (son adaptation au cinéma par Lucino Visconti, avec Burt Lancaster, Alain Delon et Claudia Cardinale, remporta la Palme d'or à Cannes, en 1963)

Edward John Trelawny, « Narrative ot the Cremation... of Shelley » (manuscrit) 16 août 1822 ; *Adventures of a Younger Son*, Londres, Henry Colburn & Richard Bentley, 1831 (*Mémoires d'un cadet de famille*, Paris, Dumont, Charpentier, 1834) ; *Recollections of the Last days of Byron and Shelley,* Londres, E. Maxon, Boston, Ticknor & Fields, 1858 ; *Records of Shelley, Byron and the Author*, Londres, B.M. Pickering, 1878 (*Les derniers jours de Shelley et Byron : souvenirs*, traduction d'André Fayot, Paris, José Corti, 1995 ; New York, New York Review, Londres, Blomsbury, 2001). Trelawny fut un proche compagnon et ami de Byron.

Luc Valti, *Le Dernier Amour de Byron*, Paris, chez Colbert, 1947

Roger de Vivie de Régie, *Le Secret de Byron*, Paris, Emile Paul, 1927

Paul West, *Byron and the Spoiler's Art*, New York, Saint Martin's Press, 1960 ; *Byron : a Collection of Critical Essays*, Englewood Cliffs (New Jersey), Prentice Hall, 1963 ; *Lord Byron' s Doctor*, New York, Doubleday, 1989 (*Le Médecin de lord Byron*, traduction de Jean-Pierre Richard, collection de Littérature étrangère, Marseille, Rivages, 1990)

Deborah Wright, *The History of Lucy's Love Life*, Londres, Time Warner, 2006. Roman où le personnage principal de Lucy est obsédé par Byron, présenté comme un homme cruel, mais fascinant

E. Zabel, *Byron's Kenntnis von Shakespeare und sein Urteil über ihn*, Marbourg (Hesse, Allemagne), E. Baensch, 1904. Texte d'une thèse soutenue à l'université de Halle-Wittenberg

Corrado Zacchetti, *Lord Byron e l'Italia*, Palerme, Sondron, 1919

Ouvrages consacrés à Salvador Dali

Salvador Dali à la croisée des savoirs, textes réunis par Astrid Ruffa, Philippe Kaenal et Danielle Chaperon, préface d'Henri Béhar, Paris, Desjonquères, 2007. Le préfacier, auteur d'ouvrages de référence, est le fondateur et animateur du Centre de recherche sur le surréalisme (université de Paris III)

It's all Dali — film, fashion, photograph, design, advertising, painting (catalogue d'exposition, sous la direction de Jaap Guldemond), Rotterdam, Museum Boijmans Van Beuningen, 2005

Dali, ma vida de libyo (catalogue de l'exposition présentée à la Biblioteca de Catalunya dans le cadre de « Dali année 2004 », avec la participation de Vicence Altaio, Francesc Fontbona, Ricard Mas Peniado), Barcelone, Biblioteca de Catalunya-Generalitat de Catalunya-Fundacion Gala/Salvador Dali, 2004

Dali, culture de masas (avec la collaboration de Felix Fanès et Montserrat Aguer), Madrid, Fondation Gala/Salvador Dali, Musée national d'art Reine Sophia/Fondation Caixa, 2004

Salvador Dali, textes de Victoria Charles, Heike Kruschinski et Jean-Paul Manzo, Bournemouth, Parkstone Press, 1999

Dali vu par les caricaturistes (catalogue d'une exposition organisée par le Festival international de la caricature), Saint-Estève, 1997

Dali arquitectura, Barcelone, Fundacion Caixa de Catalunya, Fundacion Gala/Salvador Dali, 1996

Dali Joven (1918-1930), Madrid, Museo national centro de arte Reina Sofia, 1994

Dali i els llibres (catalogue d'exposition), Generalitat de Catalunya, Departament de Cultura i Mitjans de Communicacio, 1982

Salvador Dali, rétrospective 1920-1980, Paris, Editions du Centre Georges-Pompidou, 1980

La Vie publique de Salvador Dali, Paris, Editions du Centre Pompidou, 1980

Salvador Dali : 400 obras de 1941 a 1983, Generalitat de Catalunya, Ministerio de Cultura, Barcelone, Madrid, 1980

Dali (catalogue de l'exposition Dali au Museum Boijmans-van Beuningen), Rotterdam, 1970-1971

Dawn Ades, *Dali*, New York, Thames & Hudson, 1995

Dawn Ades, Juan Manuel Bonet et Felix Fanès (et al.), *Dali, un creador disidente* (congrès international de Barcelone, 7-9 octobre 2003), Barcelone, Destino, 2004

Ruth Amossy, *Dali ou le Filon de la paranoïa*, Paris, Presses universitaires de France, 1995

Jean-Christophe Argillet, *Le Siècle de Dali*, Paris, Timée-Editions, 2004. Très bon livre de vulgarisation. Né en 1966, l'auteur a eu souvent, dans sa jeunesse, l'occasion de côtoyer Dali que son père Pierre et sa mère Geneviève avaient rencontré en 1959 pour lui demander un cuivre gravé de sa main afin d'illustrer leur premier livre de bibliophilie. Pierre Argillet (1910-2001) fut durant de nombreuses années un proche de Dali au travers de l'édition d'art

Alain Bosquet, *Entretiens avec Salvador Dali*, Paris, Belfond, 1966 (et 1983 ; Ed. du Rocher, 2000)

Enric Bou, *Daliccionario* — Objetos, mitos y simbolos de Salvador Dali, préface d'Edouardo Mendoza, Barcelone, Tusquets Editeurs, 2004

Pierre Brunel, *Dali et Gala : la passion*, Paris, L'Acropole, 2001

Jordi Busquets, *Le Dernier Dali*, Madrid, Prisa, 1985

Joan Castellar-Gassol, *Dali, une vie perverse*, traduction de Majid Tazi, Barcelone, Edicions de 1984, 2003 (paru sous le titre *Dali, une vida pervers*, chez le même éditeur, en 2002)

Fleur Cowles, *The Case of Salvador Dali*, Boston, Little, Brown, 1959 (*Dali, la vie d'un grand excentrique*, traduction de Geneviève Méker, collection Mappemonde, Paris, Julliard, 1961)

René Crevel, *Dali ou l'Antiobscurantisme*, Paris, Editions surréalistes, 1931. Ouvrage comportant dix planches photographiques des toiles de Dali, photographiées par André Caillet. René Crevel fut un ami de Dali qui l'a évoqué ainsi dans *Le Journal d'un génie* : « Personne n'a été aussi souvent «crevé», personne n'est autant «René» à la vie que notre René Crevel. Son existence se passait en de constantes allées et venues dans les maisons de santé. Il s'y rendait crevé pour réapparaître renaissant, florissant, neuf, luisant et euphorique comme un bébé. Mais cela durait peu. La frénésie de l'autodestruction le reprenait vite et il recommençait à s'angoisser, à refumer de l'opium, à se battre contre d'insolubles problèmes idéologiques, moraux, esthétiques et sentimentaux, s'adonnant sans mesure à l'insomnie et aux larmes jusqu'à en crever.» Le musée de Figuéras conserve un portrait de René Crevel par Dali

Ana Maria Dali, *Salvador Dali visto por su hermana*, traduction de Maria Luz Morales, Barcelone, Juventud, 1949 (avec une introduction et des notes de Ian Gibson, collection Figuras, Barcelone, Parsifal, 1993 ; édition française sous le titre *Salvador Dali vu par sa sœur*, introduction, traduction et notes de Jean Martin, Grenoble, Arthaud, 1961)

Robert Descharnes, *Dali de Gala*, Lausanne, Paris, Edita/La Bibliothèque des Arts, 1962 ; *Dali, l'œuvre et l'homme*, Lausanne, Edita, 1984 ; *L'Héritage infernal*, Paris, Ramsay/La Marge, 2002 ; *Dali, l'œuvre peint*, Cologne, Tashen, 2004. Ouvrages de référence.

Nicolas et Robert Descharnes, *Dali, le dur et le mou* — Sortilège et magie des formes, Sculptures et objets, Azay-le-Rideau, Eccart, 2003

(*Dali : the Hard and the Soft* — Spells for the magic of forme : sculptures & objects, traduction de Christopher Jones, Azay-le-Rideau, Eccart, 2004). Très bel ouvrage de référence

Robert Descharnes et Gilles Neret, *Salvador Dali (1904-1989)*, Cologne, Taschen, 1993

Diccionario privado de Salvador Dali (textes de Dali présentés par Mario Merlino), Madrid, Altalena, 1980

Estrella de Diego, *Querida Gala* — Las vidas occultas de Gala Dali, collection Espasa Forum, Madrid, Espasa Calpe, 2003

Paul Eluard, *La Vie immédiate* (recueil contenant le long poème « Salvador Dali » qui figura dans le catalogue de l'Exposition Salvador Dali, à Paris, galerie Pierre-Colle, du 26 mai au 17 juin 1932), Paris, Editions des Cahiers libres, 1932 (collection Poésie, Gallimard, 1994)

Meredith Etherington-Smith, *Dali : a biography*, Londres, Sinclair-Stevenson, 1992 (également paru la même année à New York, sous le titre *The Persistence of Memory : a biography of Dali*, chez Random House, puis à Paris, en 1994, sous le titre *Dali* et avec une préface de Robert Descharnes, traduction de Marie Muracciole, Philippe Evans-Clark et Pierre-Emmanuel Dauzat, aux éditions de l'Archipel)

Serge Fauchereau, *Dali 1904-1989*, Paris, Editions Cercles d'art, 1996

Jean-Louis Gaillemin, *Salvador Dali* — Désirs inassouvis, du purisme au surréalisme 1925-1935, Paris, New York, Le Passage, 2002 ; *Dali, le grand paranoïaque*, Paris, collection Découvertes, Gallimard, 2004. Le *Salvador Dali* paru en 2002 concerne l'histoire aussi bien littéraire qu'artistique. Se démarquant de la banalité ou de l'indigence de certaines monographies relevant de la distribution de masse, il constitue d'ores et déjà un excellent ouvrage de référence, riche en analyses approfondies, citations bien choisies et documents iconographiques remarquables. En 2001, Jean-Louis Gaillemin, avait, sous la direction de Bruno Foucart, soutenu une thèse au sujet de « Architecture et surréalisme (1909-1935) dans les textes et l'œuvre d'Amilio Terry (1890-1969), Giorgio de Chirico (1888-1978), Alberto Giacometti (1901-1966) et Salvador Dali (1904-1989) », à l'université de Paris IV — Sorbonne

Ian Gibson, *The Shameful Life of Salvador Dali*, Londres, Faber & Faber, 1997 ; *Lorca-Dali, el amor que no pudo ser*, collection Asi fue : la historia rescatada, Barcelone, Plaza & Janès, 1999 (paru sous le titre *Lorca-Dali, un amour impossible*, Montréal, Stanké, 2001)

Robert Goff et Ariel Marinie, *Salvador Dali*, Paris, Editions de La Martinière, 1998

Ignacio Gomez de Liano, *Dali*, Barcelone, Poligrafa, 1982 (New York, Rizzoli, 1984 et Paris, Albin Michel, 1990) ; *Il camino de Dali*, Madrid, Siruela, 2004

Ramon Gomez de la Serna, *Los enigmas de Dali*, Caracas, Revista National de Cultura, 1956 ; *Dali*, Paris, Flammarion, 1974 (Madrid, Esposa-Calpe, 1977). Né à Madrid en 1888, Gomez de la Serna est mort en Argentine en 1963 après avoir laissé, outre plusieurs dizaines de recueils poétiques et ouvrages très divers, ces précieuses pages consacrés à Dali

Nathaniel Harris, *Vida y obra de Dali*, Bogota, El Sello Editorial, 1995 (*Dali : zivljenje in dela*, Ljubljana, Mladinska knjige, 1996)

Patricio Hernandez Pérez, *La escritura de Salvador Dali*, Pozuelo de Alarcon, Insula, 2001. Opuscule d'une trentaine de pages

Maria Teresa Jimenez Priego, *Dali, joyero del siglo XX*, collection Estudios de la Uned, Madrid, Universitad Nacional de Educacion a Distancia, 1999

Jean-Gabriel Jonin, *Jours intimes chez Dali*, préface de Sarane Alexandrian, Rafael de Surtis-Editinter, 2006

Frédérique Joseph-Lowery, *Lire Dali*, *Revue des sciences humaines* n° 202, n°2, Lille, université Charles-de-Gaulle — Lille III, 2001

Jordi Jové et Miquel Visa, *Monografico Salvador Dali*, collection Scriptura, Lleida, université de Lleida, 2005

Amanda Lear (Amanda Tapp, dite), *Le Dali d'Amanda*, collection Voies et Chemins, Lausanne/Paris, Editions Pierre-Marcel Favre, 1984 ; *L'Amant Dali*, Paris, Michel Lafon, 1994 (nouvelle édition complétée, chez le même éditeur, sous le titre *Mon Dali* en 2004). Né en 1939 à Hong Kong, ce mannequin devenu chanteuse, actrice et animatrice de télévision fut l'une des égéries de Dali

Béatrice Libert et Raphaël Augustinus Kleweta, *Dalirium* — L'art de révéler la topographie de l'âme du peintre catalan Salvador Dali, poème et gravures, Belvès du Razès (Languedoc-Roussillon), Anima Mundi, 2004. Livre d'art réalisé à l'occasion de la célébration du centenaire de la naissance de Dali

Luis Llongueras, *Tot Dali : vida i obra del personatge més genial i espectacular del segle XX*, Barcelone, Portic, 2003

Federico Garcia Lorca, *Ode a Salvador Dali*, Paris, G.L.M., 1938 (édition originale de la traduction française avec texte espagnol en regard). Un poème-hommage à la peinture de Dali (« En prenant ta palette, dont l'aile est trouée d'un coup de feu, tu demandes la lumière qui anime la coupe renversée de l'olivier ») et à l'amitié particulière entre les deux hommes (« Mais avant tout je chante une pensée commune qui nous unit aux heures obscures et dorées. L'art, sa lumière ne gâche pas nos yeux. C'est l'amour, l'amitié, l'escrime qui nous aveuglent. »

Conroy Maddox, *Dali*, New York, Crown Publishers, 1979 (paru sous le titre *Salvador Dali, 1904-1989 : excentricité et génie*, traduction de Françoise Laugier, Cologne, Benedikt Taschen, 1988)

Jean-Hubert Martin, Stephan Andreae et Uta Husmeier, *The Endless Enigma : Dali and the Magicians of Multiple Meaning*, Dusseldorf, Museum Kunst Palast, Ostfuldern-Ruit, Hatje Cantz, New York, Distributed Art Publishers, 2003

Ricard Mas Peinado, *Univers Dali : 30 recorreguts per la vida i l'obre de Salvador Dali*, préface de Carlos Rojas, Barcelone, Lunwerg, 2003 ; avec Carlos Rojas, *Dali*, Paris, Hazan, 2003

Joan M. Minguet Batllori, *Salvador Dali : cine y surrealismo*, Barcelone, Parsifal, 2003

Antonio Fernandez Molina, *Salvador Dali*, Madrid, ministère de l'Education et de la Science, Direction générale des beaux-arts, 1971 ; *Dali : testimonios y enigmas*, Zaragoza, Libros del Innombrable, 1998

C. Brian Morris, *Jerafas que arden : elle cine de Salvador Dali*, Malaga, Desputation provincial de Malaga, 2004. Opuscule d'une trentaine de pages.

Albert Reynolds Morse, *Dali : a Study of his Life and Work*, avec un commentaire de Michel Tapié, Greenwich (Connecticut), New York Graphic Society, 1978 ; avec Robert S. Lubar, *Dali inattendu : le musée Salvador Dali de Saint Petersbourg (Floride)*, traduction de Marie Salsa, Paris, Hersher, 1993

Gilles Néret, *Salvador Dali 1904-1989*, Cologne, Benedikt Taschen Verlag, 1989. Ouvrage qui a fait l'objet de nombreuses rééditions et traductions

« *Lorsque les trains déraillent,*

ce qui me fait de la peine,

ce sont les morts de première classe. »

Dali

Fiorella Nicosia, *Dali*, Paris, Gründ, 2003. Accessible en plusieurs langues

Michel Nuridsany, *Dali*, Paris, Flammarion, 2004

Antonio D. Olano, *Dali : las extranas amistades del genio*, Matrid, Temas de Hoy, 1997

Torsten Otte, *Salvador Dali : eine biographie*, Würburg, Königshausen & Neumann, 2006

Louis Pauwels, *Dali m'a dit*, Paris, Carrère, 1989. Ouvrage de référence

Josep Pla i Casadevall (1897-1981), *Grandes tipos : Unanumo, Ortega y Gasset, Ramon Gomez de la Serna, Gaudi, Blasco Ibanez, Eugenio d'Ors, José Maria Sert, Juan Alcover, Salvador Dali*, collection Biblioteca biografica, Barcelone, Aedos, 1959 ; *El quadern gris : un dietari*, introduction et notes de Joan Fuster, Barcelone, Destino, 1966 (*Le cahier gris : un journal*, traduction de Pascale Bardoulaud, collection Métro, Nîmes, Editions Jacqueline Chambon, 1992) ; *Salvador Dali, Osep Pla : obras de museu*, Figueres, Dasa Ediciones, 1981 ; *Dali, Gaudi, Nonell, tres artistas catalanes*, collection Biblioteca de cultura catalana, Barcelone, Alianza Editorial/Enciclopedia catalana, 1986 ; *Grandes tipos : Maillol, Dali, Nonell, Gaudi, Casals*, collection Biblioteca Josep Plan, Barcelone, Destino, 1989 (et 1995) ; *Converses amb Pla i Dali : localistes cosmopolites*, Luis Racionero, collection Biografies i memories, Barcelone, Edicions 62, 2002 ; *Dali*, Berlin, Berenberg, 2004

Henry Puget, *Dali, l'œil de la folie*, collection Colporteur, Nîmes, C. Lacour, 1996

Robert Radford, *Dali*, Londres, Phaidon Press, 1997

Henri-François Rey, *Dali dans son labyrinthe* — Essai commenté par Salvador Dali, Paris, Bernard Grasset, 1974

Mark Rogerson, *The Dali Scandal* — An investigation, Londres, Victor Gollancz, 1987

Sebastia Roig, *Dali : el triangulo de l'Emporda*, photographies de Jordi Puig, Sant Lluis (Menorca), Triangle Postals, 2003

Carlos Rojas, *Mundo mitico y magico de Salvador Dali*, collection Biographias y Memorias, Esplugues de Llobregat (Barcelone), Plaza & Janès, 1985. Cet ouvrage d'un historien, critique d'art et romancier réputé a été traduit en plusieurs langues, dont l'anglais et le russe) ; *Salvador Dali or the Art of Spitting on your Mother's Portrait*, traduction d'Alma Amell, Pennsylvania (University Park), Pennsylvania State University Press, 1993

Luis Romero, *Todo Dali en un rostro*, Barcelone, Blume, 1975 (Barcelone, Poligrafa, 2003 ; paru sous le titre *Tout Dali en un visage*, traduction de Jean-Baptiste Giorda, Paris, Cercle d'art contemporain, 2003)

Enrique Sabater, Arnau Puig, Francesc Miralles, *La mirada de un genio : Salvador Dali (1904-1989)*, 2 vol., Oviedo, Ayuntamiento de Oviedo, 1988

Linde Salber, *Salvador Dali*, Reinbek, Rowollt Taschebuch Verlag, Londres, Haus, 2004

Rafael Santos Torroella, *La miel es mas dulce que la sangre* — Las epocas lorquiana y freudiana de Salvador Dali, Barcelone, Seix Barral, 1984. Né en 1914 et mort en 2002, l'auteur, critique d'art et poète, est généralement considéré comme l'une des grandes autorités daliniennes

Ralf Schiebler, *Dalis Begierden*, Munich, Prestel, 1996 (paru également sous le titre *Dali : die Wiklichkeit der Träume* et dans une traduction de Fiona Elliott, sous le titre de *Dali : Genius, Obsession and Lust*, Munich, Londres, New York, Prestel, 1996, puis sous celui de *Dali : the Reality of Dreams*)

James Thrall Soby, *Salvador Dali*, New York, The Museum of modern art, 1941 (à l'occasion de la première rétrospective importante Dali aux Etats-Unis ; seconde édition en 1946)

Oscar Tusquets, *Dali y otros amigos*, Barcelone, RqueR Editorial, 2003

La Vie publique de Salvador Dali (exposition 18 décembre 1979-21 avril 1980, Centre Georges-Pompidou — Musée national d'art moderne), 2 vol., Paris, 1980

David Vilasela, *The Apocryphal Subject : Masochism, Identification and Paranoia in Salvador Dali's Autobiographical Writings*, New York, Peter Lang, 1995

Frank Weyers, *Salvador Dali, Leben und Werk*, Cologne, Könemann, 1999 (paru en anglais et en espagnol l'année suivante chez le même éditeur). Petit ouvrage à vocation initiatique

Ouvrages consacrés à Jean-Edern Hallier

François Bousquet, *Jean-Edern Hallier ou le Narcissique parfait*, Paris, Albin Michel, 2005. Petit ouvrage publié par une grande maison d'édition, au titre prometteur, mais au contenu décevant

Dominique Lacout, *Jean-Edern Hallier, le dernier des Mohicans*, Paris, Michel Lafon, 1997 ; avec Christian Lançon, *La Mise à mort de Jean-Edern Hallier*, Paris, Presses de la Renaissance, 2006

« *La clairvoyance est une*

terrible maladie.

Elle nous est donnée

pour nous embarrasser,

jamais pour nous renforcer »

Chaque matin qui se lève est une leçon de courage
Hallier

Arnaud Le Guern, *Stèle pour Edern*, Paris, Jean Picollec, 2001. Premier livre, au ton suggestif, d'un jeune auteur breton

Aristide Nerrière, *Chambre 215 : hommage à Jean-Edern Hallier en Corse*, collection San Benedetto, Ajaccio, La Marge-édition, 2003

Anthony Palou, *Allô, c'est Jean-Edern* – Hallier sur écoutes, Neuilly-sur-Seine, Michel Lafon, 2007

Sarah Vajda, *Jean-Edern Hallier : l'impossible biographie*, Paris, Flammarion, 2003. Intéressant ouvrage par l'auteure du livre plutôt réussi, *Claire Chazal, derrière l'écran*, paru en 2006 aux Editions Pharos-Jean-Marie Laffont au sujet de cette présentatrice de journaux télévisés et de « l'imposture TF1 », la chaîne française de télévision

Ouvrages généraux

The A-Z of Art : the World's Greatest and Most Popular Artists and their Works, Libby Anson et Nicola Hodge, Londres, Carlton Books, Californie, Thunder Bay Press, 1996 (Londres, Carlton, 2005 ; également paru en espagnol sous le titre *Arte de la A à la Z : los mejores y mas famosas artistas del mundo y sus obras*, Madrid, Edilupa Ediciones, 2004)

Anthologie bilingue de la poésie anglaise, Paul Bensimon, Bernard Brugière, François Piquet et Michel Rémy, avec une préface de Bernard Bruguière, Bibliothèque de La Pléiade, Paris, Gallimard, 2005

Cambridge History of English Literature, Cambridge, Cambridge University Press, 1999

Histoire de la littérature anglaise, Emile Legouis et Louis Cazamian, Paris, Hachette, 1924 (avec Raymond Las Vergnas, 1969)

Histoire de la Littérature anglaise, Hippolyte Taine, 5 vol., Paris, Hachette, 1864-1872

Histoire des littératures, sous la direction de Raymond Queneau, Encyclopédie de La Pléiade, tome I (Littératures anciennes, orientales et orales), tome II (Littératures occidentales ; littérature anglaise, par André Maisonneuve) et tome III (Littératures françaises, connexes et marginales, avec les contributions de Gaëtan Picon et Jacques Vier), Paris, Gallimard, 1968

Histoire du surréalisme — Breton, Ernst, Eluard, Miro, Aragon, Dali, Char, Picasso, Maurice Nadeau, Paris, Seuil, 1945 (1964)

Oxford History of English Literature, Oxford, Clarendon Press, 1997

Panorama des littératures, Léon Thoorens, 8 vol., collection Marabout université, Verviers (Belgique), Gérard et Cie, 1966-1970

La peinture moderne dans le monde, Gaston Diehl, Paris, Flammarion, 1966

Le romantisme dans la littérature européenne, Paul Van Tieghem, collection L'Evolution de l'Humanité, Paris, Albin Michel, 1948 (nouvelle édition en 1969). Remarquable somme de travail et d'érudition par un professeur de littérature comparée à la Sorbonne de 1930 à 1946

Autres livres

NORMANDIE

Pascal Buléon, *Atlas de la Basse-Normandie*, avec la collaboration de Christian Fleury, Frédérique Turbout, Marcel Roupsard et Françoise Solignac-Lecompte, cartes et infographies de Cécile Marin, photographies de Guy Milldrogues, collection Atlas/Monde, Paris, Editions Autrement, 2006. Par-delà son titre quelque peu trompeur d' « Atlas », un « tableau de bord » synthétique et moderne de la région, de son économie, mais aussi de ses ressources patrimoniales. L'évocation de la contribution normande à la vie littéraire française y est complétée par une intéressante carte des « lieux de la littérature » (avec le « pointage » des écrivains nés en Normandie et dont l'œuvre y fait référence, d'autres auteurs nés en Normandie et des hommes ou femmes de lettres ayant vécu ou séjourné en Normandie)

Jean-Pierre Chaline, *Les Bourgeois de Rouen : une élite urbaine au XIXᵉ siècle*, Paris, Presses de la Fondation nationale des sciences politiques, 1982 (édition d'une thèse soutenue à l'université de Paris IV en 1979) ; *Sociabilité et érudition : les sociétés savantes en France, XIXᵉᵐᵉ-XXᵉ siècles*, collection Mémoires de la section d'histoire moderne et contemporaine, Paris, Editions du CTHS, 1995 ; *La Normandie vers l'an mil*, ouvrage collectif sous la direction de François de Beaurepaire et J.-P. Chaline, collection de la Société de l'histoire de Normandie, Rouen, Société de l'histoire de Normandie, 2000

François Guillet, *Naissance de la Normandie, genèse et épanouissement d'une image régionale en France, 1750-1850*, Caen, Annales de Normandie – Fédération des sociétés historiques et archéologiques de Normandie, 2000

René Héron de Villefosse, *Histoire de la Normandie racontée à la jeunesse*, illustrations de Jean-Jacques Pichard, collection Provinces de France, Paris, Gründ, 1942 ; *Histoire et géographie gourmandes de Paris*, Paris, Editions de Paris, 1956. Ce dernier ouvrage est particulièrement remarquable. Son auteur, grand spécialiste de l'histoire parisienne né en 1903 et mort en 1985, fut un conservateur en chef des musées de la Ville de Paris et une relation amicale de Louis-Ferdinand Céline

Jules Janin, *La Normandie*, avec des illustrations de Charles-François Daubigny, Hyppolyte Bellangé, Jean-François Gigoux, Alfred Johannot, Morel-Fatio..., Paris, Ed. Ernest Bourdin, 1843

Jean de La Varende, *Les Châteaux de Normandie*, illustrations de Pinchon, Rouen, H. Defontaine, 1937 ; *Grands Normands, études sentimentales* — Gustave Flaubert, Jules Barbey d'Aurevilly, Guy de Maupassant, Rouen, H. Defontaine, 1939

La place de la Normandie dans la diffusion des savoirs, Actes du 40ème Congrès (2005) de la Fédération des sociétés historiques et archéologiques de Normandie, textes recueillis par Jean-Paul Hervieu, Emmanuel Poulle et Philippe Manneville, Rouen, Fédération des sociétés historiques de Normandie, 2006. Depuis 1966, de nombreuses sociétés historiques normandes se réunissent en congrès annuel autour d'un thème commun de recherches. L'intérêt des publications qui en découlent est souvent remarquable.

Frédéric Pluquet, *Notice sur la vie et les écrits de Robert Wace, poète normand du XIIᵉ siècle, suivie de citations extraites de ses ouvrages pour servir à l'histoire de Normandie*, Rouen, J. Frère, 1824. Libraire spécialisé dans les livres anciens à Paris, Frédéric Pluquet (1781-1834) rassembla une importante collection d'ouvrages au sujet de l'histoire de Normandie. Devenu pharmacien à Bayeux, il n'en fut pas moins l'un des membres fondateurs de la Société des antiquaires de Normandie. On lui doit également un *Mémoire sur les trouvères normands*, publié en 1825 et une édition en deux volumes du *Roman de Rou et des Ducs de Normandie, par Robert Wace, poète normand du XIIe siècle, publié pour la première fois d'après les manuscrits de France et d'Angleterre*, parue à Rouen en 1827, dont Barbey d'Aurevilly eut connaissance (*Le Roman de Rou* de Wace a fait l'objet par la suite de plusieurs éditions ; la dernière, publiée en 1970-71-74 par la Société des anciens textes français chez A. et J. Picard à Paris, est due à Anthony Holden, spécialiste de littérature anglo-normande et éditeur de textes littéraires ; la Société jersiaise — www.societe-jersiaise.org — en a fait paraître à St Helier, sous le titre *The Roman de Rou*, sa traduction anglaise complète par Glyn S. Burgess en 2002, accompagnée de notes historiques par Elisabeth Van Houts).

BRETAGNE

Camille Busson, *Essai impertinent sur l'histoire de la Bretagne méridionale* – Les Hommes de Téviec dans l'ombre des Phéniciens, préface de Jean-Dominique Paolini, Paris, L'Harmattan, 2005

Jean Chagnolleau, *La Bretagne*, aquarelle de Maurice Rich, Paris, Fernand Lanore, 1964

Alain Croix et Fanch Roudaut, *Les Bretons, la Mort et Dieu, de 1600 à nos jours*, Paris, Messidor-Temps actuels, 1984

Jean Delumeau (sous la direction de), *Histoire de la Bretagne*, Toulouse Privat, 1969 (1987)

Xavier Grall, *Le Cheval couché*, Paris, Hachette, 1977. Xavier Grall (1930-1981) est l'auteur de plusieurs œuvres qui magnifient la Bretagne et font partie de la littérature bretonne d'expression française. Hallier qui faisait partie de ses amis assista à son enterrement à Landivisiau le 13 décembre 1981

Gwenc' hlan Le Scouëzec et Jean-Robert Masson, *Pierres sacrées de Bretagne, calvaires et enclos paroissiaux*, Paris, Seuil, 1982

Alain Virconnelet, *Les enclos bretons* — chefs d'œuvre de l'art populaire, photographie de Roger Gain, Paris, Flammarion, 2003. Bel ouvrage, avec des textes et une iconographie de qualité, pour découvrir l'art breton

ECOSSE

Argonne (pseudonyme de Jacques Debû-Bridel), *Angleterre* — (d'Alcuin à Huxley), Paris, Editions de Minuit, 1943

James Mc Cearney, *Ecosse : les liaisons tumultueuses avec Londres* — L'Angleterre une colonie écossaise depuis 1603, Jean Picollec, Paris

Jean-Claude Crapoulet, *Histoire de l'Ecosse*, collection Que sais-je ?, Paris, Presses Universitaires de France, 1975

Michel Duchein, *Histoire de l'Ecosse*, Paris, Fayard, 1998

Laurence-Austin Wadell, *Phoenician Origin of Early Britons (Originephénicienne des premiers Britanniques)*, Williams & Norgate, Londres, 1924 (1925, 2ème éd.). Ouvrage longtemps occulté et difficile à consulter

CATALOGNE

Brigitte Léal et Eliseo Trenc, *Barcelone des avant-gardes*, Paris, Hazan, 2001

Josep Pla i Casadevall, *Cartes de lluny* : viatges, fantasies, ciutats, Barcelone, Llibreria Catalonia, 1928 ; *Viatge a Catalunya*, Barcelone, Biblioteca catalana d'autors independents, 1934 ; *Las ciudades del mar*, Barcelone, Argos, 1942 ; *Un senor de Barcelona*, Barcelone, Destino, 1945 ; *Cadaquès*, Barcelone, Editorial Jovetut, 1947

LITTÉRATURE

Giorgio Agamben, *L'Idée de la prose*, traduction de Gabriel Macé, collection Détroits, Paris, Christian Bourgois éditeur, 1988 (collection Titres, Paris, Christian Bourgois, 2006)

Pierre Alferi, *Chercher une phrase*, collection Détroits, Paris, Christian Bourgois, 1991 (collection Titres, Paris, Christian Bourgois, 2007)

Gabriele d'Annunzio, *Il trionfo della morte*, Milan, Fratelli Treves, 1894 (paru sous le titre *Le Triomphe de la mort*, traduction de Georges Hérelle, collection Les romans de la rose, Paris, Calmann-Lévy, 1896, puis traduction de Georges Hérelle, bois de Sylvain Sauvage, collection Les beaux livres, Paris, Georges et Antoinette Mornay, 1923) ; *Il Fuoco*, Milan, Fratelli Treves, 1900 (paru sous le titre *Le feu*, collection Les romans de la grenade, Paris, traduction de Georges Hérelle, Calmann-Lévy, 1901, puis, Paris, Editions des Syrtes, 2000)

Matthew Arnold, *Essays in Criticism*, Londres, Cambridge, Macmillan & Co, Boston, Ticknor and Fields, 1865-1889 (Chicago, Londres, université de Chicago Press, 1968, avec une introduction et des notes de Thomas Marion Hoctor). Dans ce classique ouvrage de référence de ce grand critique anglais (1822-1888), figure notamment un intéressant portrait de Byron

Claude Arthaud, *Les Maisons du génie*, collection Les Imaginaires, Paris, Arthaud, 1967 ; *Les Palais du rêve*, Paris, Arthaud/*Paris-Match*, 1970. Pour le chapitre intitulé « Beckford et l'abbaye de Fonthill ». Byron fut un admirateur de William Beckford (1760-1844), son extravagant précurseur, prince « satanique » et très riche collectionneur

Henri Béhar, *Le Surréalisme*, avec Michel Carassou, Le Livre de Poche, Paris, Librairie Générale de France, 1984 ; « Cahiers du Centre de recherche sur le surréalisme» (université de Paris III). Fondé en 1971 par Henri Béhar, le Centre de recherche sur le surréalisme publie depuis 1979 ces « Cahiers » qui rassemblent des textes de haute tenue destinés à analyser le mouvement surréaliste sous tous ses aspects. Une base documentaire essentielle

Piero Boitani, Mario Mancini et Alberto Varvaro, *Lo spazio litterario del Medioevo*, Rome, Salerno, 2001

Paul Bourget, *Etudes et Portraits*, tome 1 (portraits d'écrivains — dont un consacré à Barbey d'Aurevilly — et notes d'esthétique), tome 2 (études anglaises et fantaisie), tome 3 (sociologie et littérature), Paris, Alphonse Lemerre, 1889-1906 (Plon, 1906)

André Breton, *Manifeste du surréalisme*, 1929 (*Manifestes du surréalisme*, collection idées, Gallimard, 1979) ; *Le Surréalisme et la Peinture*, New York, Brentano' s, 1945 (2ème éd. ; une première édition, non complétée, remonte à 1928)

Richard de Bury, évêque de Durham et Grand Chancelier d'Angleterre (1287-1345), *Philobibion*, Cologne, 1473 (préface, traduction et annotations de Bruno Vincent, Parangon, Paris, 2001). Premier traité sur l'amour des livres

Emile Callot, *Cinq moments de la sensibilité française contemporaine*, Annecy, Gardet, 1958. Un livre consacré notamment à Rimbaud, Anatole France et Barbey d'Aurevilly

Albert Camus, *L'Homme révolté*, collection Idées, Paris, Gallimard, 1967

Pascale Casanova, *La République mondiale des lettres*, Paris, Seuil, 1999 (*The World Republic of Letters*, Cambridge (Mass.), Harvard University Press, 2004)

François-René de Chateaubriand, *Essai sur la littérature anglaise et Considérations sur le génie des temps, des hommes et des révolutions*, 2 vol., Paris, Charles Gosselin, Bruxelles, Hauman, 1836

Michel Ciry, *Amour et Colère : journal 1972-1973*, Paris, Plon, 1976

Pierre Citron, *Dans Balzac*, Paris, Seuil, 1986

Jean Clair, *Du surréalisme considéré dans ses rapports au totalitarisme et aux tables tournantes*, Paris, Mille et une nuits, 2003

René Crevel, *Mon corps et moi*, collection La Revue européenne, Paris, Editions du Sagittaire, Paris, 1925 (préface de Jean Frémon, Le Livre de Poche, Paris, Librairie générale française, 1996) ; *La Mort difficile*, Paris, Simon Kra, 1926 (préface de Salvador Dali, Paris, Jean-Jacques Pauvert, 1974, avec des lettres de René Crevel à Marcel Jouhandeau, 1925-1928) ; *L'Esprit contre la raison*, collection Critique, Marseille, Les Cahiers du Sud, 1927 (sous le titre *L'Esprit contre la raison et autres écrits surréalistes*, préface de Annie Le Brun, Paris, Pauvert, 1986)

Léon Daudet, *Le Stupide XIXème siècle,* Paris, Nouvelle Librairie nationale, 1923

Michel Déon, *Un déjeuner de soleil*, Paris, Gallimard, 1981. En particulier pour les allusions aux cannes de Barbey et de Dali (pages 323 et 324 de l'édition en 1996, dans la collection Folio)

Demeures inspirées et sites romanesques, sous la direction de Paul-Emile Cadilhac et Robert Coiplet, tome III, « Les demeures aurevilliennes » par Jean de La Varende (p. 225-234, textes et documents photographiques), Paris, Editions de l'Illustration, 1958

Dictionnaire de la conversation et de la lecture – Inventaire raisonné des notions générales les plus indispensables à tous, par une société de savants ct gens de lettres, sous la direction de M. W. Duckett, Répertoire des connaissances usuelles, 34 vol. (68 tomes), Paris, Belin-Mandar, 1835 (collection Archives de la linguistique française, Paris, France-expansion, 1973)

Paul Eluard, *Lettres à Gala*, Paris, Gallimard, 1984. Lettres retrouvées par Cécile Eluard, la fille du poète et de sa première épouse Gala (qui deviendra la compagne de Dali). Paul-Eugène Grindel (dit Paul Eluard) et Helena Dmitrievna Diakonova (dite Gala, surnom donné par Eluard), tous deux âgés de dix-sept ans, s'étaient rencontrés en décembre 1912 au sanatorium de Clavadel en Suisse. La correspondance publiée s'échelonne de 1924 à 1948 et retrace autant leur relation que l'aventure artistique et littéraire de leur époque

Robert Escarpit (sous la direction de), *Le Littéraire et le Social* — Eléments pour une sociologie de la littérature, Paris, Flammarion, 1970

Gabriel Fauré, *Amours romantiques*, Paris, Eugène Fasquelle, 1927. Avec de belles pages sous le titre « L'ombre de Byron »

René Girard, *Mensonge romantique et Vérité romanesque*, Paris, Grasset, 1961 (avec une préface inédite de l'auteur qui fut professeur de littérature comparée à l'université de Stanford aux Etats-Unis, collection Les Cahiers rouges, Grasset, 2001)

Ramon Gomez de la Serna, *Efigies*, collection Crisol, Madrid, M. Aguilar, 1944. En particulier pour le chapitre intitulé « Retrato del gran mariscal Barbey d'Aurevilly »

Edmond et Jules de Goncourt, *Journal. Mémoires de la vie littéraire* – 1851-1862, 9 vol., Paris, Georges Charpentier, puis Eugène Fasquelle, 1887-1896 (texte intégral annoté par Robert Ricatte, 4 vol., Monaco,

Imprimerie nationale, Paris, Fasquelle, Flammarion, 1956-1958 ; Paris, Robert Laffont, 2004)

Charles Gos, *Voyageurs illustres en Suisse*, dessins de Frédéric Traffelet, préface de Giuseppe Motta, Berne, imprimerie Staempfli, Paris, Pavillon Suisse, 1937. Byron figure dans le florilège des écrivains, artistes et savants évoqués

Jacques Hamelin, *Hommes de lettres inculpés : Mérimée, Barbey d'Aurevilly, Maupassant, Flaubert, Baudelaire, les Goncourt et Diderot*, Paris, Editions de Minuit, 1956

Victor Hugo, *Boîte aux lettres*, édition critique par René Journet et Guy Robert, collection Cahiers Victor Hugo, Paris, Flammarion, 1965

L'Incongru dans la littérature et l'art (actes du colloque organisé à Azay-le-Ferron, en mai 1999, par Pierre Jourde, avec le concours de Claudio Galderisi et Gilles Polizzi ; textes réunis par Pierre Jourde), Paris, Editions Kimé, 2004

Linda Kelly, *Ireland's Minstrel, a Life of Tom Moore : Poet, Patriot and Byron's Friend*, Londres, I.B. Tauris, 2006. Une intéressante biographie de l'un des amis poètes les plus proches de Byron

Robert Kemp, *La Vie des livres*, tome 2 (p. 162-8 : « Le «grand paon» d'Aurevilly »), Paris, Albin Michel, 1962

Christine Kenyon-Jones, *Kindred brutes — Animals in Romantic period writing*, Aldershot (G.-B.), Ashgate, 2001. Une étude originale consacrée aux animaux et aux poètes romantiques

Julia Kristeva, *Histoires d'amour, Paris*, Gallimard, 1983

Jacques de Lacretelle, *Les maîtres et les amis — Etudes et souvenirs littéraires*, Namur, Wesmael-Charlier, 1959. En particulier pour le chapitre intitulé « Les talismans de Barbey »

Jean-Pierre Laurant, Victor Nguyen et Josephin Péladan, *Les Péladan* (dossier), collection Les dossiers H, Lausanne, L'Age d'homme, 1990. L'ouvrage évoque naturellement Joseph Péladan dit Le Sâr Joséphin (1859-1918) et consacre sa dernière partie à Henriette Maillat, compagne du « Sâr » durant plusieurs années et grande « amoureuse » de Barbey d'Aurevilly. Fondateur de l'ordre de la Rose-Croix catholique, Joséphin Péladan est à la tête d'une abondante et éclectique bibliographie. Outre qu'il s'est fait un devoir de défrayer la chronique littéraire et artistique de son temps, il a entretenu une relation amicale plutôt houleuse avec Barbey

Léon Lemonnier, *Les Poètes romantiques anglais*, Paris, Boivin, 1943

André Maurois, *Prométhée ou la Vie de Balzac*, Paris, Hachette, 1965 (*Balzac*, Paris, Flammarion, 1974) ; *D'Aragon à Montherlant*, Paris, Perrin, 1967 (pour le chapitre « Barbey d'Aurevilly ou le fantôme romantique »)

Anne Kostelanetz Mellor, *English Romantic Irony*, Cambridge Mass., Harvard University Press, 1980 ; *Romanticism and Gender*, New York, Routledge, 1993

Urbain Mengin, *L'Italie des romantiques*, Paris, Plon-Nourrit, 1902. Avec un chapitre intitulé « Lord Byron à Venise et Ravenne »

Victor-Emile Michelet (1861-1938), *Figures d'évocateurs*, Paris, Eugène Figuière, 1913. Avec, outre des pages consacrées à Baudelaire, Vigny ou Villiers de l'Isle-Adam, un chapitre intitulé « Barbey ou le croyant »

Frédéric Monneyron et Joël Thomas, *Mythes et Littérature*, collection Que sais-je ?, Paris, Presses Universitaires de France, 2002

Jemima Montagu, *The Surrealists : Revolutionaries in Art and Writing*, 1919-1935, Londres, Tate Pub., 2002. Paul Eluard, André Breton, Michel Leiris, Louis Aragon et Salvador Dali y sont évoqués, aux côtés de Max Ernst, Man Ray, Joan Miro, Alberto Giacometti, René Magritte et Paul Nougé

Mona Ozouf, *Les Aveux du roman* — Le XIXe siècle entre Ancien Régime et Révolution , collection L'Esprit de la cité, Paris, Fayard, 2001

André Parreaux, *William Beckford, auteur de Vathek*, Paris, Nizet, 1960. Byron fut un admirateur de William Beckford (1760-1844), son extravagant précurseur, prince « satanique » et très riche collectionneur à qui l'on doit notamment l'un des premiers chefs-d'œuvre du romantisme anglais : *l'Histoire du calife Vathek*, ce « conte arabe » écrit en français en 1782, puis traduit en langue anglaise, à l'insu de son auteur, en 1786 (le manuscrit original de 1782, resté, semble-t-il, en possession du traducteur anglais, le révérend Henley, n'a jamais paru et a été perdu ; Beckford a refait un texte français également en 1786)

Joseph Pearce, *Literary Giants, Literary Catholics*, San Francisco, Ignatius Press, 2005. Pour le chapitre « Salvador Dali : From Freud to Faith »

Claude Pichois et Jean Ziegler, *Baudelaire*, collection Les Vivants, Paris, Julliard, 1987. Ouvrage de référence, somme impressionnante d'érudition. Claude Pichois (1925-2004) a publié, avec la collaboration de Jean Ziegler, les quatre volumes des *Œuvres complètes* de Charles Baudelaire et de sa *Correspondance* dans la Bibliothèque de la Pléiade. Il fut professeur à l'université de Paris III-Sorbonne nouvelle et directeur du Centre Baudelaire de l'université Vanderbilt aux Etats-Unis

Roger Pierrot, *Honoré de Balzac*, Paris, Fayard, 1994

Jacques Rancière, *Politique de la littérature*, collection La philosophie en effet, Paris, Galilée, 2007

Pierre-Jean Rémy, *Don Juan* (roman), Paris, Albin Michel, 1982

Romantisme aujourd'hui (Le), rencontres de Saché 16-17 septembre 2004 (actes du colloque organisé par l'AICL-Association internationale de la critique littéraire), textes réunis et présentés par Daniel Leuwers, Bucarest,

EST/Samuel Tastet éditeur, Paris, EST/Maurice Nadeau, 2005

Marcel Schneider, *La Littérature fantastique en France*, collection Les grandes études littéraires, Paris, Fayard, 1964. Livre de référence, fruit d'une érudition et d'une finesse d'analyse peu communes, avec des pages remarquables consacrées à Barbey, Byron, mais aussi Beckford

Jean-Loup Seban, *Otiose ou l'Honnête ociosité vengée* — Essai philosophant enromancé, avec un frontispice de Birgit Kiupel, Andenne (Belgique), Magermans, 2006. Etonnant et magnifique ouvrage d'un « matagraboliseur et gaudisseur impénitent », dont le caractère en partie « dalirant » mérite d'être connu et apprécié de tout bibliophile digne de ce nom...

Algernon Charles Swinburne, *Essays and Studies*, Londres, Chatto & Windus, 1875. Swinburne (1837-1909) est un critique littéraire particulièrement pénétrant dans ces essais en prose. Poète érudit et fécond, ce grand admirateur de la culture française — dont une partie de l'œuvre est écrite en français — a laissé ces vers qu'auraient sans doute réjoui aussi bien Byron et Barbey que Dali et Hallier : « Je retournerai vers la grande et douce mère/ Mère et amante des hommes, la mer./ Je retournerai vers elle, moi et aucun autre,/Tout contre elle, l'embrasserai et me fondrai en elle » (*Le triomphe du Temps*)

Béatrice Szapiro, *La Fille naturelle*, Flammarion, Paris, 1997 ; *Les Morts debout dans le roc*, Arléa, Paris, 2007. Béatrice Szapiro est la fille de Jean-Edern Hallier et de Bernadette Szapiro (✝), la petite-fille de Béatrix Beck, qui obtint le prix Goncourt en 1952, et l'arrière petit-fille du poète belge Christian Beck (1879-1916)

William Makepeace Thackeray, *The Book of Snobs*, 1848 (année de la première parution en volume de cet ouvrage, d'abord publié en 1846-47, sous forme d'articles parus dans la revue *Punch* et sous le titre *The snobs of England, by one of themselves*) ; *Le Livre des snobs*, traduction de Raymond Las Vergnas, Paris, Aubier, Montaigne, 1955 (collection Garnier Flammarion Littérature étrangère, Paris, Flammarion, 1993)

BEAUX-ARTS

Elza Adamowicz, *Ceci n'est pas un tableau* — Les écrits surréalistes sur l'art, Bibliothèque Mélusine, Paris, L'Age d'Homme, 2004

Jean Adhémar, *La Gravure originale au XXe siècle*, Paris, Editions Aimery Somogy, 1967

Roselyne de Ayala et Jean-Pierre Guéno, *L'Enfance de l'Art* — Les plus beaux manuscrits d'enfants, Paris, Editions de la Martinière, 1999. Recueil d'œuvres d'enfance d'artistes devenus célèbres comme Rimbaud, Proust ou Dali

Jeannine Baticle, *Velazquez, peintre hidalgo*, Paris, Gallimard, 1989. Dali classait Velazquez parmi ses grands maîtres, aux côtés de Raphaël, Vermeer de Delft et Vinci

Charles Baudelaire, *Curiosités esthétiques*, Paris, Michel Lévy frères, 1868 (Paris, collection Classiques Garnier, Garnier frères, 1999)

Saverio Betinelli, *Dell' entusiasmo delle belle archi* (*De l'enthousiasme dans les beaux-arts*), Milan, Giuseppe Galeazzi, 1769

Frédéric Birr et Jean Diez, *Autoportraits*, introduction de Roger Garaudy, Paris, Editions Frédéric Birr, 1982

Odile Delanda, *Velazquez peintre religieux*, avec une préface de Jeannine Baticle, Paris, Cerf/Tricorne, 1993

Féminimasculin — Le sexe de l'art, catalogue d'exposition (24 octobre 1995-12 décembre 1996), préface de Marie-Laure Bernadac et Bernard Marcadé, Paris, Gallimard/Electa, Editions du Centre Georges-Pompidou, 1995

Sir Norman Foster, *Norman Foster : 30 Colours*, Blaricum (Hollande), V + K Publishing Inmerc, 1998 ; *Foster & Partners : catalogue*

2001, Munich, Prestel, 2001. Né en 1935, Norman Foster est l'architecte de nombreux édifices dans le monde, dont le Carré d'art à Nîmes. Plusieurs livres lui ont été consacrés, comme ceux de Martin Pawley (*Norman Foster : a Global Architecture*, Londres, Thames & Hudson, 1999) et de Philip Jodidio (*Sir Norman Foster*, Paris, Taschen, 1997)

Emmanuelle Loyer, *Paris à New York : intellectuels et artistes français en exil, 1940-1947*, Paris, Grasset, 2005 (Paris, Hachette Littératures, 2007)

Mafalda, *Le lit n'est pas fait pour dormir*, Paris, Emile Paul, 1966. Mafalda Davis née Marouf, qui se définissait comme « égyptienne de naissance, française de cœur, américaine d'adoption et par réflexion », rencontra Dali en 1944 chez le marquis de Cuevas. Décrite par Robert Descharnes comme une « petite femme pleine de feu, au caractère bien trempé », elle a occupé « une activité plénipotentiaire intense pendant de longues années, au plus grand bénéfice de Dali ». La seule analogie qu'elle se trouvait avec Balzac était de dépenser l'argent avant de l'avoir gagné et avec Brillat-Savarin, qui se consacrait à la gastronomie et ne « mangeait pas », de parler constamment d'amour et de n'avoir pas le temps de le faire... Elle n'a laissé que ce petit recueil « destiné aux couples qui ont vécu ensemble au moins pendant deux semaines ». Quelques souvenirs avec Dali y font bon ménage avec des aphorismes parfois très pénétrants

Joseph Peladan, *La Décadence esthétique : l'art ochlocratique, salons de 1882 et de 1883*, avec une lettre de Jules Barbey d'Aurevilly et le portrait de l'auteur, Paris, Camille Dalou, 1888

Claude Roy, *Arts fantastiques*, Paris, Delpire, 1960

Kurt Ruppert, *Dante Alighieri, die Göttliche Komödie*, avec Luit Göller, Veröffentlichungen des Erzbischöflichen Ordinariats, Hauptabteilung Kunst und Kultur, Bamberg, St Otto-Verlag, 1999 ; *Bilder der Bibel : Otto Dix, Ernst Fuchs, Salvador Dali* (zur Sonderasstellung, 25 juillet-19 octobre 2003), Bamberg, Diözesanmuseum Bamberg, 2003

René de Solier, *L'Art fantastique*, Paris, Pauvert, 1961

Utrillo, sa vie, son œuvre, Jean Fabris, Claude Wiart, Alain Buquet, Jean-Pierre Thiollet, Jacques Birr, Catherine Banlin-Lacroix et Joseph Foret, Editions Frédéric Birr, 1982. En particulier pour les chapitres consacrés à l'étude des signatures et au faux en art

HISTOIRE—POLITIQUE

Arnaud d'Aunay, *Napoléon, empereur des îles, empereur d'exil,* préface de la princesse Napoléon, collection Carnet de Voyage, Paris, Gallimard, 2006. Des textes et illustrations d'un peintre voyageur qui rappellent ou font découvrir que l'illustre conquérant terrestre était souvent embarqué... Byron fut un fidèle admirateur de Napoléon. Ce qui contribua sans doute à le faire mal voir des Anglais... mais davantage encore apprécier de nombreux Français

Jacques Chabannes, *Je les ai connus,* Paris, Presses de la Cité, 1984. Deux pages y sont consacrées à Dali

Jérôme Dupuis et Jean-Marie Pontaut, *Les Oreilles du président,* Paris, Fayard, 1996. Ouvrage qui mentionne les noms des personnes qui furent activement écoutées par la « cellule spéciale» mise en place dans les années 1980 par un président de la République française soucieux que ne soit pas révélé combien il abusait des fonds publics pour préserver la pluralité de ses vies privées

Gilles Feyel (sous la direction de), *La Distribution et la Diffusion de la presse du XVIIIᵉ siècle au troisième millénaire,* Paris, Editions Panthéon-Sorbonne, 2002. Avec, en particulier, la contribution de Diana Cooper-Richet au sujet du *Galignani's Messenger*

Alphonse Fresse-Montval, *La France illustrée par ses rois* ou Traits de bienfaisance, d'humanité, de générosité, acte de magnanimité, prodiges de valeur constance héroïque, dévouement à la patrie, vertus mémorables qu'ont illustré les rois de France, depuis le commencement de la monarchie jusqu'à nos jours, avec une table chronologique des rois de France, édition « ornée de quatre jolies figures », Paris, Librairie de Pierre Maumus, 1830. En particulier pour les pages pittoresques consacrées aux Normands, ces « peuples aussi innombrables qu'audacieux, qui avaient commencé, dès le règne de Charlemagne, le cours de leurs ravages »...

Génération perdue — Ceux qui avaient vingt ans en 1968, ceux qui avaient vingt ans à la fin de la guerre d'Algérie, ou ni les uns ni les autres, entretiens de Jacques Paugam avec notamment Jean-Marie Benoist, Jean-Paul Dollé, Jean-Pierre Faye et Jean-Edern Hallier, préface de Pierre Viansson-Ponté, collection Parti pris, Paris, Robert Laffont, 1977

Bernard Guenée, *Histoire et Culture historique dans l'Occident médiéval*, collection Collection historique, Paris, Aubier-Montaigne, 1980. Ouvrage magistral de cet éminent historien

Arsène Houssaye, *Les Confessions, souvenirs d'un demi-siècle* — 1830-1890, 6 vol., Paris, Edouard Dentu, 1885-1891 (Genève, Slatkine, 1971 ; document numérique BNF-Bibliothèque nationale de France, 1995)

L'Idiot international — Une anthologie, par Denis Gombert et Frédéric Hallier, préface de Frédéric Hallier, Paris, Albin Michel, 2005

Armand Isnard, *Le Dictionnaire des anecdotes historiques*, Paris, Zélie, 1993

« Ni MM. de Goncourt,

ni Flaubert ni tant d'autres

par lesquelles

elle

[la chaîne du réalisme contemporain]

a passé

pour aboutir à M. Emile Zola,

ne peuvent plus être mis en comparaison

avec l'auteur de «l'Assommoir», cet Hercule

souillé qui remue le fumier d'Augias

et qui y ajoute. »

Le Roman contemporain
Barbey

Jules Léotard, *Mémoires de Léotard*, Paris, chez tous les libraires, 1860. Ouvrage important pour les amoureux du cirque et les bibliophiles puisque ces *Mémoires* sont celles d'un gymnaste que les historiens considèrent généralement comme l'inventeur du numéro des trapèzes volants

Jean-Claude Martinez, *L'Europe folle*, Ploufragan, Les Presses bretonnes, 1996

Michel-Georges Micberth et François Richard, *Révolution droitiste*, Le Mans, Jupilles, 1980

Philippe Muray, *Le XIXe siècle à travers les âges*, collection L'Infini, Paris, Denoël, 1984 (collection Tel, Paris, Gallimard, 1999)

Pascal Ory, *L'Anarchisme de droite*, Paris, Grasset, 1985

François Richard, *L'Anarchisme de droite dans la littérature contemporaine*, collection Littératures modernes, Paris, Presses universitaires de France, 1988 ; *Les Anarchistes de droite*, collection Que sais-je ?, Paris, Presses universitaires de France, 1991 (1ère éd.)

Joanna Richardson, *La Vie parisienne* — 1852-1870, Londres, H. Hamilton, 1971

Philippe de Saint-Robert, *Discours aux chiens endormis*, Paris, Albin Michel, 1979 ; *Le Secret des jours* – Une chronique sous la Ve République, Paris, Jean-Claude Lattès, 1995

Maurice Sachs, *Au temps du bœuf sur le toit*, Paris, Editions de la Nouvelle Revue critique, 1939

Hugh William Williams, *Travels in Italy, Greece...*, Edimbourg, Archibald Constable, 1820

DANDYSME — PSYCHOLOGIE

Aristocrates libertaires (pseudonyme collectif de Laurent Carozzi, Cyril Drouhet, Jean-Christophe Hua, Nicolas Revel et Laurent Sacchi), *Manifeste*, collections Figures, Paris, Grasset & Fasquelle, 1987

Paul-Laurent Assoun, *Le Pervers et la Femme*, Paris, Anthropos, 1989

Martine Bigeard, *La Folie et les Fous littéraires en Espagne (1500-1650)*, Paris, Institut d'études hispaniques, 1972

André Blavier, *Les Fous littéraires*, Paris, Henri Veyrier, 1982 (Paris, Editions des Cendres, 2000)

Jacques Boulenger, *Sous Louis-Philippe, les dandys : George Brummell, le comte d'Orsay, Barbey d'Aurevilly...*, Paris, Paul Ollendorff, 1907

Laurent Bouëxière et Patrick Favardin, *Le Dandysme*, Lyon, *La Manufacture, 1988*

Michel Braudeau, *Six Excentriques*, Paris, Gallimard, 2003. Un ouvrage consacré à Pierre Loti, Raymond Roussel, Rosa Bonheur, Sarah Winchester, Bobby Fischer et Salvador Dali

Pierre Brunel, *Dictionnaire de Don Juan*, Paris, Robert Laffont-Bouquins, 1999

Gustave Brunet (Pierre-Gustave Brunet, dit), *Les Fous littéraires —* recherches bibliographiques sur les livres excentriques, Bruxelles, Gay et Doucé, 1880 (Paris, Editions du Sandre, 2006)

Dr Augustin Cabanès, *Grands Névropathes, malades immortels*, Paris, Albin Michel, 1930 (1953 et 1969). L'un des deux volumes d'un ouvrage posthume où l'auteur, sommité en son temps (1862-1928), étudie notamment le cas de Byron

Enrico Castelli, *Le Démoniaque dans l'art*, Paris, Vrin, 1959

Champfleury (Jules Husson dit, 1821-1889), *Les Excentriques*, Paris, Michel Lévy frères, 1854 (Bassac, Plein Chant, 1993) ; *Gazette de Champfleury*, Paris, Blanchard, 1856 (avec deux fascicules en un volume, il s'agit de l'édition des deux seules livraisons – 1er novembre et 1er décembre 1856 – de cette revue dirigée par Champfleury, essentiellement connu comme critique d'art et ennemi irréconciliable de Barbey d'Aurevilly ; y figurent notamment une critique d'*Une vieille maîtresse* de Barbey et un texte sur « les excentricités de Gérard de Nerval ») ; *Souvenirs et Portraits de jeunesse*, Paris, Edouard Dentu, 1872 (Genève, Slatkine, 1970)

Françoise Coblence, *Le Dandysme, obligation d'incertitude*, collection Recherches politiques, Paris, Presses universitaires de France, 1988

Louis Crompton, *Homosexuality & Civilization*, Cambridge (Mass.), Belknap Press of Harvard University Press, 2003

Pierre Daninos, *Snobissimo ou le Désir de paraître*, Paris, Hachette, 1964

Françoise Dolto, *Le Dandy, solitaire et singulier*, collection Le Petit Mercure, Paris, Mercure de France, 1999. L'ouvrage contient un entretien avec Laurent Bouëxière et Patrick Favardin, intitulé : « Le dandy, une figure de proue »

Günter Erbe, *Dandys. Virtuosen der Lebenskunst* — eine Geschichte des monodänen Lebens, Cologne, Böhlau, 2002

Simone François, *Le Dandysme et Marcel Proust : de Brummell au baron de Charlus*, collection Académie royale de langue et littérature française de Belgique, Bruxelles, Palais des Académies, 1956

André Hielkema (sous la direction de), *De Dandy of de Overschrijding van het Alledragse* – Facetten va het dandyisme, Amsterdam, Meppel, 1989

Captain William Jesse, *The Life of George Brummell : Commonly Called Beau Brummell*, 2 vol., Londres, Saunders and Otley, 1844

(Londres, The Navarre Society, 1927 ; Tokyo, Hon-no-Tomosha, 2003). Jesse, le premier biographe de Brummell, communiqua le texte de son livre, avant impression, à Barbey qui s'en servit abondamment, au niveau des faits et avec l'accord de l'auteur, pour publier, dès 1845, son ouvrage intitulé, *Du dandysme et de George Brummell*

Henri Joly, *La Psychologie des grands hommes*, Paris, Hachette, 1891

Philippe Jullian, *Dictionnaire du snobisme*, Paris, Librairie Plon, 1958 ; *Les Styles*, Paris, Plon, 1961 (préface de Ghislain de Diesbach, Paris, Le Promeneur, 1992)

Roger Kempf, *Sur le dandysme* (*Du délire et du rien*, par Roger Kempf, puis *Traité de la vie élégante*, par Honoré de Balzac, *Du dandysme et de George Brummell*, par Jules Barbey d'Aurevilly, *Le peintre de la vie moderne* par Charles Baudelaire), collection Bibliothèque 10/18, Paris, Union générale d'éditions, 1971 ; *Dandys : Baudelaire et Cie*, collection Pierres vives, Paris, Seuil, 1977

Wilhelm Lange-Eichbaum, *Genie, Irrsinn und Ruhm*. Eine Pathologie des Genies, Munich, Reinhardt, 1956

Louis-Francisque Lelut, *Le Génie, la Raison et la Folie*, Paris, J.-B. Baillière et Fils, 1889

Cesare Lombroso, *L'Homme de génie*, Paris, Félix Alcan, 1889

José de Magalhaes, *O pessimismo no ponto de visto da psychologia morbida*, Lisbonne, 1891. Texte d'une thèse médicale

Otto Mann, *Der Dandy : ein Kulturproblem der Moderne*, Heidelberg, Rothe, 1962

Gregorio Maranon, *Don Juan et le Donjuanisme*, Paris, Stock, 1958

Ellen Moers, *The Dandy : from Brummell to Beerbohm*, New York, Viking, 1960

Alain Montandon (sous la direction de), *L'honnête homme et le dandy*, collection Etudes littéraires françaises, Tübingen, Günter Narr, 1993. Actes d'un colloque international organisé à l'Université Blaise-Pascal de Clermont-Ferrand

Venetia Murray, *An Elegant Madness : High Society in Regency England*, New York, Viking, 1999

Marie-Christine Natta, *La Grandeur sans conviction* — Essai sur le dandysme, Paris, Editions du Félin, 1991

Ralph Nevill, *The Romantic Past*, New York, Brentano's, Londres, Champan & Hall ltd, 1912 ; *Fancies, Fashions and Fads*, Londres, Methuen & Co, 1913 ; *The World of Fashion, 1837-1922*, Londres, Methuen & Co, 1923

John Ferguson Nisbet, *The Insanity of Genius and the General Inequality of Human Faculty, Physiologically Considered*, Londres, Ward & Downey, 1891

Michel Onfray, *Le Désir d'être un volcan*, Paris, Grasset, 1996

Juan Manuel de Prada, *Desgarrados y excentricos*, Barcelone, Seix Barral, 2000

John C. Prevost, *Le Dandysme en France (1817-1839)*, Genève, Droz, Paris, Minard, 1957

Philomneste Junior, *Les Fous littéraires* — Essai bibliographique sur la littérature excentrique, les illuminés, visionnaires, etc., Bruxelles, Gay et Doucé, 1880

Valeria Ramacciotti, *La chimera e la sphinge immagini, unité e profile decadenti*, Genève, Centre d'études franco-italien/universités de Turin et de Savoie, Slatkine, 1987. En particulier pour le chapitre intitulé « Sur *Don Juan* de Barbey d'Aurevilly ».

Otto Rank, *Die Don Juan-Gestalt*, Leipzig, Internationaler Psychoanalytischer Verlag, 1924 (*Don Juan : une étude sur le double*, Paris, Denoël et Steele, 1932, puis, sous le titre *Don Juan et le Double*, Paris, Payot, 1973 et 1990). Ouvrage de référence

Saint-Paulien (pseudonyme de Maurice-Ivan Sicard), *Don Juan, mythe ou réalité*, Paris, Plon, 1967 (paru sous le titre *Don Juan : mito y realidad*, Barcelone Edisven, 1969)

Oda Schaefer, *Der Dandy*, Munich, Piper, 1964

Hans-Joachim Schickedanz, *Der Dandy*, Dortmund, Harenberg, 1980 ; *Aesthetische Rebellion und Rebellische Astheten* — eine kulturgeschichtliche Studie über den europäischen Dandyismus, Francfort, New York, Peter Lang, 2000

Baron Ernest Seillière, *Les étapes du mysticisme passionnel,* Paris, La Renaissance du Livre, 1919

Edith Sitwell, *Les Excentriques anglais*, Londres, Faber & Faber, 1933 (traduction de Michèle Hechter, Paris, Le Promeneur, 1988 et 1995)

Domna C. Stanton, *The Aristocrat as Art* — A study of the honnête homme and the dandy in seventeenth and nineteeth century French literature, New York, Colombia University Press, 1980

A. Starobinski (Dr) « Une nouvelle conception du génie et du talent », in *Annales médico-psychologiques* (n °2, pp. 229 à 233), Paris, Masson, 1927

Gerd Stein (sous la direction de), *Dandy, snob, flâneur* — Decadenz und exzentik. Sozialcharaktere des 19 und 20 Jahrunderts, Francfort, Fischer-Taschenbüch-Verlag, 1985

Claude Thélot, *L'Origine des génies*, Paris, Seuil, 2003

George Walden, *Who is a Dandy ?* (suivi de *On Dandysm and George Bryan*

Brummell de Barbey d'Aurevilly, traduction de George Walden), Londres, Gibson Square, 2002

Grace & Philip Wharton (pseudonymes de J.-C. et Katharine Thomson (1797-1862)), *The Wits and Beaux of Society*, dessins de Hablot Knight Browne et J. Godwin, 2 vol., Londres, 1860, New York, Harper, 1861 (Londres, New York, George Routledge & Sons, 1871)

ART DE VIVRE — GASTRONOMIE

Album de la Marmite, Paris, Ludovic Baschet, 1880 (les dîners du restaurant « la Marmite » – restaurant coopératif affilié à l'Association internationale des travailleurs – réunissaient des artistes, gens de lettres et hommes politiques de la troisième République)

Jean-Anthelme Brillat-Savarin, *Physiologie du goût*, 2 vol., Paris, Auguste Sautelet, 1826. Célèbre ouvrage de référence, publié anonymement par son auteur (1755-1826) deux mois avant sa mort

Antonin Carème et Armand Plumerey, *L'Art de la cuisine française au dix-neuvième siècle* — Traité élémentaire et pratique, 5 vol., Paris, Renouard, Tresse, Mansut & Maison, 5 vol., 1835-1844 (Plumerey a rédigé les volumes IV et V, après la publication par Carème d'une première édition de ce livre en 3 vol. dès 1833). Ouvrage de référence

Eugène Chavette, *Restaurateurs et Restaurés*, dessins de Cham (Charles-Amédée de Noé, dit), collections Physionomies parisiennes, Paris, Armand Le Chevalier, 1867

Jean-Paul Chayrigues de Olmetta, *L'Homme à table*, Versailles, Via Romana, 2007

Jérôme Coignard, *Boîtes romantiques* – Collection Janince Nessi, Paris, Ed. Le Passage, 2007

Robert Jullien Courtine, *La Vie parisienne : cafés et restaurants des boulevards : 1814-1914*, Paris, Perrin, 1984

« *L'amour d'un homme*

n'occupe qu'une partie

de sa vie d'homme ;

l'amour d'une femme

occupe toute son existence. »

Don Juan, Chant I
Byron

La Cuisine considérée comme un des beaux-arts, ouvrage collectif, avec des textes de Jean Babelon, Jérôme Carcopino, Bernard Champigneulle, Sacha Guitry, René Héron de Villefosse, Jacques Ibert, Mgr Pierre Jobit, Pierre Labracherie, Edgar Leroy, André Maurois, Edouard de Pomiane, Marcelle Auclair, Gisèle d'Assailly, Jeanine Delpech, suivi du *Florilège de la cuisine française*, Paris, Editions du Tambourinaire, 1951

Jean-Pierre Dufreigne, *Le Génie des orifices* – L'Esthétique des plaisirs de la table et du lit, Paris, Belfond, 1995

Alexandre Dumas, *Grand Dictionnaire de cuisine*, Paris, Lemerre, 1873

Comte Humbert de Gallier, *Usages et Mœurs d'autrefois* — Les voyages, la table, la conversation, Paris, Calmann-Lévy, 1912

Alexandre-Balthazar-Laurent Grimod de La Reynière et Charles-Pierre Coste d'Arbonat, *Almanach des gourmands ou Calendrier nutritif (...) par un vieux amateur*, 5 vol., Paris, chez Maradan, an XI — 1803 à 1807 (à partir du 2ème vol. le titre devient *Almanach des gourmands servant de guide dans les moyens de faire excellente cher* ; deux autres volumes ont paru par la suite, en 1808 et 1810). Ouvrage de référence, réédité à Paris, en 1983 par Anne-Marie Métailié

Albert Robert de Léon, *Guide en couleurs du tapis*, Paris, Galerie Henide, 1967. L'auteur est expert judiciaire en tapis

Auguste Lepage, *Les cafés politiques et littéraires de Paris*, Paris, Edouard Dentu, 1874 ; *Les cafés artistiques et littéraires de Paris*, Paris, M. Boursin, 1882 ; *Les dîners artistiques et littéraires de Paris*, Paris, Frinzine, Klein et Cie, 1884

Gilles et Bleuzen du Pontavice, *La Cuisine des châteaux de Normandie*, avec des photographies de Claude Herlédan, Rennes, Editions Ouest-France, 1998 ; *La Cuisine des châteaux,* avec des photographies de Claude Herlédan, Rennes, Editions Ouest-France, 2000

Pierre Poupon, *Mes dégustations littéraires : l'odorat et le goût chez les écrivains*, préface d'Edmond Roudnitska, Nuits-Saint-Georges, Confrérie des chevaliers du tastevin, 1979

Horace-Napoléon Raisson, *Code gourmand*, Paris, Ambroise Dupont, 1827 ; *Code de la conversation, manuel complet de langage élégant et poli*, Paris, J.-P. Roret, 1829

Guy Robert, *Les Sens du parfum*, Paris, Osman Eyrolles Santé & Société, 2000. Un ouvrage riche en informations par un auteur qui a fait partie des grands « nez » français : Ernest Beaux, Henri Alméras, Jacques Guerlain, Edmond Roudnistka, Jacques Polge, Jean-Claude Ellena, Jacques Cavallier, Jean Kerléo, fondateur de l'Osmothèque de Versailles Conservatoire international des parfums... Issu d'une famille de parfumeurs, Guy Robert a consacré sa vie à un art devenu industrie et créé notamment Calèche, Madame Rochas, Equipage, Dioressence...

Edmond Roudnitska, *L'Esthétique en question : introduction à une esthétique de l'odorat*, préface d'Etienne Souriau, Paris, Presses universitaires de France, 1977 ; *Le Parfum*, collection Que sais-je ?, Presses universitaires de France, 1980

Thèses et mémoires

Barbey

Josefina Bueno Alonso, « Imagenes de mujer : el imaginario feminino en Barbey d'Aurevilly », mémoire, université d'Alicante, 1996

Yvette Anger, « L'univers cruel de Barbey d'Aurevilly », thèse de troisième cycle sous la direction de Louis Le Guillou, université de Brest, 1972

Jean-Pierre Boucher, « Le dualisme aurevillien. Etude psychologique », thèse sous la direction de Jacques Petit, université de Besançon, 1970

Céline Bricault, « La poétique du seuil dans l'œuvre romanesque de Jules Barbey d'Aurevilly », thèse sous la direction de Pascale Auraix-Jonchière, université Blaise Pascal de Clermont-Ferrand II, 2006

Hélène Celdran-Johannessen, « Prophètes, sorciers, rumeurs : la violence dans trois romans de Barbey d'Aurevilly (1808-1889) », mémoire, collection Acta humanisera, université d'Oslo, 2003

Catherine Cintract, « Temps et Histoire dans Barbey d'Aurevilly », mémoire, université de Paris VII — Denis Diderot, 1982

Anne-Laure Conrazier, « Passions et Destruction à travers le personnage féminin dans *Les Diaboliques* et *Une vieille maîtresse* de Barbey d'Aurevilly, mémoire sous la direction de Mireille Hilsum, université Jean Moulin — Lyon III, 1998

Bernard-Marie Demontrond, « La Culpabilité dans l'œuvre de Jules Barbey d'Aurevilly », mémoire, université de Paris-Sorbonne, 1953

Nathalie Fortin, « L'Esthète réfractaire : dandys, dandysme français et le cas des *Diaboliques* de Barbey d'Aurevilly », mémoire sous la direction d'Hans-Jürgen Greif, université Laval, Montréal, 1995

Anne Fremiot, "Barbey d'Aurevilly : identité et différence dans la fiction du dandy », mémoire, Université de Nottingham, 1998

John Greene, « Barbey d'Aurevilly et l'Angleterre », thèse, faculté des lettres et sciences humaines de Grenoble, 1968

Yves Gressot, « La thématique du sang dans l'œuvre romanesque de Barbey d'Aurevilly », thèse sous la direction de Jacques Petit, université de Besançon, 1973

Jonathan Haddad, « Le palais et le labyrinthe : dandysme et catholicisme dans l'œuvre de Barbey d'Aurevilly », mémoire, Amherst College (près de New York), 1995

Eric Hendrycks, « Le sortilège espagnol : Barbey d'Aurevilly », thèse sous la direction de Wald Lasowski, université de Paris VIII — Vincennes Saint-Denis, 2004

Nabih Kanbar, « Rapport entre critique et création romanesque chez Barbey d'Aurevilly », thèse, université de Besançon, 1970

Maxine Maria Stroeger Kanbar, « Walter Scott et Barbey d'Aurevilly », thèse sous la direction de Jacques Petit, université de Besançon, 1970

Bong-Mann Ko, « Barbey d'Aurevilly : révolution et contre-révolution (1846-1852) », thèse sous la direction d'Emile Goichot, université Marc-Bloch — Strasbourg II, 1995

Françoise Mugnier Manfredi, « Le silence dans l'œuvre de Barbey d'Aurevilly», thèse sous la direction de Philippe Berthier, université Stendhal — Grenoble III, 1984

Marie-Christine Natta, « Du dandysme et de George Brummell : d'une expérience esthétique à une théorie du dandysme chez Barbey d'Aurevilly », thèse sous la direction de Robert Jouanny, université de Paris XII — Paris-Val-de-Marne, 1988

Jean-Luc Planchais, « Androgynie et dandysme au XIXème siècle : le cas Barbey d'Aurevilly avant les *Diaboliques* », thèse sous la direction de Philippe Berthier, université de Paris III — Sorbonne nouvelle, 1993

Elisabeth Marguerite Reed, « Le dandysme catholique dans l'œuvre romanesque de Jules Barbey d'Aurevilly », mémoire, université de l'Utah, 1985

Marguerite Rousselot-Champeaux, « «Moi qui suis laid...» : Jules Barbey d'Aurevilly et la laideur », thèse sous la direction de Philippe Berthier, université de Paris III — Sorbonne nouvelle, 1996 ; « La mise en scène du masque dans les romans de Barbey d'Aurevilly », thèse de troisième cycle sous la direction de Jacques Petit, université de Besançon, 1980

Jean-Pierre Thiollet, « La technique romanesque de Barbey d'Aurevilly dans *Un prêtre marié* », mémoire sous la direction de René Journet puis de Arnaud Laster, université de Paris III — Sorbonne nouvelle, 1983

Pierre Traounez, « Fascination et narration dans l'œuvre romanesque de Barbey d'Aurevilly », thèse sous la direction de Robert Mauzi, université de Besançon, 1984

Byron

Mariella Christou, « Poésie et action : la Grèce insurgée (1809-1826) dans les visions de lord Byron et de Dionysios Solomos », thèse de troisième cycle sous la direction de Jacques Voisine, université de Paris III — Sorbonne nouvelle, 1988

Déborah Lévy-Bertherat, « L'artifice romantique. Byron, Pouchkine, Nerval, Poe, Lermontov, Baudelaire », thèse sous la direction de Jean-Marie Grassin, université de Limoges, 1988

Bernard Ramadier, « L'errance romantique : Byron, Shelley, Keats », thèse sous la direction de Jean Perrin, université de Grenoble III, 1998

Dali

César Chamoula, « Salvador Dali et son secret de création : le noyau traumatique dans l'activité paranoïaque-critique », thèse sous la direction de Jean Laplanche, université de Paris VII — Denis Diderot, 1982

Agnès Deleaval, « Le surréalisme et l'Antiquité. Etude poétique et picturale du mythe de Narcisse dans les œuvres de Salvador Dali et d'André Breton », thèse sous la direction de Jean-Pierre Neraudau, université de Reims, 1995

Sabine Fourrel de Frettes, « Le souvenir autobiographique dans *Si le grain ne meurt* d'André Gide et *La Vie secrète de Salvador Dali* par Salvador Dali », thèse sous la direction de Paule Beterous, université de Bordeaux III — Michel de Montaigne, 1996

Luc Margat, « Apport du surréalisme à la psychiatrie : essai sur Salvador Dali », thèse (médecine), université d'Amiens, 1982

Janine Mesaglio Neves, « Salvador Dali, le surréalisme et la peinture : œuvre pictural et écrit jusqu'en 1940 », thèse de troisième cycle (histoire de l'art) sous la direction d'Yves Bruand, université de Toulouse II — Le Mirail, 1984

Gabriele Musidlak-Schlott, « Salvador Dali und die Bildtradition : Studien zur religiösen Malerei Dalis », thèse, université de Tübingen, 1982

Patrice Schmitt, « Etude psychanalytique de la création chez Salvador Dali », thèse sous la direction de Colette Chiland, université de Paris V — René Descartes, 1981

Johanna Geertruida Van de Pas, « L'œuvre littéraire de Salvador Dali, vue dans son ensemble », thèse de troisième cycle sous la direction de Michel Decaudin, université de Paris III — Sorbonne nouvelle, 1985

Hallier

Karim Djaït, « Littérature, contemporanéité et médias : étude d'un écrivain face à son siècle : Jean-Edern Hallier », thèse sous la direction d'Arlette Lafay, université de Paris XII — Paris-Val-de-Marne, 1994

Autres sujets

Annick Le Scoëzec Masson, « Ramon del Valle-Inclan et la sensibilité «fin de siècle» », thèse sous la direction de Daniel-Henri Pageaux, université de Paris III — Sorbonne nouvelle, 1997

Claire Nicolay, « Origins and Reception of Regency Dandysm : Brummell to Baudelaire », thèse, université Loyola de Chicago, 1998

Jean-Pierre Saïdah, « Dandysme social et dandysme littéraire à l'époque de Balzac », thèse sous la direction de Yves Vadé, université Michel de Montaigne — Bordeaux III, 1990

Wladimir Troubetzkoy, « L'aristocratie et le rôle de l'écrivain dans la littérature européenne de la première moitié du XIXème siècle », thèse sous la direction de Michel Cadot, université de Paris III — Sorbonne nouvelle, 1987

Filmographie

Barbey, Byron, Dali et Hallier ont tous fait du cinéma... Toute leur vie. C'est d'emblée ce qui leur vaut certaines de leurs références filmographiques. Mais leurs cas, à l'évidence, diffèrent. Ne serait-ce qu'en fonction de leurs dates de naissance et de mort. S'ils n'ont pas connu l'existence du cinéma, Byron et Barbey d'Aurevilly sont cependant à l'origine, au travers de leur propre personnage ou par leurs œuvres, d'une filmographie qui ne cesse de se développer.

Nés après l'apparition du « septième art », Dali et Hallier sont, eux, des « enfants » du grand et du petit écran. Avec des implications parfois déterminantes dans leurs activités et leur perception des événements. Ce n'est pas sans raison si une importante exposition a eu lieu du 1er juin au 9 septembre 2007 à Londres, à la Tate Modern, et si elle avait pour nom « Dali & Film » : cette manifestation destinée à un large public avait effectivement pour louable ambition d'explorer le rôle central du cinéma dans le parcours de l'artiste catalan. Et ce n'est pas sans raison non plus si, à l'approche de cette même année 2007 marquant le dixième anniversaire de sa disparition, un film documentaire de près d'une heure a été consacré à l'auteur de *L'Evangile du fou*.

BARBEY D'AUREVILLY

* Films

— *Le Rideau cramoisi*, d'Alexandre Astruc, 1953. Avec Jean-Claude Pascal et Anouk Aimée.

— *Une vieille maîtresse*, de Catherine Breillat, 2007 (tourné en 2005). Avec Asia Argento, Fu'ad Ait Aattou, Roxane Mesquida, Michaël Lonsdale, Yolande Moreau, Amira Casar, Claude Sarraute et Lio. Sélection officielle au Festival de Cannes 2007.

* Téléfilms

Hauteclaire, de Jean Prat, 1961 (adaptation de l'une des nouvelles des *Diaboliques*, « Le Bonheur dans le crime »). Avec Paul Frankeur, Mireille Darc et Michel Piccoli.

Une vieille maîtresse, de Jacques Trebouta (adaptation de Denise Lemaresquier), 1975. Avec Jean Sorel, Norma Bengell, Laurence Vincendon et Gisèle Casadesus.

Une histoire sans nom, de Jeannette Hubert (adaptation de Catherine Bourdet), 1981. Avec Anouk Ferjac, Patricia Calas et Marie-Claude Musso.

L'Ensorcelée, de Jean Prat (adaptation de Paule de Beaumont), 1981. Avec Fernand Berset, René Bouloc et Jean-Luc Boutté.

Un prêtre marié, de Louis Grospierre, 1981. Avec Catherine Erhardy (Calixte), Jacques Penot (Néel), Georges Wod (Sombreval), Emmanuelle Riva (La Malgaigne), Jean-Paul Zehnacker, Agnès Garreau, Fernand Kindt et Jacques Mussier.

BYRON

* Films

— *La novia de Frankenstein*, de James Whale, 1935. Avec Gavin Gordon.

— *The Bad Lord Byron*, de David MacDonald, 1949 (également diffusé sous le titre allemand *Vom Jündigen Poeten*). Avec Dennis Price et Mai Zetterling.

— *Lady Caroline Lamb*, de Robert Bolt, 1972. Avec Richard Chamberlain et Sarah Miles.

— *Gothic*, de Ken Russell, 1986. Avec Gabriel Byrne.

— *Remando al viento (Rowing with the Wind)*, de Gonzalo Suarez, 1987. Avec Hugh Grant.

— *Haunted Sommer,* de Lewis John Carlino, adapté du roman d'Anne Edwards, E.U., 1988. Avec Philip Anglim.

— *Frankenstein*, de Roger Cormans (E.U.), 1990.

— *Byron, balanta gia, enan daimonismeno (Byron, Ballad for a Demon)*, de Nikos Koundouros, 1992. Avec Manos Vakousis.

* Téléfilms

— *Highlander*, série télévisée fantastique franco-canadienne en 119 épisodes. Créée par Gregory Wilden d'après le film éponyme de Russell Mulcahy et diffusée entre 1992 et 1997. Avec Christophe Lambert, Georges Corraface, Paul Johansson, Rae Dawn Chong, Clancy Brown, Alice Evans et Adrian Paul. Le personnage de Lord Byron y apparaît, en partie pour avoir inspiré le roman *Frankenstein* à Mary Shelley.

— *Byron,* de Julian Farino, 2003. Une production de la BBC, avec Jonny Lee Miller, Vanessa Redgrave, Camilla Power et Natasha Little.

DALI

* Films dont Salvador Dali est coauteur

— *Un chien andalou,* de Luis Buñuel, 1929

— *L'âge d'or,* de Luis Buñuel, 1930

— *Babaouo,* scénario écrit par Dali en 1932 (le film n'a été réalisé qu'en 1998 par Manuel Cusso-Ferrer)

— *Moontide* (Dali n'a fait qu'une étude pour une séquence de cauchemar, dans le cadre de ce projet initialement prévu pour Fritz Lang et finalement réalisé par Archie Mayo en 1941)

— *Destino,* 1945-2003. Projet de film d'animation surréaliste que Salvador Dali avait proposé à Walt Disney, lors d'un dîner organisé par le patron de Warner Bros, mais qui fut rapidement abandonné. Cent cinquant planches du *story board* furent cependant dessinées et huit secondes de film réalisées. En 2000, les Studios Disney ont relancé le projet et achevé, en 2003, grâce à la collaboration de John Hench (1908-2004), ce dessin animé musical de six minutes.

— *Spellbound* (*La Maison du docteur Edwards*), d'Alfred Hitchcock, 1945. Avec Gregory Peck et Ingrid Bergman. Dali a réalisé le décor de la scène du rêve.

— *Vater der Brant,* de Vincente Minnelli, 1950. Dali a, là encore, réalisé le décor des séquences oniriques.

— *Don Juan Tenorio,* d'Alejandro Perla, 1952 (Dali a réalisé les décors et les costumes).

— *L'Histoire prodigieuse de la dentellière et du rhinocéros*, de Robert Descharnes, 1954.

— *Chaos and Creation*, 1960 (film vidéo coréalisé avec Philippe Halsman).

— *L'Autoportrait mou de Dali avec du bacon*, 1966. Une création de Jean-Christophe Averty-Salvador Dali qui fut diffusée aux Etats-Unis (avec la voix de Dali doublée par Orson Welles). Au sujet de ce film, le réalisateur Jean-Christophe Averty a confié : « Le Maître trouve mon film très mauvais, mais reconnaît qu'on y voit que Dali ne fonctionne pas comme tout le monde. Le tournage fût une lutte continuelle, mais il vaut mieux lutter contre Dali que contre un imbécile. »

— *Voyage en Haute Mongolie*, de Jose Montes Baquer, 1979. Un film qui évoque l'analyse microscopique d'un stylo trouvé dans une chambre de l'hôtel *San Regis*. Des images commentées par Dali.

* Parmi les films réalisés autour de Dali

— *Suicide*, « screen test » réalisé par Andy Warhol, 1965. Avec Salvador Dali.

— *Screen test 4*, réalisé par Andy Warhol et Ronald Tavel, 1965. Avec notamment Salvador Dali et Dennis Hopper.

— *Salvador Dali*, « screen test » réalisé et produit par Andy Warhol, 1966 (*).

— *Cinema Dali*, de Xavi Figueras, 2004. Un documentaire d'une heure sur les rapports de Dali avec le cinéma.

(*) *Suicide*, *Screen test 4* et *Salvador Dali* font partie des 500 séquences filmées (« screen tests ») qui furent tournées à la Factory par Andy Warhol entre 1964 et 1966.

HALLIER

— *Jean-Edern Hallier,* de Jean-Daniel Verhaeghe et Jean Baronnet, 22 minutes, France 3 (distrib. INA), 1978

— *Trois jours avec Fidel Castro*, de Jacques Mény et Pierre-André Boutang, interview de Fidel Castro par Jean-Edern Hallier, 1 h 37, Rennes, 10 tribauthèque, 1990

— *Jean-Edern, le fou Hallier*, de Frédéric Biamonti, 2006. Un documentaire de 52 minutes, coproduit par Générale de Production/INA/France 5/CNC et incluant des documents de l'Institut national de l'audiovisuel.

Sites Internet

Parmi les nombreux sites consacrés, de près ou de loin à...

Barbey

www.barbey-daurevilly.com — site de Marguerite Rousselot-Champeaux, auteur notamment de deux thèses consacrées à Barbey (l'une sous la direction de Jacques Petit, l'autre sous celle de Philippe Berthier)

www. univ-tlse.2.fr/... /barbey — conçu (et s'affichant comme mis à jour) par David Cocksey, un site de l'Université de Toulouse-Le Mirail entièrement dédié à Barbey

www. agora.QC.ca/... /Barbey d'Aurevilly — site de l'Encyclopédie de l'Agora

www.wikipedia.org — site de l'Encyclopédie Wikipedia

Byron

http//acuop.club.fr/byron/index.html — site de la Société française des études byroniennes, comité national de l'International Byron Society. Depuis sa fondation, en 1975, la Société française des études byroniennes organise des conférences, expositions, visites et manifestations diverses. Elle publie un bulletin annuel

www.internationalbyronsociety.org — site de l'International Byron Society qui organise chaque année dans un pays différent un congrès consacré à l'étude de Byron et publie *The Byron Journal*, revue d'information et de recherche. L'International Byron Society compte des comités nationaux ou des membres correspondants dans la plupart des pays européens, aux Etats-Unis, au Canada, en Australie, au Proche-Orient, au Moyen-Orient et au Japon

Dali

www.salvador-dali.org — site de la fondation Gala-Dali en Espagne (visites virtuelles des trois musées espagnols, Figueras, Cadaquès et Port Lligat)

www.salvadordalimuseum.org — site du musée Dali de Saint Petersbourg, en Floride, aux Etats-Unis (les célèbres collections de M. et Mme Morse y sont présentées)

www.universdali.com — site consacré à la vie et à l'œuvre de Dali (plusieurs centaines de tableaux, dessins et objets y sont présentées)

www.virtualdali.com — site consacré à l'œuvre de Dali (avec de nombreuses photos)

www.dali-gallery.com — site de la Salvador Dali Art Gallery, consacré à Dali et au surréalisme (plusieurs centaines de tableaux et objets y sont présentées)

www.3d-dali.com — site qui, en complément de la biographie et de la présentation des œuvres, apporte des précisions d'ordre technique et des commentaires

www.daliphoto.com — site d'une photothèque de référence sur Salvador Dali par Robert et Nicolas Descharnes

www.dali-espacemontmartre.com et www.daliparis.com — sites du musée Dali à Paris

Hallier

www.jean-edern.com — le site officiel de Jean-Edern Hallier

www.jean-edern.typepad.fr — le site du Jean-Edern's Blog

Autres adresses

Barbey

— Musée Barbey d'Aurevilly, 66, rue Bottin-Desylles, 50390 Saint-Sauveur-le-Vicomte. Tél. : 02 33 41 65 18

— Société Jules Barbey d'Aurevilly, musée Barbey d'Aurevilly, 66, rue Bottin-Desylles, 50390 Saint-Sauveur-le-Vicomte. Tél. : 02 33 41 63 17.

Byron

— Société française des études byroniennes (Christiane Vigouroux, présidente, jusqu'en 2008), 64, rue de Vaugirard, 75006 Paris. Mél. : *acuop@club-internet.fr* ou *christiane.vig@wanadoo.fr.* Fondée en 1975, la Société française des Etudes Byronniennes organise des conférences, expositions, visites et autres manifestations. Elle fait partie de l'International Byron Society.

— International Byron Society, The Earl of Lytton, John Clubbe et Byron Raizis (coprésidents), Maureen Crisp (directrice), International Council, Byron House, 6, Gertrude Street, Londres, SW10 OJN, Royaume-Uni. Internet : www.internationalbyronsociety.org. L'International Byron Society a des comités nationaux ou des membres correspondants partout ou presque... Elle organise chaque année, dans un pays différent, un congrès consacré à l'étude de Byron, dont les actes sont régulièrement publiés. Elle fait également paraître *The Byron Journal*, une revue d'information et de recherche.

— United Kingdom-Newstead Abbey Byron Society, The Earl of Lytton (président), The Cottage, Chapel Lane, Epperstone, Nottingham NG146AE, Royaume Uni.

— Missolonghi Byron Society, Rosa Florou (présidente), El. Poliorkimenon 28, 30 200 Messolonghi, Grèce.

Dali

— Musée Dali, 11, rue Poulbot, 75018 Paris. Tél. : 01 42 64 40 10.

— Galerie d'art Elysées (Robert Bartoux, directeur), Espace Elysées 26, 26, avenue des Champs-Elysées, 75008 Paris. Tél. : 01 42 89 41 21. Internet : www.artwebsunion.fr. Mél : *galerie-elysees@wanadoo.fr*

— Espace Miromesnil/J.B.F. éditions d'art/Miromesnil Fine Art (Jean Amiot, directeur), 12, rue de Miromesnil, 75008 Paris. Tél. : 01 47 42 70 00. Internet : www.jbf.fr. Mél : *info@jbf.fr*

— Parfums Salvador Dali (Jean-Pierre Grivory, président, Sophie Rouët, responsable marketing), 6, rue Anatole-de-la-Forge, 75017 Paris. Tél. : 01 55 37 71 72.

Hallier

Collectif des amis de Jean-Edern (Laurent Hallier, responsable, Benjamin Labonnélie, secrétaire général), 12 *bis*, rue Desaix, 75015 Paris. Tél. : 01 45 67 66 41.

« Il y a toujours un moment dans leur vie
où les gens s'aperçoivent qu'ils m'adorent. »

Dali

Jean-Pierre Thiollet

Auteur et coauteur de nombreux ouvrages, parus chez divers éditeurs (Vuibert, Nathan, Anagramme, Jean-Cyrille Godefroy, Economica, Dunod, H & D, Frédéric Birr...) et dans différents domaines, Jean-Pierre Thiollet est né à Poitiers en 1956. Il a reçu sa formation au sein des universités de Paris I — Panthéon-Sorbonne, III — Sorbonne Nouvelle et IV — Sorbonne.

Journaliste à Paris depuis 1980, il a été notamment rédacteur en chef au *Quotidien de Paris* (Groupe Quotidien) et a collaboré à des publications comme *L'Amateur d'art*, *Paris-Match*, *Vogue Hommes*, *Théâtre Magazine*, *La Vie française*, devenue *La Vie financière, Vivendi Magazine*... Signataire de l'introduction de *Willy, Colette et moi* de Sylvain Bonmariage, réédité par Anagramme éditions, coproducteur d'une Intégrale des études de Chopin, il fut en 2005 l'un des invités du Salon du livre de Beyrouth pour *Je m'appelle Byblos*.

Parmi ses autres ouvrages récents, figurent *Barbey d'Aurevilly ou le triomphe de l'écriture*, *Sax, Mule & Co* — Marcel Mule ou l'éloquence du son et *Le Droit au bonheur*.

Remerciements

Nos chaleureux remerciements vont à tous ceux qui ont contribué, à leur manière, de près ou de loin, consciemment ou non, à la poursuite de ce projet éditorial et, en particulier, à Jean-Pierre Agnellet, Guy et Christiane de Aldecoa, Mourad Amirkhanian, Lionel Auger, Aimé Barelli (✝), Monique Baudin, Philippe et Michèle Bazin, Guy Berger, Frédéric Birr (✝), Léone et Anne-Elisabeth Blateau, Anna Blazejczyk, Michel Boutin (✝), Laurence Buge, Georges Burnol (✝), Jean-François Cabrerisso, Marie-Laure Cahier-Monème, Pierre Cardin, Jacqueline Cartier, Eric et Véronique Chambaud, Paul (✝) et Rachel Chambrillon, Jean-Marc Chardon, Laurence et Olivia Charlot, Patrice Chevallier, Chantal Danjou, Michel et Agnès Dauster, Michèle Dautriat, Laurence Del Chiaro, Florence Destombes, Bernard (✝) et Nezha Dhaeyer, Florence Delaage, Florence Delattre de Fraissinette, Alain et Maria Didion, Laurence et Sébastien Douret-Vaivre, André Ducos (✝), Philippe Dutertre, Régis et Evelin Duvaud, Gabriel Enkiri, Victor et Elena Eresko, Jean Fabris, Naji Farah, Francis et Virginie Fehr, Jean-Michel et Elisabeth Fohrenbach, Kimyo Foujita, François Gabillas, Monique Gabillas, Didier Gaillard, Brigitte Garbagni, Claude Garih, Jean-Claude Gaubert, Guy (✝) et Marie-Josée Gay-Para, Patrice Gelobter, Madeleine Gervais de Lafond, Robert Giordana, Jean Gloagen, Jean-Pierre et Jacqueline Gobert, Jean-Cyrille Godefroy, Catherine Goffaux, Rémi Gousseau, Béatrix Grégoire, Jean-Pierre Grivory, Yves Gueyffier, Marie-Françoise Guignard, Patrice et Marie-Hélène Guilloux, Eliane Hacpille Doucet, Shine Hae-Joung, Jean-Edern Hallier (✝), Marie-Christine Hugonot, Jean-Claude et Claude (✝) Josquin, René Journet (✝), Didier Jumeau, Jean-Luc Kandyoti, Elisabeth Kassouri, Anna et Suzanne Kasyan, Jean-Pierre et Hopy Kibarian, Reine Kibarian, Ladislas Kijno, Sandra Knecht, Ryusaka et Hirumi Kubota, Takefumi Kubota, Ingrid Kukulenz, Radoslav Kvapil, Isabelle de Labarthe, Benoît et Marie de La Bastide, Christelle Lachasse, Anne Lacote, Frédérique Lagarde, Cécile Lamotte d'Incamps, Marie-France Larrouy, Arnaud Laster, Hervé Lechat, Etienne et Carmen Lecocq-Bravo, Jean-Louis Lemarchand, Denis et Marie-France Lensel, Ghislaine

Letessier, Didier et Pascale Lorgeoux, Patrick et Sophie Lussault, Odile Martin, Françoise Martinez, Jean-Claude Martinez, Guy Marty, François Mattéi, Michel Mauer, Alain et Jean-Claude Mondon, Michel Montenay, Marie-Madeleine de Montera, Jean-Michel et Marie-Odile Morin, Bernard Morrot (✝), Marcel (✝) et Paulette (✝) Mule, Phuc et Toine N'Guyen-Xuan, Jean-Loup Nitot, Jill Nizard, François Opter (✝), Marie-Noëlle Paduani, Denise Perez, Simone Piaut (✝), Angelo Pittiglio, Philippe Portejoie, Jeanine Povill, Martine Pujalte, Daniel Rabreau, Richard et Gabrielle Rau, Viviane Redeuilh, Raoul Relouzat, Ariel Ricaud, Christian et Joëlle Richard, Nicolas Richard de La Prade, Daniel Rivière, François Roboth, Nadine Rossello, Renaud Rosset (✝), Caroline Roucayrol, Jean-Michel Saint-Ouen, Claire Scheltienne, Elisabeth Schneider, Philippe Semblat, Michel Sergent, Sylvie Sierra-Markiewicz, Jacques Sinard, Véronique Soufflet, Ghassan Tarabay, Hélène de Tayrac, Philippe et Marie-Claude Tesson, Hélène, Pierre et Monique Thiollet, Joël Thomas, Pascale Thuillant, David et Genc Tukiçi, Laurence Uebersfeld, Dominique Védy, Jacques Vidal (✝), Christiane Vigouroux, Sylvie Viollet, André et Mauricette Vonner, Thierry et Catherine (✝) Wartelle, Franz Weber, Ylva Wigh.